AF607344

Segunda edición, diciembre de 2024

info@westindies.eu

Edición, corrección y maquetación: Colectivo Fut i Makak
Fotografía de portada: ATLAS, Collaboration ©CERN

ISBN: 978-9949-7288-2-4
Impreso en Masquelibros
Impreso en España – Printed in Spain

MATERIA EXTRAÑA

Juan José Gómez Cadenas

A Pilar, por los tres milagros

«Eran hombres gigantescos, montados en caballos colosales».

Víctor Hugo, *Los miserables*

LA MUERTE Y EL AMANECER

Está conduciendo demasiado deprisa.

Sabe que debe reducir la velocidad. Aparcar el coche y reflexionar una vez más sobre lo que está a punto de hacer. Por un momento considera la posibilidad de dar la vuelta y regresar a casa con su mujer, con sus hijos, con su hermano. Marcharse lejos. Olvidarlo todo.

No puede. Sobre todo por ellos, no puede.

La mísera luz del alba ilumina los campos nevados que su Saab atraviesa, como en un sueño. Cruza el pueblo, dormido todavía, sin una luz que le sirva de consuelo. Derrapa en una de las primeras curvas que ascienden al puerto de montaña, pero endereza el automóvil de un volantazo y continúa, cada vez más deprisa, mientras la ansiedad, a medida que se acerca a su destino, se va condensando como una bola agria y densa en la boca de su estómago.

Tiene que llegar a tiempo. Antes de que el acelerador de partículas arranque de nuevo en tan sólo unas pocas horas. Cada minuto en que choquen los haces puede ser el que desencadene la catástrofe.

Las curvas van siendo cada vez más numerosas y más cerradas. Dentro de cinco minutos habrá llegado. Echa un vistazo de reojo al fusil de reglamento que ocupa el asiento del copiloto. Será suficiente para asustar a Friedrich. Posiblemente no sabe que cada reservista de la

República Helvética guarda su arma en casa, pero no las municiones. Y aunque lo supiera. Nadie discute mientras le encañonan.

Por enésima vez repasa su plan, mientras negocia bruscamente una curva tras otra, dando bandazos a todo lo ancho de la carretera. Friedrich es muy madrugador; para cuando llegue a su casa estará a punto de levantarse. Llamará a la puerta, ocultando el fusil en su abrigo. No se resistirá. Sabe que no es un hombre valeroso. Le hará conducir de regreso al CERN. Le arrastrará hasta la sala de control. Obligará al operador a seguir sus instrucciones, amenazando con volarle la cabeza a su rehén en otro caso.

Tiene que detener el acelerador. No hay un instante que perder.

Después de tantas noches de insomnio puede visualizar las burbujas extrañas en su mente, tan nítidas y peligrosas como los copos de nieve que empiezan a golpear el parabrisas. Ve los dos haces de núcleos de plomo, circulando casi a la velocidad de la luz por el interior del tubo de vacío del acelerador. Los imagina chocando de frente, como dos enjambres de abejas que se embisten, cada insecto cargado con mil kilos de dinamita. Visualiza el diminuto infierno que se produce en cada colisión, millones de veces más caliente que el interior del Sol. La miríada de fragmentos tras cada explosión en miniatura, escapando en todas direcciones, como un planeta que estalla en mil pedazos. Y entre ellos, minúsculos y letales, los grumos de materia extraña.

Creándose y desintegrándose, cientos de ellos cada segundo.

La nevada comienza a arreciar. Los limpiaparabrisas

barren la avalancha de copos, la mayoría de los cuales no tienen tiempo de tocar el cristal antes de ser desintegrados. Pero alguno llega, aunque sea de tarde en tarde. Son demasiado numerosos incluso para las feroces cuchillas forradas de goma. Quizá se estén produciendo decenas de miles de burbujas en el acelerador. Basta con que una alcance el helio que rodea los imanes superconductores para iniciar la reacción en cadena.

Una sola burbuja sería suficiente para desencadenar la catástrofe.

Los potentes faros halógenos iluminan una curva a la derecha, que se aproxima peligrosamente al ridículo quitamiedos y al precipicio que se abre más allá. Un sexto sentido le avisa que frene antes de abordarla.

No hace caso y, cuando alcanza a ver la placa de hielo en la carretera, ya es demasiado tarde.

DIEZ AÑOS MÁS TARDE

PRIMERA PARTE
ENERO

EL CIELO SOBRE CENTRAL PARK

El cielo sobre Central Park era tan inocente, la nieve recién caída tan inmaculada, como si la ciudad estuviera libre de todo pecado. Irene de Ávila inspiró con fuerza, llenándose los pulmones del gélido aire de enero.

Estaba decidido, pensó. Se marchaba.

Más allá de los confines del parque Nueva York bullía con la agitación habitual de un lunes cualquiera, pero los alrededores del lago estaban casi desiertos. Algún paseante esporádico con el gorro calado hasta las cejas, un par de *joggers* enfundados en sus chándales acolchados, un grupo de muchachos haciendo malabarismos sobre sus patines, sorteando hileras de latas de Coca-Cola alineadas en mitad del estanque helado.

Se marchaba. Una vez más.

¿Cómo iba a decírselo a sus padres? Raúl, sobre todo, se lo iba a tomar mal, muy mal. No había contado, ni por un instante, con la posibilidad de que ella rechazara la oferta del Instituto de Estudios Avanzados de Princeton. Leila, en cambio, se había percatado inmediatamente de que algo no iba bien, pero aguardó a que Raúl se marchara a dar sus clases antes de abordarla.

—¿No estás contenta, cariño?

¡Cómo no iba a estarlo! Sólo en el pasillo en el que

se ubicaría su despacho había tres premios Nobel. La posibilidad de trabajar con los mejores físicos del mundo le haría la boca agua a cualquiera.

—¿Pero...?

¿Había un pero? Algunas de sus razones eran tan irracionales que le avergonzaba pronunciarlas en voz alta. ¿Cómo expresarle a Leila su miedo de que el famoso Instituto fuera un cementerio de elefantes? Las sombras de todos aquellos ilustres difuntos, Einstein, Gödel, Hilbert, planeando pesadamente sobre el campus. La marabunta de celebridades, seguidas por sus acólitos, deambulando ceremoniosamente por los pasillos, dejando a su paso un aire de santidad. El ambiente de monasterio impregnando las oficinas, las salas de seminarios, la cantina, donde los novicios hablarían en un susurro para no perturbar las meditaciones de los grandes hombres. ¿Y ella? La monjita boba, joven, mujer, protegida por todo el mundo.

—Siempre te has sabido defender. ¿No era así ya en Harvard?

—Así era, sí. Ése es el problema.

Harvard. Cuatro cursos de licenciatura, y cuatro más para doctorarse, rodeada de hombres. Ocho años y un día, aparentando ser uno más del grupo, vistiéndose con harapos unisex, peleándose a brazo partido por hacerse respetar. Y pagando el precio por ello.

—Deberías pensarlo bien, no vayas a cometer una imprudencia. Tienes por delante una carrera muy prometedora.

—¿Lo pensaste tú cuando dejaste el piano, mamá?

Leila había encajado bien el golpe. Estaba acostumbrada a sus desplantes. Ella, en cambio, nunca conseguía comprender por qué insistía en propinarle coces a su madre. Estaba a punto de cumplir los veintisiete años. ¿Iba a seguir siendo una adolescente toda la vida?

—Yo sabía lo que quería, hija. ¿Y tú?

¿Y ella?

Ocho años de vida monacal, de clausura, de abstinencia habían dado de sí. Su nombre era conocido, sobre todo desde que el satélite Chandrasekar había descubierto las dos estrellas de materia extraña en Australis y Casiopea. Cada vez que se hablaba de ellas, era obligatorio mencionar el modelo teórico de Cousins y De Ávila que había predicho su existencia.

Cousins y De Ávila. El gran hombre y su alumna más brillante.

Princeton quedaba muy cerca de Harvard. La sombra de Bob Cousins era demasiado larga. Tanto como su buena voluntad.

No necesitaba más favores. Ya le debían los que le había hecho a su padre.

—Yo también sé lo que quiero, mamá.

—No se hable más entonces.

Un artista callejero estaba montando una función de marionetas, desgañitándose para llamar la atención del escaso público, manejando con pasmosa soltura unos títeres gigantes, estrambóticos, que parecían animados de vida propia. Un cuervo de pico anaranjado, vestido con levita de gala y sombrero de copa se acercó a ella, dedicándole una obsequiosa reverencia.

—¿Cómo estás, princesa? —la voz era áspera y ronca; su acento, un Harlem tirando a falso. Los labios del chico de color que manejaba el guiñol apenas se movían.

Irene hizo un gesto con la mano, como arrugando un papel.

—Ya ves —dijo—. Con el corazón así de encogido.

El pajarraco la estudió atentamente, inclinando la cabeza, primero a un lado, luego al otro.

—Ya sé —dijo al fin—. Tienes que elegir entre dos tíos.

Se le escapó una risa que no le sonó muy diferente de los graznidos del cuervo. La monja boba, que sólo sabía hablar de física, con problemas de bigamia.

—Me parece que vas un poco desencaminado, amigo.

El titiritero le dedicó una tímida mueca, como pidiendo disculpas por el atrevimiento del bicho.

—En realidad tengo que elegir entre quedarme en casa o marcharme —dijo ella—. ¿Tú qué harías?

El cuervo reflexionó unos instantes, saltando de una pata a la otra. Irene se llevó la mano al bolsillo de la gabardina, palpó el sobre arrugado, con el membrete del CERN, el Laboratorio Europeo de Física de Partículas Elementales. En su interior la carta, leída cien veces, detallando la oferta de trabajo. Una mano de mujer había tachado el encabezamiento formal, «Estimada doctora De Ávila», escribiendo en su lugar, a tinta: «Querida Irene». La misma mano que firmaba «Helena Le Guin», con un trazo oblicuo y firme, las dos columnas verticales de la hache combándose ligeramente hacia el exterior, la raya horizontal apuntalándolas decididamente, la ele curvándose en una breve rúbrica.

Helena Le Guin. La primera mujer en la historia del CERN en ocupar la dirección general del laboratorio. Bob no se cansaba nunca de mencionarla.

—Una mujer encantadora —solía decir—. Y tan inteligente.

El cuervo levantó la chistera para rascarse la cabeza de trapo antes de preguntar.

—¿Y tendrías que irte muy lejos?

—Bastante lejos, sí. A Ginebra. Pero yo..., bueno, nací allí. Creo que me gustaría volver. Pero es complicado...

—¡Qué va! —exclamó el cuervo, golpeándose el pecho con el ala—. Limítate a hacer lo que te salga de aquí dentro.

¡Si fuera tan fácil! Si el corazón pidiera las cosas claras en lugar de murmurar entre dientes sin que se entendiera nunca lo que quería. El cuervo parecía buena gente detrás de aquella pose de tipo duro. Irene le acarició la cabeza. Él, agradecido, se restregó contra su mano mientras el titiritero trataba de controlar el castañeteo de sus dientes. Irene reparó en que el abrigo del muchacho era demasiado ligero para protegerle del viento helado que comenzaba a soplar.

—Gracias, hermano —dijo, sacando un billete de veinte dólares de su cartera que el ave atrapó diestramente, haciéndolo desaparecer en el bolsillo de su levita.

—Vuelve pronto —respondió una voz, que ni era áspera, ni falseaba el acento, ni salía del pájaro.

Irene le hizo una última caricia al cuervo y se alejó, sintiéndose menos sola.

SEÑAL DE NEUTRINOS

La primera reacción de Héctor Espinosa cuando la señal de neutrinos apareció en el osciloscopio fue comprobar la hora con la mezcla de incredulidad y alivio de un atleta que acabara de correr la maratón. La segunda, lanzar un alegre corte de mangas en la dirección del reactor, propinándose una tremenda palmada en el bíceps, que dejó su brazo izquierdo ligeramente entumecido. La tercera, echar mano de su iPhone y escribirle un mensaje a Velasco, moviendo a toda velocidad los dedos sobre el teclado táctil.

Tenemos señal en el osciloscopio. RAN está en marcha.

Luego se dejó caer en la butaca. Los ojos se le cerraban de puro cansancio. Pensó en el viejo. Ojalá hubiera alcanzado a verle, saliéndose con la suya, con dos cojones, como le gustaba decir a él. Toda la operación había llevado menos de una semana. Un día para cargar los módulos en el camión. Otro para recorrer, a la velocidad de tortuga del transporte especial, los seiscientos kilómetros que separaban el laboratorio, vecino a San Francisco, de la central nuclear de San Onofre, a medio camino entre Los Angeles y San Diego. Uno más para poner a punto el hangar, cercano al reactor, cedido por la dirección de la planta. Dos para montar el aparato en la piscina, y otros dos para cablearlo, poner a punto la electrónica y arrancar la toma de datos.

Estaba contento. Contento y agotado. Cuando se levantó tuvo que apoyarse en el respaldo de la butaca hasta controlar la sensación de mareo que, por un instante, hizo bailar a su alrededor los estantes de armazón metálico, donde destellaban los diodos multicolores de los sistemas de control. La tentación de seguir dormitando hasta que llegara Velasco era muy grande. Pero quería realizar otra ronda de chequeos antes de que el rostro avinagrado del coronel apareciera por la puerta.

Armado con una libreta de notas salió de la pequeña barraca de control y se dirigió a la piscina en cuyo interior se hallaban los módulos de centelleador líquido. Parsimoniosamente, rodeó el perímetro cuadrado, de unos cinco metros de lado por diez de profundidad. El detector, un cubo de metacrilato de algo más de tres metros de arista, montado sobre un armazón de fibra de carbono, parecía un enorme dado reluciente. Toda la información se extraía mediante un apretado manojo de fibras ópticas que surgía del agua como el tentáculo de algún monstruo marino y reptaba a lo largo del piso de cemento sin lucir hacia la barraca.

¿Cuándo habían cambiado las cosas? Llevaba peleando casi una década, pero durante el primer lustro las trompadas le caían de todos los lados. De poco le había servido, al principio, que Livermore fuera el centro de investigación militar más importante de California, por no decir de todo el país. Los grandes recursos disponibles en el laboratorio sólo estaban al alcance de los proyectos estrella, los que contaban con el beneplácito de generales y congresistas. A Héctor Espinosa y su pretensión de controlar el combustible de una central nuclear a base de medir los neutrinos emitidos por las reacciones de fisión que ocurrían en el interior del reactor no los tomaba nadie en serio.

Hasta el día en que el senador Pullman asistió, por pura casualidad, a una de sus conferencias. Esa misma tarde el prohombre aparecía por su despacho, acompañado por el coronel Velasco, con su uniforme impecable, su cara picada de viruela y su mala leche. Le habían escuchado durante tres horas, Pullman relajado y cordial, Velasco tieso y mudo como una estatua, pero ambos pendientes de sus razonamientos. Le hicieron llenar una pizarra tras otra y hablar hasta quedarse afónico antes de darse por satisfechos.

Y de repente había plata en abundancia y el detector dejaba de ser una chatarra, construida a base de remiendos, para transformarse en la *Enterprise*. Los viejos fotomultiplicadores eran desbancados por diminutos objetos desarrollados en la estación espacial, el Kevlar sustituía a la cinta aislante, la fibra de carbono al aluminio, los microprocesadores a la jungla de transistores, resistencias y condensadores soldados a mano.

De repente la NASA le cedía sus ingenieros, la dirección de la central nuclear de San Onofre le ofrecía utilizar su reactor para poner a punto el radar de neutrinos y una comisión presidida por el mismísimo senador le exigía resultados.

De repente tenía al coronel Velasco danzando a su alrededor a todas horas.

—¿Qué hace todavía en el zulo, mayor? Debería estar descansando. Mañana le espera un largo viaje de regreso a Livermore.

Héctor dio un respingo, percatándose de que se había quedado adormilado, apoyado en la grúa que permitía manipular los módulos del detector. Cuando levantó la cabeza se tropezó con un rostro enjuto de mejillas perfectamente rasuradas, picadas por las diminutas marcas de una antigua viruela. Un rictus sardónico, que había aprendido a traducir como una sonrisa, torcía los finos y despectivos labios.

—Muéstreme la señal —dijo Velasco, dirigiéndose hacia la caseta donde albergaban la electrónica y los ordenadores.

Héctor le siguió. La curva característica de las reacciones de neutrinos en el detector seguía dibujándose en el osciloscopio.

—Ahí la tiene.

—¡Vaya! —dijo el coronel, estirando fastidiosamente las mangas de su uniforme de faena—. Felicidades. Parece que al final vamos a coger a esos clérigos de las pelotas.

—Irán no es el único país del mundo donde RAN sería útil —contestó Héctor, beligerante.

—¡Cierto! —exclamó el coronel—. Tampoco nos vendría mal controlar a los coreanos, los paquistaníes y los chinos. ¡Todo se andará!

—Hay otra manera de verlo. Si RAN fuera aprobado por la AIEA[1] se instalaría en todas las centrales nucleares del mundo. ¿Por qué empeñarse en utilizarlo para espiar a unos cuantos países cuando podría ser parte de los mecanismos de control para la no proliferación nuclear?

Velasco emitió un largo silbido.

1 Agencia Internacional de Energía Atómica

—¡Magnífico discurso, mayor! —exclamó—. ¡Lástima que no podamos llamar a los ecologistas para aplaudirle!

Héctor apretó los puños, conteniendo la rabia. Soportar el carácter venenoso del coronel era parte del precio que había que pagar por el milagro.

ARMAGEDÓN

Helena Le Guin consultó la hora en su Patek Philippe. Faltaban cinco minutos para las nueve. Le quedaba el tiempo justo para fumar un cigarrillo en el balcón antes de que llegara Alessandro Calvetti. Cinco minutos exactamente; la puntualidad de Alessandro era inusitada en un italiano. Aunque después de todo su viejo amigo era de Turín, lo cual le convertía casi en alemán, excepto cuando se enfadaba. Y Helena estaba segura de que acudiría a su cita muy enfadado.

Desde el balcón de su despacho se divisaban los viñedos que rodeaban el CERN, envueltos en neblina, a esa hora temprana de la mañana. Helena se arrebujó en su abrigo mientras fumaba. Otro día de enero en Ginebra, pensó, frío y desapacible. El cielo, de un color gris sucio, parecía cernirse a un palmo del techo del edificio.

Tuvo el tiempo justo de apagar la colilla y acomodarse en su escritorio antes de que Alessandro irrumpiera en la oficina. Como había previsto, venía de un humor pésimo.

—¡Te lo dije, Helena! —exclamó, derrumbándose en una butaca, sin quitarse siquiera la gabardina—. ¡Te dije que ese farsante nos iba a complicar la vida!

Alessandro tenía el rostro congestionado y empuñaba su pipa por la cazoleta como si fuera una daga. No era difícil imaginárselo apuñalando a sir James con ella.

—Cálmate, Sandro. No será para tanto.

—¿Que no? ¡Echa un vistazo!

Helena ojeó el libro, de pequeño tamaño, que Calvetti había arrojado sobre su escritorio. Tenía una cubierta roja y negra, en mitad de la cual se veía una fotografía de la Tierra tomada desde el espacio, hábilmente retocada para crear la impresión de que el planeta estaba a punto de estallar en mil pedazos. El título rezaba *Armagedón*. Un poco más abajo, una apostilla: *Riesgos de la ciencia irresponsable*. En la parte inferior de la cubierta el nombre del autor, sir James Reeves.

—¿Otro catálogo de plagas?

—¡Ni te lo imaginas! Nanorreplicantes, virus letales, el cambio climático, una guerra termonuclear..., pero lo peor es el capítulo que dedica a las burbujas extrañas.

—¿Me lo resumes? No me siento con ánimos de leer este panfleto.

—Su discurso habitual, pero con un tono mucho más agresivo. Afirma que el acelerador supone una amenaza para el planeta y exige del Consejo del CERN que prohíba el programa de alta intensidad.

Helena se recostó en su butaca. El Departamento de Autocontrol funcionaba a toda máquina, pero los obreros que demolían algún pecio viejo en el interior de su cabeza habían arrancado de nuevo los martillos neumáticos.

—¿Crees que se lo va a tomar alguien en serio?

Calvetti resopló, exasperado.

—Reeves no es más que un mercenario. El CERN le sale demasiado caro a los estados miembros y me temo que algunos de ellos están deseando encontrar una excusa para recortar gastos. No es casualidad que un libro así se publique cuando muchos de los delegados murmuran que el nuevo acelerador es una máquina demasiado ambiciosa.

—Y a menos de un año de las elecciones a director general —suspiró Helena.

—A las que se presentará Jozef Linsen, pregonando una alternativa radicalmente diferente a la tuya.

—¡La alternativa del avestruz!

—La letanía que los delegados quieren oír. Reducir gastos y plantilla, moderar las aspiraciones del laboratorio...

—Jozef es un imbécil. Su gestión hace diez años fue catastrófica y si gana ahora las elecciones conseguirá que nos cierren la casa.

—Posiblemente eso es lo que buscan los que le apoyan.

Calvetti sacó una delgada lata metálica del bolsillo de su chaqueta, la abrió y comenzó a cargar su pipa con picadura aromática.

—Desde el Nobel de Cario Rubbia en el ochenta y cuatro, el CERN no ha realizado un solo descubrimiento relevante —dijo mientras aplastaba cuidadosamente el tabaco en el interior de la cazoleta con un delgado punzón metálico—. ¡De eso hace veinticinco años! Llevamos cinco lustros sin producir nada que interese a los políticos. Y los últimos quince los hemos pasado construyendo un acelerador que ha costado el doble de lo que presupuestamos.

—Cierto —murmuró Helena—. El LHC[2]nos ha dejado arruinados.

—¿Y qué nos ha dado a cambio? ¿Dónde están las partículas supersimétricas cuyo descubrimiento nos iba a sacar de apuros? ¿Dónde está el bosón de Higgs?

—Quizá deberíamos haber seguido con el programa de protones, Sandro. Quizá me equivoqué al cambiar a los núcleos de plomo antes de tiempo.

—¡No digas eso! Era lo razonable. Aguantamos dos años sin evidencia alguna de nuevos fenómenos físicos. ¿Cuánto más debíamos esperar? ¿Y si malgastábamos una década sin encontrar nada?

—En ese caso la propaganda de Reeves no hubiera sido necesaria —dijo Helena—. Si el LHC no realiza un descubrimiento pronto, el CERN está condenado.

Calvetti le mostró la pipa, alzando las cejas en un gesto de interrogación, pidiendo permiso para encenderla. Helena sacó de su bolso una pitillera de plata y un delgado Dupont de oro macizo; extrajo un Camel de la pitillera, lo encendió y le alargó el encendedor a Alessandro.

—Recuérdame que abra el balcón luego —dijo—. Heike me riñe si huele a humo.

—¿Tu secretaria te riñe?

—Se preocupa por mi salud, ya sabes.

Alessandro asintió con la resignación de quien también estaba acostumbrado a que le fastidiaran por su propio bien y llevó la llama del encendedor a la pipa, haciéndola girar repetidamente sobre el tabaco. Helena

2 Siglas de Large Hadron Collider, el último gran acelerador de partículas del CERN.

tiró de su cigarrillo, cerrando los ojos, saboreando la primera bocanada de humo en los pulmones. Como siempre que lo hacía, visualizó la fábrica en el interior de su mente, trabajando a pleno rendimiento, cada uno de los departamentos cumpliendo su labor. Mientras razonaba con Calvetti, Autocontrol se ocupaba de mantenerla relajada y con una sonrisa en los labios. Contabilidad, entre tanto, no dejaba de repasar cuentas, sumando y restando los millones que el CERN debía. Logística tramaba sin cesar, tratando de encontrar una estrategia para contrarrestar el dañino ataque de sir James. Finalmente, el Departamento de Megafonía voceaba ideas, consignas y prohibiciones a través de potentes altavoces, como los que ahora resonaban en su cerebro.

—No deberías fumar tanto —decían en ese momento.

Megafonía, a ratos, era peor que Heike.

—Al menos, con el programa de núcleos de plomo tenemos una oportunidad —dijo—. Friedrich tiene una evidencia casi firme del plasma de quarks. Estamos en el umbral de un gran descubrimiento.

—Un premio Nobel no se gana con un «casi» —retrucó Calvetti.

—Por eso necesitamos el programa de alta intensidad —dijo Helena.

—Y por eso sir James argumenta que a mayor intensidad, mayor probabilidad de que se formen burbujas de materia extraña. *Siamo fregati, cara mia.*

—No nos queda más remedio que contraatacar —dijo Helena—. Carl Penrose me ha invitado a participar en un debate con sir James. Creo que voy a aceptar.

—¿Penrose? ¿Te refieres a *Cosmos*, el programa de la

BBC? ¿No es muy arriesgado?

—Es una ocasión de pararle los pies a nuestro querido filósofo.

—No será fácil. Echará mano de todos sus trucos de retórica catastrofista.

—Pienso rebatírselos uno a uno.

Alessandro emitía humo como una caldera defectuosa. Tenía razón, era una temeridad enfrentarse a sir James, en directo y en hora de máxima audiencia. Pero no le quedaba otro remedio.

—En cuanto al programa de alta intensidad, condicionaremos aprobarlo a que Friedrich demuestre que su experimento no encuentra evidencia alguna de formación de materia extraña en el LHC. Quiero esgrimir ese argumento contra sir James.

—Es el tercer estudio que le pedimos a Friedrich en lo que va de año. Se pondrá hecho una fiera.

—Lo sé, pero no creo que nos quede otra alternativa.

—¡Si al menos contáramos con una teoría razonable! —exclamó Calvetti, golpeando con saña la cazoleta de la pipa contra el cristal de un cenicero, desparramando un reguero de restos calcinados sobre éste—. Es difícil argumentar cuando carecemos de un modelo para describir la formación de materia extraña.

—Eso no es del todo cierto —objetó Helena—. Tenemos Cousins y De Ávila.

Las manos de Calvetti se contrajeron en dos pinzas, los pulgares golpeando repetidamente los dedos corazón y anular—. *Dai, cara.* ¡El modelo teórico de Cousins y De Ávila sólo es válido en estrellas de neutrones!

—He telefoneado a Bob Cousins esta mañana. Está

convencido de que podría extrapolarse al caso del LHC.

—¿Y quién va a hacerlo? No me parece que él esté muy activo desde que es rector de Harvard.

Helena hizo girar su estilográfica sobre el dorso de la mano, proporcionándole un golpe seco con el pulgar a uno de los extremos. El plumín de oro trazó una circunferencia perfecta y se quedó apuntando al pecho de su amigo.

—¿No te lo había comentado? —dijo—. Irene de Ávila llega la semana que viene al CERN. Voy a pedirle que trabaje en este problema.

DIAGRAMAS DE FEYNMAN

Irene reconoció a Corinne apenas franqueó la puerta de acceso a la terminal de llegadas del aeropuerto de Ginebra. El mismo estilo de pelo, rubio paja, cortado a lo garçon, jersey de lana de cuello vuelto, vaqueros ajustados, botas de caña alta y agudos tacones que exageraban su figura, ya de por sí espigada. La alegría que se reflejaba en su rostro era todo lo que necesitaba para sentir que el viaje había merecido la pena.

—¡Corinne!

—¡Irene, reina!

Su amiga olía a perfume caro, administrado sin demasiada sensatez. No era difícil imaginársela camino del aeropuerto, propinándose un botellazo de Channel cuando hubiera bastado con un par de gotas. La abrazó, feliz.

—¡Pero si estás monísima! —gritó Corinne—. ¡y esa melena! ¿Desde cuándo eres tan pelirroja? ¡Te lo has teñido!

—¡Qué me voy a teñir! Es mi pelo de siempre.

—¡Pues pareces una modelo, guapa!

Era Corinne, no cabía duda. Diez años no la habían cambiado en absoluto.

—¡Vaya! Menos mal que le gusto a alguien.

Corinne agitó la cabeza con falsa pesadumbre.

—¡Ay, señor, qué voy a hacer contigo! ¿Sigues igual

de pasmada que siempre? Bueno, déjalo en mis manos. Enseguida te encuentro novio.

—Mujer, ya me apañaré...

—¿Apañarte tú? Si no fuera por mí, no te habrías comido una rosca en tu vida.

No, no había cambiado en absoluto. Llevaban un minuto juntas y ya se las había compuesto para arrancarle una costra, seca desde hacía tanto tiempo que había olvidado que tenía. Pero al César lo que era del César. Fue ella quien se lo presentó.

—Dime, ¿qué ha sido de André? ¿Mantienes contacto aún con él?

—No..., la verdad es que... ¡Bah! —Corinne agarró firmemente su maleta—. Anda, vamos. ¿Quién se acuerda de ese pesado ahora?

—¿Las pasmadas como yo?

—¡Venga, no seas ceniza! Espera que te presente a Matthieu. Nos está esperando fuera; no hay quien aparque en este aeropuerto. ¡Vas a alucinar!

Irene se colgó del brazo de su amiga, adormilada tras el largo vuelo nocturno, confundida por el barullo que las rodeaba, ligeramente mareada por el penetrante aroma del perfume, sin acabar de creerse que se encontraba de nuevo en casa.

Héctor Espinosa pasó su tarjeta de crédito por la máquina que controlaba el peaje. Cuando se alzó la barrera, pisó el acelerador de su Chrysler y enfiló hacia la quinientos ochenta, camino de Livermore. El tráfico, que había sido bastante fluido durante la larga noche manejando desde

San Onofre, comenzaba a espesarse, pero eran todavía las seis de la mañana y no quedaban más de cuarenta millas hasta el laboratorio. Llegaría con tiempo para franquear los controles de seguridad, e incluso le quedaría un rato para repasar su informe a la comisión.

Aunque no necesitaba otro repaso. Se sabía la lección de memoria.

—RAN son las siglas de un dispositivo que llamamos Radar de Neutrinos —murmuró en voz baja, repitiendo, al pie de la letra, el contenido de la primera transparencia—. Se trata de un aparato que puede montarse en la vecindad de cualquier central nuclear, capaz de detectar los neutrinos que se producen como consecuencia de las fisiones en el interior del reactor.

El truco para hacerlo bien era no acojonarse. Pretender que se trataba de una más de sus clases en la escuela de ampliación de estudios del ejército, imaginar que su audiencia estaría compuesta por suboficiales bisoños en lugar de congresistas, generales del Estado Mayor y técnicos del Pentágono.

—La característica esencial de RAN es su portabilidad. Tras ocho años de trabajo hemos perfeccionado una técnica que nos permite poner a punto el detector rápidamente. Además, puede operar indefinidamente y sin apenas mantenimiento.

No tener miedo. Igual que en el ring cuando el oponente era más grande que uno. El viejo siempre decía que los combates no los vencía el más fuerte, sino el más valeroso.

—Para el boxeo hacen falta cojones, hijo.

Cojones nunca le faltaron a Diego Espinosa. Dio

un buen combate incluso cuando la leucemia acabó por tirarle a la lona. La agüela veía en él su vivo retrato.

—Eres igual que tu padre, m'hijito.

A la altura de Castro Valley los cinco carriles de la autopista se habían embotellado casi totalmente, obligándole a concentrarse en manejar en el océano de metal que le rodeaba. Finalmente se acomodó entre una furgoneta con las barras y estrellas de la bandera pintadas en los flancos y un deportivo armado de tubos de escape relucientes como cañones de escopeta mientras las transparencias seguían pasando una tras otra en su cabeza.

—Las reacciones de fisión en un reactor nuclear producen, además del calor que puede transformarse en energía eléctrica, trillones de las partículas que denominamos neutrinos. Imagínenselas como el producto de desecho de las desintegraciones radiactivas. Son neutras, muy ligeras y casi no reaccionan con la materia. Se comportan como fantasmas, capaces de atravesar los muros de contención del reactor y escapar al exterior sin que nadie pueda detenerlas.

Estaba menos nervioso de lo que esperaba. Aunque bien pensado, ¿por qué había de estarlo? Se había preparado durante ocho años para el asalto de esa mañana y estaba seguro de ganarlo.

—La composición del halo de neutrinos que emite un reactor es proporcional a la cantidad de elementos radiactivos que se encuentran en su interior. En consecuencia, un aparato capaz de detectarlos puede monitorizar las cantidades de uranio y plutonio en su interior.

Había sido un largo camino desde que llegó a Stanford sin otras credenciales que sus galones de teniente, sus guantes de boxeo en el petate y una beca de ampliación de estudios de las fuerzas armadas.

—El detector RAN es capaz de detectar dichos neutrinos y por tanto proporcionar una radiografía, por decirlo así, del contenido radiactivo del interior del reactor.

Largo y difícil. Un cubano de Miami al que el ejército pagaba los estudios era persona non grata en la universidad más elitista de toda California. Los cursos de doctorado eran difíciles, y la ayuda de los estirados profesores nula. Impartía clases en la escuela de formación de suboficiales, merodeaba por la biblioteca tratando de rellenar las lagunas de su deficiente formación y se pasaba los fines de semana en el gimnasio, batiéndose el cobre con otros mestizos como él. De cuando en cuando llamaba a la agüela y le lloraba sus penas. Ella murmuraba conjuros a Changó, encendía velas a santa Bárbara y le prometía su mediación inminente.

Todavía no se explicaba cómo había conseguido poner en marcha RAN, de dónde había salido la inspiración para convencer primero a sus mandos y luego a los burócratas de Livermore. Y aún más inexplicable le resultaba el golpe de suerte que había cruzado al senador Pullman en su camino. La agüela, en cambio, lo tenía claro.

—Viste, m'hijo —decía cuando le contaba—. Changó siempre cumple.

Helena Le Guin estacionó su Audi en el espacio reservado para ella, próximo a la entrada principal del colosal edificio esférico, en cuya sala de reuniones debía encontrarse esa mañana con Friedrich von Zhantier. No había otro automóvil en el aparcamiento, Friedrich aún no había llegado y Helena estaba segura de que se retrasaría, como era su costumbre. Debería haberle dado cita en su despacho para evitarse el plantón, pero en ese caso habría estado irascible y claustrofóbico, lo cual hubiera dificultado todavía más tratar con él. Al menos la sala de reuniones de la Esfera era lo bastante amplia como para contener el ego y los exacerbados nervios del gran hombre.

Decidió dar un paseo por los alrededores del edificio mientras aguardaba. En realidad lo que decidió fue fumar un cigarrillo, saltándose la laxa regla establecida por el Departamento de Prohibiciones.

—No se permiten más de diez al día.

Sacó un Camel de su pitillera y lo encendió con su fino Dupont de oro, inhalando avariciosamente la primera bocanada. Mientras fumaba, dejó vagar la vista por la enorme construcción, de casi cuarenta metros de diámetro, fabricada a base de vigas de madera pulida conectadas entre sí, formando una serie de arcos circulares que se ensamblaban en un especie de arca de Noé esférica. Helena se había pasado años renegando por el gasto que había supuesto el engendro, mitad monumento, mitad museo, pero, finalmente, tenía que reconocer que el *Palacio del Equilibrio*, como lo había llamado pomposamente la oficina de relaciones públicas, cumplía su cometido. No tanto por las exposiciones que albergaba como por lo hermoso que era. Tenía algo de templo o de ágora, se erguía justo al lado del CERN pero fuera de su perímetro, como proclamando su condición de territorio neutral, de espacio compartido con el resto del mundo.

Dio otra calada a su cigarrillo, reteniendo el humo en los pulmones durante unos segundos antes de dejarlo escapar. La imagen de un café en Alejandría acudió a su mente. Alfombras sobre el suelo de cemento, cojines para acomodarse, mesitas bajas donde colocar el vaso de té, el plato de dátiles. Una *sisha*, la tradicional pipa de agua egipcia, para dos. El aroma del tabaco adormeciéndola. Los versos de Cavafis, recitados por una voz que no quería recordar.

—Espabila —avisaron por Megafonía—. Friedrich no tardará en llegar.

Buscando un asidero que le permitiera centrarse, reparó en el nuevo mural que corría a lo largo del vestíbulo principal de la Esfera, flanqueando las puertas de acceso con un gigantesco fotomontaje.

No era un mal trabajo. Mostraba una fotografía aérea del CERN bajo el letrero *Laboratorio Europeo de Partículas Elementales*. Helena estudió la figura familiar, un alargado triángulo isósceles de un kilómetro de base por cuatro de longitud, ponderando las razones por las que se había construido atravesando la frontera entre Suiza y Francia.

—El CERN, señores delegados, pretende transgredir unas fronteras que pronto serán obsoletas en la Europa que se avecina.

Mentiras, por supuesto, tanto la patraña de la

nueva Europa como las altruistas motivaciones que alegaba en sus discursos. Todo se reducía a los intereses económicos de Francia y Suiza. Pero eran mentiras piadosas, mentirijillas. ¿Cuántas de ésas habría largado, sin pestañear, en los diez años que llevaba a los mandos?

Diez años que parecían habérsele escurrido como arena entre los dedos, aunque si lo pensaba bien no eran tantos comparados con las casi tres décadas que se habían esfumado desde que puso por primera vez los pies en el laboratorio con su contrato de becaria en el bolsillo, una maleta llena de libros y la cabeza llena de pájaros.

Parecía imposible que hubiera sido alguna vez la muchacha que todos los días pedaleaba los ocho kilómetros que separaban la aldea de Thoiry y el CERN, veloz como un meteoro en la cuesta abajo, camino del laboratorio, sudando a mares cuando escalaba la larga pendiente de regreso a su habitación alquilada en una de las antiguas granjas del pueblo, situado al mismo pie del Jura. Parecía imposible que hubiera entonces más alquerías que apartamentos residenciales y su trayecto cotidiano en bicicleta discurriera entre viñedos y campos de maíz. La última vez que había visitado Thoiry no se veía otra cosa, a ambos lados de la carretera por la que circulaba su Audi, que casitas idénticamente sosas, apretujándose las unas junto a las otras como subsecretarios aguardando la visita de un ministro.

Y, sin embargo, el CERN había cambiado poco. La fotografía mostraba un laberinto de edificios levantados sin orden ni concierto durante casi sesenta años. Recordaba una barriada industrial, rodeada de viñedos que a duras penas aliviaban la sensación de ghetto. El edificio principal, uno de los más antiguos, mostraba el estilo burocrático de mil novecientos cincuenta, aunque la estructura original había casi desaparecido, engullida por los múltiples anexos construidos a lo largo de medio siglo. Ese mismo esquema se repetía por doquier. El resultado era una mezcla caótica de funcionalidad y mal gusto. Las zonas más periféricas del laboratorio estaban ocupadas por hangares que albergaban áreas experimentales, almacenes y talleres. En el centro del triángulo se alzaba una colina artificial en la que solía pastar un rebaño de ovejas, bajo cuyas patas, a unos pocos metros de profundidad, corría el perímetro del venerable protón sincrotón, el primer gran acelerador del CERN y el único localizado en el interior del recinto vallado del laboratorio.

Luego vino el SPS, más tarde el LEP y finalmente el LHC. Máquinas cada vez más potentes, anillos de colisión cada vez más grandes y nombres que nunca dejaban de recordar un modelo de electrodoméstico.

—No es una lavadora, señor ministro. Es un acelerador de partículas.

El túnel subterráneo a lo largo del cual se había construido el LHC tenía casi treinta kilómetros de perímetro y abarcaba prácticamente toda la comarca, desde las montañas del Jura hasta el lago Lemán. Los protones lo recorrían en algo más de una diezmilésima de segundo.

—¿Valía la pena? —preguntaron los altavoces.

Helena se encogió de hombros. No eran pocas las madrugadas en que se despertaba, con la boca seca y la respiración agitada, tras haberse pasado la noche tratando de justificar el titánico esfuerzo y el derroche económico a un batallón de políticos trajeados.

—El LHC nos permitirá descubrir partículas supersimétricas, predichas por nuestras teorías de Gauge.

—¿Qué es una partícula supersimétrica, directora?

—Demostraremos la existencia del bosón de Higgs.

—¿Cuántos millones dijo que costaba su máquina?

—El origen de la materia, señores delegados...

—¿Cree usted que las burbujas extrañas suponen un riesgo para el planeta?

Todavía tuvo que quemar diez minutos curioseando entre las exposiciones que ocupaban parte del vestíbulo antes de que apareciera Friedrich von Zhantier, enfundado en su abrigo, con un gorro de piel calado hasta las orejas y una pistola cargada en la expresión de su rostro.

—¡Friedrich! —exclamó Helena, procurando que su voz sonara lo más cordial posible—. Me alegro de verte.

El futuro Nobel inclinó formalmente la cabeza, eludiendo estrecharle la mano. Helena constató un hecho que nunca dejaba de sorprenderle. Friedrich era un hombre atractivo, de frente amplia y barbilla firme, cubierta por una breve y aristocrática barba plateada. Tenía una melena leonina y ojos apasionadamente azules. Pero había algo más, una especie de máscara invisible que torturaba sus facciones dándole al rostro un aire fanático.

—Lamento el retraso —dijo, con un tono de voz que dejaba clarísimo que no lo lamentaba en absoluto.

—No tiene importancia —contestó Helena—. ¿Vamos? He pedido que nos preparen un refrigerio.

El desayuno que les aguardaba en la sala de reuniones era tan aburrido como la arquitectura de las casitas que brotaban como hongos en los pueblos dormitorio que rodeaban al CERN. Café flojo, cruasanes fríos y un sucedáneo de zumo de naranja que apartó sin probar. Friedrich en cambio lo despachó de un trago y luego arremetió contra la patisserie. Helena se contentó con unos sorbos de café, mientras el Übermensch despedazaba sin piedad los infortunados cangrejos de hojaldre.

—Ayer me entrevisté con Sandro Calvetti —dijo cuando Friedrich pareció darse por satisfecho, después de devorar cuatro cruasanes—. Acordamos proponer el programa de alta intensidad al Consejo del CERN.

—Me alegro —contestó Friedrich, aunque su expresión no manifestaba regocijo alguno—. Cuanto antes lo hagamos, antes tendremos un descubrimiento.

Aquella arrogancia, la falta de tacto, no accidental, en su manera de expresarse. Como de costumbre no pensaba ponérselo fácil, pero iba a necesitar algo más que desplantes para descolocarla.

—Háblame de la señal del plasma de quarks. ¿Cómo va todo?

—¡Estupendamente! —la máscara que deformaba el rostro de Friedrich pareció relajarse, sus ojos chispearon, excitados, comenzó a rebuscar distraídamente un lápiz en sus bolsillos.

Resultaba extraño, pensó Helena, la manera en que aquel simple gesto les acercaba, proclamando que ambos hablaban el lenguaje de la física, tan incomprensible para un lego como la escritura cuneiforme y a la vez el esperanto en el que se comunicaban los habitantes de la nueva Babel que era el CERN. Había visto ese mismo gesto repetido incontables veces en reuniones, en conferencias, en las conversaciones informales que se desarrollaban en media docena de idiomas en pasillos y laboratorios. Bastaba darse una vuelta entre las mesas de la cafetería para encontrar servilletas y manteles de papel cubiertos por los diagramas de Feynman que representaban las partículas elementales y sus interacciones, cada diagrama semejante a un arbusto exótico o a un raro coral, a la vez icono y regla nemotécnica, capaz de abstraer un cálculo que podía ocupar docenas o centenares de folios.

Helena le tendió un bloc de notas y un bolígrafo. Friedrich garabateó en el papel tres diagramas correspondientes a las reacciones que el experimento estaba buscando.

—Combinando las distintas señales del plasma podemos mejorar la evidencia estadística hasta casi el noventa y cinco por ciento. Estamos prácticamente en el umbral del descubrimiento. Bastará con un par de meses a alta intensidad para que no haya dudas.

—Te felicito de todo corazón. Es una gran noticia.

Von Zhantier la miró directamente a los ojos.

—No me has hecho venir sólo para felicitarme, ¿verdad? —dijo.

Helena apeló a todas las reservas de coraje que tenía disponibles.

—Friedrich, necesito un nuevo informe para el Comité Científico, confirmando la ausencia de burbujas extrañas.

Friedrich la miró fijamente. El hielo que se formaba en sus ojos debía de estar a una temperatura cercana al cero absoluto.

—¿Qué pretendes? —dijo con una voz que parecía

salir directamente de su hígado—. ¿Repetir tu hazaña de hace diez años? ¿Arruinar de nuevo mi experimento?

—Al contrario. Te deseo un gran éxito, puedes estar seguro. El laboratorio lo necesita tanto como tú.

—Entonces ¿por qué insistes con ese cuento? Sabes que no encontramos ninguna evidencia en los datos. Carpenter en persona se ha ocupado de ese análisis.

—Lo sé, lo sé..., pero me gustaría un estudio más participativo, en el que se involucren tantos grupos como sea posible. Sería bueno que trabajaran independientemente y...

—No me expliques cómo manejar mi experimento —cortó Friedrich, alzando la voz.

—Claro que no —contestó Helena, bajando la suya—. Estoy segura de que vuestra charla ante el comité no podrá ser más convincente. Más vale que lo sea si queremos pasar pronto a alta intensidad.

—¿Me estás amenazando?

—En absoluto, querido amigo. Si todos jugamos limpio estoy segura de que nos aguarda un gran éxito.

—¡Jugar limpio! ¿Tú me hablas de jugar limpio?

Podría partirla en dos, arrancarle los brazos de cuajo con la misma facilidad y ausencia de remordimientos con que había despedazado los cruasanes. Helena rebuscó disimuladamente en su bolso hasta encontrar la pluma. El peso del objeto familiar en su mano la tranquilizó un poco. El odio que emanaba de Friedrich era tan intenso que dolía físicamente.

—¿Imagino que eso es todo?

Asintió con la cabeza, sin ánimos para hablar. Von Zhantier se levantó de un salto y salió de la sala de reuniones, dando un portazo.

Helena esperó un rato, haciendo girar la pluma entre los dedos, hasta sentirse mejor. Después salió de la sala, montó en su Audi y cruzó la carretera que separaba el recinto de la Esfera de la puerta principal de entrada al laboratorio.

El guardia de la garita le hizo una seña para que se detuviera. Autocontrol reforzó sus efectivos, obligándola a no impacientarse. Las placas diplomáticas de su automóvil deberían haber bastado para que el guardia le franqueara el paso, pero la empresa de seguridad era nueva, el pobre diablo llevaría tan sólo unos días de servicio y todavía no se habría habituado a las reglas. Bajó la ventanilla y sonrió lo mejor que pudo. El guardia le devolvió una mirada cansada.

—Su documentación, por favor.

Así que ni siquiera conocía su cara. ¿Y qué esperaba? El CERN había cambiado dos veces en el último año de empresa de seguridad a fin de reducir gastos. La que había ganado el último contrato pagaba salarios tan miserables que no podía esperarse gran cosa de los nuevos empleados.

Pacientemente abrió su bolso, sólo para constatar que había olvidado su tarjeta de acceso en el despacho.

—Me temo que no la llevo encima —dijo, haciendo un esfuerzo deliberado por no perder la sonrisa—. Soy Helena Le Guin.

El guardia la miró, indiferente. Posiblemente tampoco hubiera reaccionado de haberle dicho que se llamaba Juana de Arco.

—No puedo dejarla pasar sin verificar su identidad.

¿Puede darme algún teléfono para corroborarla?

—No debería ser necesario —dijo Helena—. Este coche lleva placas diplomáticas. Normalmente no hay razón para detenerlo.

El guardia titubeó, indeciso. No era más que un muchacho. Llevaba un cigarrillo sujeto en el arco superior de la oreja. Azorado, lo tomó y se lo puso en los labios.

—Verá, señora, mis instrucciones...

Helena sacó el encendedor de su bolso y le dio fuego, disfrutando de la manera en que las pupilas del chico se agrandaban.

—Adelante —dijo él, agitando torpemente el cigarrillo recién encendido—. Pero otra vez no olvide su documentación.

—Descuide —dijo Helena—. ¿Puedo preguntarle su nombre?

—Furtado, señora. Pablo Furtado.

—Gracias por su amabilidad, Pablo.

Entre tanto se había formado una considerable caravana de automóviles, haciendo cola para entrar. Se oyeron un par de pitidos secos de algún impaciente con malos modales.

Pablo Furtado sonrió tímidamente y le hizo una seña para que avanzara.

MUJER CON SOMBRERO

La vista desde la sala de reuniones en el décimo piso del edificio principal de las Naciones Unidas en Nueva York muestra un cielo tormentoso bajo el que se extiende la masa de agua semicongelada del río Este y el monótono paisaje nevado de edificios bajos, autopistas y fábricas, característico de Long Island City. La pieza es sobria y elegante, algo anticuada, con una espesa moqueta de color azul cubriendo el suelo y un cuadro de Chagall —*Mujer con sombrero*— en una de las paredes. La ocupan en estos momentos cuatro personas, una de las cuales es el secretario general de las Naciones Unidas. A su derecha se sienta el alto representante de política exterior y seguridad común de la Unión Europea, más conocido como Mister PESC. Junto a él, un caballero rondando los setenta, vestido con un elegante traje italiano. Se trata del secretario de estado de la Casa Blanca en materia de seguridad, senador Henry Pullman.

Frente a ellos se encuentra el primer ministro de la República Islámica de Irán, doctor Sayed Sohrab Razavi. Es un hombre atractivo, de profundos ojos negros y cuidada barba, casi azul de tan oscura, que aparenta diez años menos de los cincuenta que acaba de cumplir. Tan elegante y refinado, a su manera, como el senador Pullman, aunque su atuendo luzca algunos toques informales, entre los cuales destaca la ausencia de corbata, que sustituye con un elegante pañuelo de seda.

El secretario general esboza una sonrisa inexpresiva y carraspea ligeramente, como para marcar el inicio de su discurso.

—Hace tan sólo dos años —dice— resultaba inconcebible imaginar que la gravísima crisis desencadenada como consecuencia del programa nuclear de la República Islámica pudiera resolverse de manera tan halagüeña. Debo confesarles que yo mismo llegué a temer un desenlace aciago durante los últimos meses del mandato del anterior primer ministro, general Rostam Sistani, cuando sus reiteradas negativas a someter las instalaciones nucleares de Irán a la inspección de la AIEA llevaron al Consejo de Seguridad a debatir acciones drásticas contra su país.

La palabra «drástica» suena tan ominosa como las agitadas reuniones del Consejo de Seguridad de la ONU a las que se refiere el secretario, en las que llegó a contemplarse una intervención militar, impedida, in extremis, por el veto de Rusia.

—Afortunadamente la crisis fue resuelta con el nombramiento del doctor Razavi. Durante estos últimos dos años hemos asistido a la entrada en funcionamiento del reactor de Bushehr, el desmantelamiento de los centros de investigación militar de Teherán y la inspección por parte de la AIEA de las instalaciones nucleares actualmente operativas. Rara vez un país ha demostrado tan buena voluntad como la República Islámica viene haciendo en los últimos tiempos. Quiero empezar este encuentro por agradecerle al doctor Razavi su extraordinaria labor.

El secretario general se lleva a los labios la copa que tiene delante, dando por terminado su discurso. Razavi se lo agradece con una breve inclinación de cabeza y una sonrisa afable a la vez que se lleva la mano al corazón. El senador Pullman inicia un entusiasta aplauso, rápidamente secundado por Mister PESC.

—Precisamente mi propósito al convocar esta reunión no es otro que el de solicitar de nuevo la cooperación del primer ministro —dice cuando el aplauso que él mismo ha iniciado se amortigua.

Pullman hace una pausa para colocarse unas diminutas gafas de pasta, de montura rectangular, que dan a su rostro el aire de un decano dirigiéndose al claustro académico de su facultad.

—Me refiero a la parada del reactor de Bushehr, prevista para finales de este año, con motivo de la recarga de combustible. Mi país solicita la presencia de los inspectores de la AIEA durante el proceso, así como que se facilite a éstos el acceso a todo el recinto, incluyendo el depósito de materiales radiactivos.

También Pullman echa mano de su copa cuando termina, pero con ansiedad, como si la parrafada le hubiera dejado la garganta seca.

No es para menos. El rostro de Razavi expresa a la vez indignación y asombro. Levanta la mano para pedir la palabra, pero el secretario general abusa de su papel como moderador para adelantársele.

—Senador, no necesito recordarle que una inspección tan exhaustiva resulta sumamente irregular, tratándose de una simple parada técnica. Le ruego que se explique.

—De acuerdo a nuestros informes —empieza Pullman, impasible—, el combustible procedente de Rusia llegó a Bushehr hacia mediados de enero, hace exactamente un año. Sin embargo, el reactor no entró en marcha hasta mediados de febrero, cuatro semanas después de que los técnicos rusos y los inspectores de la AIEA abandonaran las instalaciones. Durante ese periodo las actividades en la central nuclear nos son desconocidas. Quizá el doctor Razavi tenga a bien explicarnos las razones para ello.

—¿Razones? —la risa del ministro contiene una clara nota de desafío—. ¿Desde cuándo estamos obligados a consultar nuestro calendario de operaciones con sus autoridades, senador? —Razavi alza los brazos en la dirección de Pullman con las palmas abiertas, en un gesto de paródica sorpresa no exento de cordialidad.

Pullman se quita las gafas, mostrando unos ojos claros, inmutables como pozos de mercurio.

—Señor ministro, permítame referirme al Laboratorio de Tecnología Nuclear de Ispahán, cuyo propósito es manufacturar uranio enriquecido. Se da la circunstancia, no obstante, de que esta instalación no es necesaria en la actualidad, ya que el combustible que utiliza el reactor de Bushehr proviene directamente de Rusia.

—Si estuviera usted en mi lugar —contesta Razavi—, ¿le parecería una buena idea comprar indefinidamente el combustible a un tercero? Le recuerdo que tenemos derecho a controlar esa tecnología bajo el tratado de no proliferación nuclear suscrito con la AIEA. Además, las centrifugadoras del Laboratorio de Tecnología Nuclear de Ispahán sólo permiten enriquecer el uranio hasta un tres por ciento. Las aplicaciones militares, si es eso lo que le preocupa, exigen uranio enriquecido al ochenta por ciento o más.

—Imagine por un momento que el laboratorio de Ispahán hubiera producido, bajo el mandato del anterior primer ministro, una cantidad considerable de uranio enriquecido —contesta Pullman, imperturbable—. Imagine que dicho uranio hubiera sido añadido clandestinamente al combustible ruso durante las cuatro semanas transcurridas desde la carga oficial del reactor hasta su puesta en marcha.

—No le sigo. Me temo que los iraníes no tenemos una mente tan calenturienta como ustedes, senador —retruca Razavi, clavando en el diplomático americano sus intensos ojos negros.

—Nuestros analistas apuntan hacia la posibilidad de una acción de este tipo llevada a cabo por grupos hostiles asociados al general Sistani. Es posible que se trate de sospechas infundadas, señor ministro, y si ése fuera el caso, le rogaré encarecidamente que nos disculpe. Pero a fin de descartar este escenario, mi gobierno exige una nueva inspección. Si hay un exceso de combustible, los inspectores lo detectarán inmediatamente cuando la central se detenga a finales de año.

—¿Cuál sería la finalidad de ese exceso, senador Pullman? —Claramente la pregunta del secretario tiene el único propósito de forzar, o quizá facilitar, que el senador termine de formular sus acusaciones.

—Como bien ha recalcado el doctor Razavi —contesta Pullman—, las instalaciones operativas en la República Islámica no pueden producir uranio enriquecido para aplicaciones militares. Por otra parte, en el proceso de combustión del uranio en un reactor nuclear se produce plutonio en grandes cantidades. Un exceso de uranio implica necesariamente un exceso de plutonio. El tratado firmado con Rusia estipula que todas las barras de combustible quemado se devuelvan a ese país, donde serán puestas a buen recaudo. Pero si existe combustible clandestino procedente de Ispahán, que obviamente no se devolvería, nos encontraríamos con la posibilidad de que el general Sistani se hallara en posesión de una cantidad de barras que contendrían plutonio más que suficiente para manufacturar armas nucleares. Esas barras serían sustraídas clandestinamente durante la próxima parada de la central y reprocesadas en secreto para extraer el material necesario para fabricar una o más bombas atómicas.

—Se trata de una acusación gravísima —afirma el secretario general, apresurándose a tomar la palabra antes de que el ministro iraní solicite intervenir—. Sería inconcebible formularla en ausencia de pruebas muy convincentes.

—¡Por supuesto! —exclama el senador, asintiendo enfáticamente—. ¡No hay acusación que valga! Me he limitado a exponerles una hipótesis que debemos eliminar para evitar tensiones innecesarias.

—La Unión Europea apoya la propuesta del senador —interviene Mister PESC —. Una simple inspección de la AIEA permitiría disipar definitivamente toda sospecha.

—¿Y su opinión, señor ministro? —pregunta el secretario general después de un minuto de tenso silencio.

Cuando Razavi habla, su voz ha perdido la

desenfadada ironía de la que ha hecho gala a lo largo de toda la reunión.

—¡Una simple inspección! —exclama—. Durante los dos últimos años, caballeros, hemos accedido a todas sus exigencias. Desmontamos nuestros centros de investigación militar, mucho más modestos que los de cualquiera de sus países; nos sometimos de buena gana a todas las inspecciones decretadas por la ONU; aceptamos comprar el combustible para nuestro reactor a un país extranjero, cuando disponíamos de la tecnología para manufacturarlo nosotros mismos. ¿Y qué hemos conseguido? ¡Una nueva vuelta de tuerca de su inagotable paranoia!

Razavi golpea con el puño la palma de su mano, produciendo un chasquido que restalla como un disparo en la sala silenciosa.

—Doctor Razavi, estoy seguro de que en ningún momento el senador Pullman ha pretendido ofender a... —empieza el secretario general.

—¿Ofender? —corta Razavi—. ¡Más bien humillar! El senador representa un país acostumbrado a imponer su voluntad por la fuerza, sin ningún respeto por la dignidad de sus pares. Díganme, ¿cómo justificaría ante el líder supremo semejante inspección? ¿Qué argumentos ofrecería a los que opinan que la República Islámica no debía haber cedido un ápice a sus exigencias? ¡Senador, estoy seguro que el ala más conservadora de la política iraní aplaudirá sus arrogantes demandas!

—Señor ministro —interviene el secretario general—, puedo garantizarle que las Naciones Unidas no suscribirán una iniciativa que perjudique a su encomiable política.

—En ese caso, excelencia, creo que no hay más que discutir.

Razavi se levanta de la butaca con la ayuda de un bastón, cuya empuñadura plateada representa un águila de dos cabezas. El primer ministro iraní no es un hombre de alta estatura, pero sí robusto y bien proporcionado. El aire campechano del principio de la reunión ha dado paso a un rictus orgulloso que encaja bien con la barba frondosa, los ojos desafiantes, la nariz altiva, el águila bicéfala que forma el pomo de su bastón.

—Estaré encantado de considerar cualquier propuesta que no suponga una afrenta a nuestra dignidad nacional —proclama, antes de abandonar la sala. Cojea ostensiblemente cada vez que apoya el pie derecho en el suelo, pero mantiene la espalda rígida y la cabeza alta mientras camina.

—¡Qué carácter! —suspira Pullman apenas Razavi ha abandonado la sala—. Se lo ha tomado verdaderamente a pecho.

—Hay que reconocer que no le faltan motivos —murmura el secretario general—. ¿Cuán verosímil es el escenario que nos ha dibujado?

—Depende de cuánto controle Razavi la situación —señala Pullman—. Rostam Sistani sigue siendo un hombre influyente. Su nuevo cargo como presidente del Consejo de Seguridad Nacional le permite cortocircuitar al primer ministro continuamente.

—No hay que olvidar de quién estamos hablando —interviene Mister PESC—. Para muchos iraníes, el general Sistani sigue siendo la reencarnación de su tocayo, el mítico héroe Rostam. Por mucho que represente el ala más conservadora de la República, sus cualidades personales encandilan a buena parte de sus compatriotas. Los persas son un pueblo apasionado y no han olvidado la heroicidad del general durante la guerra con Irak. Treinta años después de la Revolución Islámica, si el viejo Jomeini levantara la cabeza, Sistani sería probablemente el único de sus discípulos que se salvaría de la quema. Razavi es todo lo contrario. Un político pragmático y moderado, demasiado moderado para el gusto de muchos. Hay sectores muy amplios que le acusan de bailar al son que toca Occidente.

—Parece evidente que ambos caballeros se disputarán de nuevo el cargo de primer ministro en las elecciones del año próximo —dice el secretario general—. Un segundo triunfo de Razavi supondría una gran oportunidad para modernizar el país. En cambio, si Sistani gana las elecciones, podemos esperar un tremendo retroceso.

—Sin una inspección no saldremos de dudas —sentencia Mister PESC.

Mediodía en Manhattan. Un remolino de gente de todas las edades y condiciones se pone en movimiento. Ejecutivos con traje y corbata que calzan Nike Air, orondas matronas de color moviendo sensualmente sus tremendos traseros, policías en pantalón corto montando bicicletas de montaña, judíos ortodoxos con el pelo recogido en trenzas de colegiala. Gente que va y viene, animada por el mismo propósito. Llegar cuanto antes desde su lugar de trabajo al restaurante, tienda de delicatessen, cafetería o parque público donde almuerzan. En quince minutos todo ese torrente humano se ha acomodado y la gran ciudad se toma el primer respiro del día.

La mesa más discreta del pequeño restaurante judío situado en el cruce de las calle treinta y siete con Murray está ocupada por tres comensales cuyo aspecto no podría ser más dispar. Dos de ellos rozan los setenta años, si bien uno es elegante y distinguido, mientras que el otro, vestido con un traje de paño negro y un sombrero del mismo color, parece arrancado a la fuerza de una sinagoga. En cuanto al tercero, debe de ser unos diez años más joven que los otros dos y pesa más que ambos juntos. La silla en la que se ha desplomado cruje agónicamente cada vez que se inclina hacia la mesa, tenedor en mano, para atacar una bandeja que contiene una ración triple de cordero lechal.

—Estamos en un buen lío —afirma mientras repela una magra costilla.

—Fue un error vender esas centrifugadoras a Rostam Sistani, Yuri —dice el atildado caballero, que no es otro que el senador Henry Pullman, moviendo pesarosamente una cabeza grande y bien proporcionada, donde todavía queda una digna cantidad de cabello entrecano.

—Era un buen negocio —contesta el ruso, encogiéndose de hombros.

—También lo sería venderles unas cuantas cabezas nucleares a esos terroristas de hábito, ¿eh, Popov? —dice el judío, cuya voz honda, casi ronca, no encaja en absoluto con un físico tan insignificante.

—Nada de eso, Geldman, te lo garantizo.

—En fin —suspira Pullman, abandonando su plato

de lenguado a medio terminar—. Ahora ya no tiene remedio. ¿Qué hay de esos documentos, Simón?

El rabino saca una carpeta de la fina cartera de piel que lleva bajo la chaqueta y se la tiende a Pullman.

—Ahí tienes —dice.

—¿Puedo saber de qué se trata? —pregunta Popov.

Geldman escudriña al ruso durante todo un minuto mientras recorre con un dedo de uña roma el perímetro de su sombrero.

—Dale un voto de confianza a Yuri, Simón —dice Pullman, llenando las tres copas con el excelente vino de la casa—. Tenemos que gestionar esto juntos.

—De acuerdo —rezonga Simón Geldman.

Los tres levantan los vasos, amagando un brindis.

—La carpeta contiene documentos que demuestran que el Laboratorio de Tecnología Nuclear de Ispahán produjo uranio enriquecido en grandes cantidades durante la época en que Rostam Sistani era primer ministro —dice Geldman.

—La cuestión ahora —interviene Pullman— es averiguar si han conseguido introducir ese uranio en la central. Yuri, ¿cuánta carga extra podría soportar el reactor?

—Un veinte, puede que un treinta, por ciento más de la nominal —dice Popov, que ha sacado un paquete de cacahuetes del bolsillo y los devora a puñados—. Eso supondría cien kilos de plutonio en un año.

—¡Cien kilos! —exclama Geldman—. ¡Veinte bombas atómicas! Es un riesgo que Israel no puede correr.

—Nadie quiere correr un riesgo así —dice Popov—. Pero no tenemos pruebas.

—¿Y cómo vamos a conseguirlas si los persas nos niegan el acceso? —pregunta Geldman, retorciéndose nerviosamente las manos.

—Creo que sé cómo hacerlo —dice Pullman—. Escuchad atentamente.

Pasan de las siete de la tarde cuando Richard Gregoire abandona la sede de las Naciones Unidas en Nueva York. Está agotado y decide caminar unas cuantas manzanas antes de tomar un taxi que le lleve a su apartamento, en realidad poco más que un cuarto, por el que paga un alquiler desmesurado. Pero un hombre solo no necesita más espacio y él ha estado solo desde que se marchó Adele, robándole a sus hijas. Ha estado solo hasta que Shirin apareció en su vida, hace menos de un año, rescatándole del abismo de desesperación donde penaba.

Además, su apartamento está en una bonita zona de Manhattan, entre la calle setenta y dos y Broadway, no lejos del edificio Dakota. Gregoire suele pasar a menudo por delante de la placa conmemorativa que recuerda la muerte de John Lennon. Shirin lloró cuando la llevó allí, e incluso él llegó a emocionarse, a pesar de las innumerables veces que ha visitado el lugar.

Cada vez que piensa en ello trata de no recordar al asesino, consciente de que todo lo que buscaba aquel lunático era la triste fama de haber matado a un gran artista. Pero no puede evitar que su nombre completo le acuda a la mente. Mark David Chapman. En mil novecientos ochenta era un chaval un par de años mayor que él, sin otra motivación para disparar que satisfacer a sus demonios.

Fue un ocho de diciembre. Gregoire recuerda que llevaba tan sólo unos meses en Nueva York. Se había matriculado en Ciencias Políticas y trabajaba en uno de los barcos casino que salían cada noche de Long Island, navegando tres millas hasta alcanzar aguas internacionales, donde las leyes antijuego del estado dejaban de estar vigentes. El barco salía del puerto cada noche a las siete y regresaba hacia las tres de la madrugada. No llegaba a su apartamento hasta pasadas las cuatro. Al día siguiente, a las ocho, ya estaba en pie para acudir a sus clases. Levantarse cada mañana del camastro requería unas dosis enormes de fe, y el hecho de que en el mundo hubiera gente como Lennon ayudaba. Que alguien así pudiera morir a manos de un imbécil es algo que le sigue doliendo todavía.

Está empezando a nevar de nuevo. Si arrecia, dentro de un instante será imposible encontrar un taxi libre. Uno de ellos avanza hacia él en ese momento, su carrocería amarilla resaltando contra el gris sucio de la nieve pisada que ha caído por la mañana. Milagrosamente lleva todavía la luz verde, pero Gregoire no se decide y un instante más tarde el taxi es capturado por una dama envuelta en armiño que le lanza, antes de saltar a bordo, una mirada incrédula y un poco despectiva.

Resignado, decide seguir a pie, haciendo caso omiso de los pequeños copos de nieve, punzantes como aguijonazos en su nariz y mejillas. En todo caso no le espera nadie en casa. Shirin está de viaje y no regresa hasta dentro de una semana. La idea le congela por dentro todavía más que la nieve que se precipita sobre

Manhattan. Cada vez que ella se ausenta, los fantasmas del pasado se arrojan sobre él, inclementes.

La forma en que Adele arruinó su vida, se dice, amargamente. Tanto ahorrar para conseguir una vida decente, tanto dejarse la piel en el trabajo, subiendo poco a poco los peldaños en la jerarquía de la ONU hasta alcanzar un puesto casi decente. Ayudante del secretario general. ¿Quién lo hubiera dicho cuando trabajaba de crupier en una ruleta, rodeado de gentuza que bebía y despilfarraba su dinero?

Fue un buen marido, un buen padre. Adele nunca supo arreglárselas sola y menos cuando llegaron las gemelas. Si no se hubiera visto obligado a dedicar tanto tiempo a las niñas, quizá habría ascendido más, quizá habría pasado de ser un segundón. Pero alguien tenía que ocuparse de ellas.

¡Si al menos le hubiera dejado a sus hijas! Pero no, tuvo que llevárselas, ella que no podía resistir diez minutos a su lado sin ponerse nerviosa, ella que se negó a darles el pecho para no deformar sus bellos senos, aunque luego permitió que un cirujano plástico los abriera en canal para colocar dentro un par de globos de silicona. La que no se aclaraba cambiando un pañal y a duras penas conseguía poner los potitos al baño María. Tuvo que llevárselas. Era un decir, claro. Había que ser cínico para afirmar delante de un juez que las niñas estaban mejor en un internado de lujo que con su padre. Pero el juez lo fue aún más por aceptar semejante disparate.

Shirin le ha hecho pensar mucho sobre la corrupción que gobierna una sociedad hipócrita en la que todo es posible cuando se tiene suficiente dinero.

—Si no hay Dios, no hay moral, cariño.

Gregoire cruza Central Park en diagonal, sin miedo a posibles asaltantes. Los había en los años ochenta, antes de que el alcalde Giuliani le lavara la cara a la ciudad con lejía, barriendo de la superficie de Manhattan a parias y delincuentes, junto con cualquiera que ganara menos de tres mil dólares al mes. En otros tiempos Nueva York había sido peligrosa y vital, vibrante de oportunidades y amenazas. Ahora es un decorado, y los que triunfan en ella, figurantes.

Figurantes como ese tipo, Douglas como se llame. ¿Qué méritos tiene, cuáles son sus habilidades, de qué puede presumir excepto de una cara bonita y el dinero de su papá?

¡Que Adele le hubiera encontrado precisamente en uno de los casinos flotantes que ahora necesitan adentrarse no tres, sino doce millas para considerarse en aguas internacionales! ¡Que se le ocurriera a él la peregrina idea de proponerle un fin de semana en uno de ellos, tratando de animarla, de devolverle la alegría de sus primeros años de matrimonio!

Robert Gregoire camina, alargando cada vez más la zancada, a medida que la nevada arrecia. Su forma de andar recuerda un poco a la de un avestruz. En parte se siente como uno de esos pájaros, con la cabeza recién sacada del hoyo. Gracias a Shirin es capaz de mirar de nuevo a su alrededor. Y lo que ve le produce náuseas. La ciudad en la que habita, el país que dejó de considerar como suyo el día que un juez le robó a sus hijas, el podrido sistema en el que ha malgastado sus cincuenta años de vida.

La víspera de su partida Shirin le llevó a cenar a un restaurante donde servían auténtica comida iraní, no las imitaciones adaptadas al blando gusto de los neoyorquinos, sino platos tan auténticos como ella, el kebab deshaciéndose en la boca, los deliciosos arroces aromáticos, los platos de berenjenas y zanahorias molidos, mezclados con salsa picante. Bebieron té y charlaron hasta la hora de cerrar, cuando el último de los clientes se hubo marchado, y entonces, para su sorpresa, el dueño bajó la persiana y se sentó a su mesa, ofreciéndoles compartir un ghelyum. La velada se prolongó hasta altas horas de la madrugada, pasándose la boquilla de la pipa de agua, bebiendo un té tras otro con aroma a jazmines. Shiraz huele a jazmines, le dijo Shirin. Mansour, en tan sólo unas horas, había dejado de ser el dueño de un restaurante desconocido para convertirse en un amigo. «Nosotros no somos como la gente que te ha hecho daño», le dijo.

Al llegar al edificio donde vive, Gregoire alza la cabeza hacia la ventana de su apartamento y de repente el frío glacial que se va aposentando sobre la noche de Nueva York deja de importarle. El apartamento está iluminado. Shirin debe de haber regresado antes de lo previsto y está en casa, aguardándole.

Mientras sube las escaleras de dos en dos, se dice que no hay nada en el mundo que no hiciera por ella.

EL ALEPH

Carouge, pensó Irene.

La plaza, rodeada de farolas cuya luz amarilleaba en el frío de la tarde de invierno, camino del Café de La Bohéme.

Sus recuerdos.

Sábados de mercado deambulando por los tenderetes de libros viejos, antigüedades, porcelanas, acuarelas recién pintadas por los artistas locales. Noches de verbena en el mes de agosto, cuando la orquesta empezaba a improvisar, bien entrada la madrugada, al calor de la bebida gratis y la vista gorda que el ayuntamiento hacía a la fiesta callejera. Las quietas mañanas de domingo, sentada con André en una esquina de esa misma plaza.

Aquellos besos.

Las decrépitas mesas del Café de La Bohéme aún resistían los furiosos envites de la polilla. Una camarera con un pendiente en el labio inferior y una melena lacia y grasienta que le llegaba hasta la cintura los acomodó junto a un grupo de actores callejeros, todavía con los trajes de época puestos, que, poco antes, representaban, al abrigo del pórtico de la iglesia, las últimas escenas de *Romeo y Julieta*. Parecían estar todavía muertos de frío, frotándose las manos y pasándose una botella de absenta para entrar en calor.

Matthieu pidió un Cotes du Rhóne, que les trajeron

a la vez que la carta junto con unos vasos grandes, de cuello ancho, poco apropiados para el vino. El novio de Corinne ofreció un brindis.

—A la salud de la hija pródiga.

Sus modales eran los de un seductor profesional. Parecía sacado de un anuncio de Calvin Klein, excepto por un ligero sobrepeso.

—¿Qué tal tu piso, reina? —preguntó Corinne, tras vaciar medio vaso del primer trago—. ¿Estás contenta?

¿Contenta? La palabra se quedaba corta para describir lo que sentía. Corinne, o para ser más exactos, una de las inmobiliarias propiedad de su familia, le había conseguido en alquiler el mismísimo apartamento en el que había transcurrido su infancia.

—Cariño —dijo—, no tengo palabras para agradecerte...

—Pues no las digas —interrumpió Corinne—. Ya sabes que haría cualquier cosa por ti.

—¡Vaya par! —exclamó Matthieu—. Os imagino de jovencitas. ¡Seríais el terror de los tíos! Anda, contadme algo sabroso —les pidió, pasándose la lengua por los labios, un gesto reconcentrado, goloso, que tenía algo de soez.

—¡A ti te vamos a contar! —rió Corinne—. Nada de eso, guapo, que mañana serías capaz de sacarlo en tu columna.

En ese momento llegó la camarera con los primeros platos. Perdiz a la moscovita para Matthieu, ensalada Niçoise para Corinne y salmón ahumado para ella. Matthieu aprovechó la ocasión para llenar de nuevo los vasos.

—¿Qué te parecería concederme una entrevista, Irene?

—Matthieu escribe la sección científica de La Tribune de Genève —puntualizó Corinne con la boca llena de lechuga.

—Aquí donde me ves tengo un máster en ingeniería química por el Politécnico de Zurich —dijo él—. Incluso trabajé una temporada en Dupont antes de dedicarme al periodismo. ¿Qué me dices?

—¿Una entrevista, yo? ¿Y de qué íbamos a hablar? ¡Venga, Matts, en el CERN sobran físicos de primera clase! La directora, sin ir más lejos.

—¿La conoces? —preguntó Matthieu.

—No..., quiero decir, no en persona. Pero conozco muy bien su carrera. ¡Es una mujer excepcional! Era catedrática en la Sorbona antes de cumplir los treinta. A los cuarenta y pocos, cuando asumió la dirección del CERN, acumulaba más citaciones premios que cualquier otro físico teórico. ¡Y no ha dejado de producir trabajos de primera clase, a pesar de estar al frente del laboratorio más importante del mundo!

—Pues a mí me pareció un cardo —afirmó Matthieu—. Hace ya más de un año que intenté entrevistarla. Consintió en concederme una cita, pero fue como hablar con una estatua.

—Puede que sea tímida.

—Más bien arrogante, diría yo.

En ese momento llegó la camarera del *piercing* en el labio con los segundos platos. Menú único, *la chasse* para todo el mundo. Irene se concentró en hincarle el diente al filete de ciervo. Se le había abierto el apetito y además le hacía falta echarse algo al estómago para evitar que el vino se le subiera a la cabeza.

—¿Y qué me dices de su fama de viuda alegre? —dijo Matthieu, volviendo a la carga—. Por lo visto le pega a todo. Tíos, tías, jóvenes, viejos... ¡En fin, supongo que un poco de cama ayuda a hacer carrera!

Lo dijo mirándola a los ojos, con aire casual, pasándose la lengua por los labios. Irene recorrió mentalmente su repertorio de exabruptos, buscando una barbaridad que estuviera a la altura del tono soez, de la mirada provocadora, de aquella lengua bífida.

No le dio tiempo. Corinne le propinó un flojo cachete a su novio, como una mamá mimosa que riñe a un niño consentido.

—¡Matts! No hables como un camionero. A Irene le gustan los chicos educados.

Matthieu juntó ambas manos en un gesto de falsa contrición.

—Perdón, perdón..., estaba de coña.

—Aunque hay que reconocer que la tía está como un tren. ¿Eh, reina? Y eso que ya tiene sus años. ¡Claro que hoy en día, lo que no arregle un bisturí!

—Hablando de peces gordos —intervino Matthieu—. ¿Qué me dices de Friedrich von Zhantier? Ése sí que es un tipo borde. Me colgó el teléfono sin contemplaciones. Por lo que tengo entendido odia a la prensa. ¿Le conoces, Irene? Según los rumores, va a ser el próximo premio Nobel.

—Si encuentra el plasma de quarks, no me extrañaría que se lo dieran.

—¿Quarks? —preguntó Corinne—. ¿De qué me

suena la palabreja?

—De una línea del *Finnegan's Wake: «Three quarks for Muster Mark»*.

—Joyce. Qué horror. ¿Cómo conseguí pasar aquel examen?

—Copiándome a mí, preciosa.

—Explícanos ese asunto del plasma de quarks —pidió Matthieu, claramente interesado.

—La idea es muy antigua —dijo Irene—. Los antiguos griegos ya se imaginaban el universo compuesto de objetos elementales.

—Demócrito, ¿no? —dijo Matthieu.

—Exactamente. El concepto de átomo es tan viejo como él, casi tres mil años. Lo único que ha cambiado es nuestra percepción de lo que es elemental. Considerad el agua, por ejemplo. Para los griegos era uno de los elementos básicos junto con el aire, la tierra y el fuego. Para el científico moderno, el agua está compuesta de moléculas, que a su vez están compuestas de átomos, concretamente dos de hidrógeno y uno de oxígeno, de ahí el símbolo H20. Cualquier compuesto, sustancia o aleación se reduce al final a una combinación de átomos.

—Hasta aquí lo entiendo hasta yo —dijo Corinne.

—Durante el último tercio del siglo diecinueve y las primeras décadas del veinte los físicos estudiaron la estructura de los átomos y comprobaron que todos ellos estaban compuestos de objetos más elementales. Una imagen algo inexacta pero muy gráfica de un átomo es imaginarlo como un sistema solar, con un pequeño núcleo que hace las veces de estrella, en torno al cual giran los electrones, similares a planetas. El átomo de hidrógeno es el más simple de todos, con un protón en el núcleo y un electrón orbitando a su alrededor. El helio tiene dos protones; el litio, tres, y así sucesivamente. Los protones están cargados positivamente, mientras que la carga de los electrones es negativa. Además, hay otras partículas en el núcleo, que llamamos neutrones y que son idénticas a los protones excepto porque no tienen carga eléctrica.

—Química de primero —dijo Matthieu, guiñándole un ojo.

—Sigue, sigue —dijo Corinne—. Esto es más entretenido que la Cábala.

—Allá por mil novecientos treinta los científicos creían que el mundo era tan sencillo, en realidad, como lo habían imaginado los griegos. En lugar de agua, tierra, aire y fuego, los objetos elementales eran protones, neutrones, electrones y unas partículas muy ligeras, llamadas neutrinos. Pero a lo largo de la segunda mitad del siglo veinte se realizaron una serie de experimentos en el CERN y otros laboratorios parecidos, como SLAC y Fermilab en Estados Unidos, que demostraron que protones y neutrones están compuestos a su vez por otros objetos más elementales, llamados quarks. Lo curioso es que hay dos tipos de quarks en la materia ordinaria, lo que nos lleva, una vez más, al viejo esquema de los griegos. Cuatro objetos básicos, agrupados de dos en dos. Los dos quarks por un lado, el electrón y el neutrino por el otro. La fuerza nuclear mantiene a los quarks atrapados dentro de protones y neutrones, y a éstos pegados entre sí en el núcleo atómico. La fuerza nuclear que confina los quarks en el interior de protones y neutrones es tan intensa que resulta casi imposible romperlos.

—¿Entonces el plasma de quarks? —preguntó Matthieu.

—Imagínate el interior de una estrella de neutrones. Se trata de un objeto tan denso que una cucharada de ese material pesa del orden de mil millones de toneladas, unas doscientas mil veces la masa del *Titanic*.

—¿Y esas cosas existen? —dijo Corinne.

—Ya lo creo. Normalmente aparecen entre los restos de una supernova.

—Estrellas de neutrones, supernovas... Me estás tomando el pelo, reina.

—¡Deja ya de interrumpir, Corinne! —cortó Matthieu. La impaciencia en su voz sonó como un latigazo. Corinne, imperturbable, le hizo un mohín de burla, pero Irene la conocía bien y notó cómo acusaba el golpe.

—Sigue, Irene —pidió él—. Es muy interesante.

Innegablemente a Matthieu le preocupaban mucho más sus explicaciones que a su díscola amiga, lo cual, a su pesar, no dejó de halagarla.

—Verás, en el interior de una estrella de neutrones la presión puede llegar a ser tan grande como para romper, por decirlo así, los protones y los neutrones. Cuando esto ocurre, los quarks pueden moverse libremente en una especie de sopa en lugar de estar confinados en el interior de los núcleos, como ocurre en la materia normal. Esa sopa es el plasma de quarks.

—¿Me estás diciendo que un experimento del CERN puede reproducir el interior de una estrella de neutrones? —preguntó Matthieu. No se perdía una.

En cambio Corinne parecía haberse aburrido ya de la conversación, a juzgar por el estupendo bostezo que acababa de escapársele.

—No exactamente. El plasma puede formarse cuando se comprimen los protones a mucha presión o bien cuando se les calienta a temperaturas extremas. El LHC acelera núcleos de plomo hasta velocidades muy próximas a las de la luz. Cuando chocan los unos contra los otros, la energía que se genera sería la equivalente a calentarlos a una temperatura cien mil veces más elevada que la del interior del sol. De hecho, creemos que el plasma de quarks llenaba el universo cuando la edad de éste era de una millonésima de segundo. Por eso se le llama a veces el Aleph. Fue el estado originario de la creación, hace trece o catorce mil millones de años.

—¿Entonces el experimento Omega está tratando de rehacer, por decirlo así, las condiciones del universo primitivo? —preguntó Matthieu.

—Exactamente. Hasta cierto punto es como si en cada colisión de los núcleos de plomo que circulan por el LHC se formara un Big Bang en miniatura.

—Me lo imagino y se me ponen los pelos de punta —afirmó Corinne—. Yo creo que va a ser verdad que los físicos os cargáis el planeta. Un día alguien se equivoca y saltamos todos por el aire.

—Qué va, mujer —rió Irene—. No hay riesgo alguno.

STRADIVARIUS

John Carpenter no tuvo necesidad de apartar la vista de las pantallas que estaba estudiando —tres monitores de veinticuatro pulgadas, uno de los cuales estaba exactamente frente a él mientras que los otros dos se situaban en mesas adyacentes a izquierda y derecha del primero, formando una especie de burbuja protectora— para saber que el jefe venía de un humor de perros de su entrevista con la directora. Le bastó con escuchar el portazo con que cerró el despacho contiguo al suyo.

Sabía que era cuestión de minutos hasta que le llamara, así que se apresuró para completar la mayor cantidad posible de las muchas tareas que estaba ejecutando simultáneamente. Giró su butaca hacia la pantalla de la izquierda y comenzó a lanzar la cadena de programas que procesaban los terabytes de información que diariamente registraba el detector Omega.

La secuencia era larga y compleja, los datos, tal como venían del aparato, no eran más que cadenas digitalizadas de impulsos electrónicos. Sobre este formato primitivo pasaba un programa tras otro, que poco a poco iban extrayendo las huellas de las partículas que atravesaban el enorme ingenio, tan alto como un edificio de cinco pisos, tan frágil como una muñeca de porcelana, tan complejo como un crucigrama chino, tan solitario como

Charlton Heston en *El planeta de los simios*. El gran detector, enterrado cien metros bajo tierra, atravesado por los tubos de vacío del LHC.

Cada fracción de segundo los núcleos de plomo que circulaban por el acelerador chocaban entre sí, exactamente en el centro de Omega, explotando como dos camiones cargados de nitroglicerina, desintegrándose en miles de fragmentos que el detector se apresuraba a recomponer. La mayor parte de las colisiones no originaban otra cosa que violencia rutinaria, sucesos sin interés alguno. Sin embargo, entre todo aquel caos se ocultaba la débil señal del plasma de quarks, casi imposible de distinguir del inmenso ruido de fondo.

Al jefe le gustaba comparar el experimento con la ocurrencia de un aprendiz de relojero que destrozara un cronómetro a martillazos, para luego recoger las piezas del suelo con la pretensión de entender su mecanismo. Otras veces la analogía era la de la aguja en el pajar, excepto que, si la señal del plasma fuera del tamaño de un alfiler, el ruido de fondo ocuparía toda la ciudad de Ginebra. Carpenter acarició con la palma de su mano regordeta la barba larga y mal cuidada. A continuación empujó con el índice las gruesas gafas de pasta negra y lentes de culo de vaso, que se empeñaban en deslizarse nariz abajo sin que hubiera manera de ajustarlas para que se mantuvieran en su sitio.

Ninguno de los presumidos físicos que trabajaban en Omega sabría encontrar ese alfiler diminuto si alguien no eliminara previamente la mayor parte de la paja que lo cubría. Ninguno sabría qué hacer con los datos si no tuvieran la DST.

Ya casi nadie recordaba el origen del nombre, *Data Summary Tape*, una reliquia de los viejos tiempos, cuando la información se almacenaba en cintas magnéticas. La tecnología había mejorado, pero la idea seguía siendo la misma. Después de todo, Omega no era otra cosa que una gigantesca cebolla electrónica, en la que se superponían una capa tras otra de sofisticados dispositivos, algunos tan refinados como los cristales semiconductores del detector de vértices, otros tan faraónicos como las descomunales cámaras de muones, metros y metros de tubos de alta tensión alternados con placas de hierro tan gruesas como las de un acorazado. Centenares de físicos y técnicos habían construido cada uno de esos aparatos y se ocupaban de mimarlos, controlando cada una de sus reacciones como si se tratara de bebés recién nacidos. Muchos entendían en profundidad su particular sistema, pero sólo unos pocos comprendían las relaciones entre todos ellos. La DST permitía organizar la información de manera coherente y ensamblarla era una tarea tan delicada y artesanal como construir un Stradivarius.

Dio un último tirón a su bigote, limpió fastidiosamente los pelillos que cayeron sobre el teclado y lanzó ambas manos en un *staccato* meteórico. Mientras enviaba un trabajo tras otro a los procesadores, siguió dándole vueltas a la idea del violín artesanal. Cierto, hacían falta las maderas más nobles, los barnices más refinados, las cuerdas mejor templadas para construirlo. Pero era el toque del artista el que creaba el instrumento musical perfecto. Y en lo que se refería a la DST de Omega, él era el artista y los demás, meros proveedores.

El imperioso timbrazo del teléfono le hizo dar un

respingo, arrancándole de sus cavilaciones.

—Ven a mi despacho —ordenó la voz seca de Friedrich apenas descolgó el auricular.

Carpenter colgó sin molestarse en contestar —estaba seguro, de hecho, de que el jefe ya había cortado la línea—, y se dirigió al despacho contiguo.

—Esa bruja —dijo Friedrich a modo de saludo— está empeñada en destruirnos.

El rostro del jefe se disolvía en bilis. No era una novedad, por otra parte. Durante los últimos meses su humor no había hecho más que empeorar.

—Ha vuelto a la carga con las malditas burbujas extrañas. Quiere que presentemos otro informe al Comité Científico.

Friedrich se levantó y se puso a dar paseos de un lado a otro del despacho, furioso como un tigre hambriento.

—Dale el gusto —sugirió Carpenter—. No hay burbujas extrañas en Omega.

—¿Estás seguro?

—Lo estoy. He barrido los datos de arriba abajo.

—Quiere poner varios equipos independientes en esto. No entenderían nada, empezarían a interferir...

—Ningún equipo puede hacer otra cosa que examinar la DST. Y en la DST no hay suficiente información para encontrar las burbujas. Hace falta un procesado especial de los datos, incluyendo sucesos a muy bajo ángulo que normalmente se desechan porque no son útiles para buscar la señal del plasma. Yo soy el único que tengo ese procesado.

—¡Bravo, John! —exclamó Friedrich—. Parece que lo tienes todo bajo control.

—Claro que sí. Además, aunque tuvieran acceso al procesado especial, ¿qué harían con él? Sin una teoría que prediga la distribución de los condensados de materia extraña, encontrar una señal es tan probable como ganar a la lotería.

—Sin embargo, Corrado cree haberlas encontrado —murmuró Friedrich.

Había ocasiones en que el jefe conseguía desconcertarle, y ésa era una de ellas. Diez años atrás Friedrich había lanzado la *vendetta* más encarnizada de la que se tuviera noticia en el gremio contra su más íntimo colaborador por atreverse a contradecirle. Y, sin embargo, una década más tarde, seguía obsesionado con aquel resultado que había negado hasta la saciedad. Aún peor. Había tomado la costumbre de referirse a Corrado Gatto usando el presente de indicativo, como si mantuviera conversaciones diarias con el pobre hombre.

—Corrado se equivocaba. He explorado detenidamente la región donde debería estar la señal que él afirmaba haber encontrado, y está vacía.

—Pero está tan seguro... —insistió Friedrich en voz baja.

—Deja que me ocupe de este asunto. Ya tienes bastantes quebraderos de cabeza.

Friedrich se acercó a él y le puso ambas manos en los hombros.

—Cuento contigo, John —dijo—. Eres la única persona de la que me fío en esta maldita colaboración. Conspiran contra mí. La bruja, sus amigos del comité. Quieren echarme y apropiarse de la gloria del descubrimiento. Robármelo después de haberme pasado la vida persiguiéndolo. Toda esta patraña de las burbujas es un truco para retrasarnos. Pero no vamos a permitirlo, ¿verdad, amigo?

—Claro que no. Sabes que puedes contar conmigo.

Y era cierto. Friedrich le había sacado, casi literalmente, del arroyo. Él no tenía un flamante doctorado por Oxford, Princeton o Harvard. Se tuvo que conformar con un título ganado con enorme esfuerzo en cursos nocturnos de una universidad mediocre, abrirse paso a codazos en el CERN, contentándose con una carrera técnica, trabajando catorce horas al día para proveer a los experimentos de los servicios informáticos que luego permitían a los físicos lucirse gracias a los esfuerzos invisibles de otros. Los primeros tiempos en Omega no fueron diferentes; siguió siendo un ciudadano de segunda categoría, el experto en informática, bueno para procesar los datos, pero no para presentar los resultados del experimento en ninguna conferencia.

Hasta que Corrado cayó en desgracia y Friedrich comenzó a confiar en él.

—Puedes contar conmigo —repitió.

—Gracias, John —dijo Friedrich, empujándole suavemente hacia la puerta—. Venga, vuelve al trabajo. Omega depende de ti.

De regreso en su despacho, sin embargo, Carpenter no conseguía concentrarse. Se había excitado en exceso con todo aquel asunto y el resultado era el de siempre. Dolor de cabeza, sensación de asfixia. Estaba a punto de romper a sudar. Necesitaba urgentemente una dosis de su medicina, pensó, mientras se levantaba trabajosamente y se dirigía al cuarto de baño.

Friedrich von Zhantier sale de su despacho cerca de la medianoche. La conversación con su subordinado ha tranquilizado un poco la ansiedad que le ha producido su encuentro de la mañana con la bruja. Está agotado, pero el aire frío de la madrugada le espabila mientras cruza el aparcamiento y cuando llega al lugar donde está estacionado su coche se siente mucho mejor. Contempla el Porsche Carrera, modelo dos mil cinco, con una mezcla de amor y orgullo, como si se tratara del hijo que no tiene. Luego se sienta al volante y arranca. El potente motor responde al primer giro de la llave y Friedrich siente, como cada vez, una pequeña oleada de placer. Pone la primera y sale lentamente del CERN.

Pablo Furtado está todavía de guardia en la puerta principal. Dobla turnos sistemáticamente a fin de conseguir algunas mañanas libres para asistir a las clases de la Politécnica, donde estudia Ingeniería Técnica Industrial. Lleva en la garita desde las ocho de la mañana y a estas horas está adormilado. Tarda unos instantes en levantar la barrera cuando el semáforo cambia a verde y se gana un seco pitido y una mirada de desprecio que le pone los pelos de punta. El pobre hombre está muerto de frío, encasquetado en su pelliza, no hace más que dar cabezadas sin conseguir concentrarse en sus libros, lleva el sueño atrasado de una semana. El bocinazo del Porsche con placas diplomáticas le llena de un rencor atávico, cuyo epicentro está en los despectivos ojos del conductor que acaba de rebasarle. Un rencor que se extiende, como la onda expansiva de un tsunami, hasta alcanzar a todos esos privilegiados a los que ve llegar cada mañana, procedentes de sus lindas casitas de los suburbios, descansados y cómodos en sus cochazos, para pasarse unas horas en sus despachos, charlando, garabateando en un papel o tomándose cafés en la cantina. Los privilegiados que ganan sueldos que multiplican por diez el suyo y no tienen necesidad de pasar frío, ni sufrir plantones bajo el tiempo inclemente, ni soportar el desprecio de nadie.

Pero antes de que ese maremoto de resentimiento le ahogue le viene a la cabeza la sonrisa afable de la dama del Audi. Pablo Furtado recuerda el nombre de la señora. Le Guin, Helena Le Guin. Agradecido por el imprevisto bálsamo que la imagen ha supuesto en su aterido espíritu, busca el nombre en la guía de empleados del CERN. Cuando lo encuentra y cae en la cuenta de quién es, le invade por dentro un sentimiento que no sabría explicar aunque le fuera la vida en ello. Es una emoción extraña, que le humedece los ojos pero calienta su interior más que un trago del brandi peleón que esconde en la garita.

Friedrich von Zhantier, entre tanto, enfila la carretera que lleva al pueblo francés de San Genis, frena un instante en la aduana, desierta a esa hora y luego se dirige hasta la rotonda donde se cruza la carretera de Gex, la capital de la comarca. Hay poco tráfico, pero aun así Friedrich no corre, prefiere aprovechar los escasos kilómetros hasta comenzar a subir el empinado puerto del col de la Faucille para conversar un poco.

Corrado Gatto se sienta a su lado, amigable, relajado en el asiento del copiloto, ligeramente traslúcido. Lleva sus habituales pantalones de pinzas y una camisa color crema, ambos marca Lacoste.

Parece contento. Pero Corrado siempre tuvo una vena melancólica que sigue presente, las líneas del rostro, muy pálido, reflejan algo parecido a la nostalgia. Aunque tampoco podría decirse que esté triste. En los casi diez años que lleva apareciéndosele, su humor ha ido mejorando. Después del accidente se le veía crispado y furioso, le miraba con ojos acusadores, cargados de rencor. Fue duro de soportar, pero pronto resultó evidente que era inofensivo y en realidad agradeció la oportunidad de explicarse con él, de hacerle saber que la rencilla entre ellos que tan trágicamente había terminado le dolió en el alma, que le seguía apreciando aunque se hubiera puesto en su contra.

Corrado pareció aceptar todas aquellas explicaciones, al menos a juzgar por su aspecto, cada vez más relajado. Sigue sin hablar, eso sí. Pero siempre fue un tanto lacónico y después de todo quizá sea mucho pedir que un fantasma conserve el don de la palabra. En todo caso, lo importante es constatar que se encuentra de nuevo a gusto a su lado. Friedrich agradece la compañía; desde el accidente se ha sentido cada vez más solo. Quizá por eso Corrado se le aparece cada noche.

—Carpenter jura que no encuentra burbujas —murmura—. ¡Venga, reconoce que te equivocaste! A estas alturas es algo sólo entre tú y yo.

Siguiendo su costumbre, Corrado mira la carretera a oscuras, como hipnotizado por los conos de luz que surgen de los potentes faros. Pero Friedrich está seguro de que le atiende. Además, tiene su manera de hacerle saber lo que piensa. No es exactamente telepatía, o al menos, si lo es, los mensajes del fantasma llegan muy distorsionados por la estática que puebla el más allá. Pero Friedrich le entiende.

—Ya veo. Sigues en tus trece.

Corrado no contesta, limitándose a componer una expresión terca que Friedrich conoce bien. El Porsche atraviesa un barrio iluminado en la periferia de San Genis y el espectro se desvanece durante unos instantes. Friedrich aguarda a que regrese antes de continuar.

—Podíamos haberlo arreglado por las buenas, amigo. Si la bruja no se hubiera metido por medio, te habría hecho entrar en razón. ¡Habríamos compartido el Nobel! ¿Me hubieras guardado rencor después del premio? Seguro que no. No fue culpa mía, entiéndelo. Nada de lo que pasó. ¿Por qué no me hiciste caso? Llevábamos veinte años trabajando juntos. ¿Qué te hizo volverte en mi contra? La bruja te engatusó con sus tretas sucias, ¿verdad?

Friedrich mira de reojo a Corrado. Claramente sus argumentos le hacen mella. Es bueno poder explicarse después de tanto tiempo. Extiende el brazo y le da una palmada amistosa en el hombro. Su mano, por supuesto, sólo siente el contacto de la tapicería. Todo el mundo sabe que el ectoplasma carece de consistencia material, aunque, como buen científico, comprueba este último punto, discretamente, cada vez que aparece el fantasma. Ahora se llevan bien, pero durante los años en que Corrado seguía enfadado con él no hubiera sido agradable que sus fuertes brazos le apresaran en alguna de las curvas que ascienden a la Faucille. Pero incluso en eso su viejo amigo es educado. Como si supiera que Friedrich necesita la máxima concentración posible al llegar las curvas, se desvanece apenas enfilan la primera. O quizá, simplemente, esa carretera le trae malos recuerdos.

Friedrich von Zhantier llega a Gex, atraviesa el pueblo dormido, donde apenas se ve una luz, y toma la desviación que sube al col de la Faucille. Hay diez kilómetros de tortuosa carretera hasta su casa. Mira de reojo por encima del hombro. Corrado ya no está. Friedrich suspira, se concentra. Es el mejor momento del día. Efectúa los dos o tres primeros giros con precaución, asegurándose de que la carretera no está helada, comprobando la respuesta perfectamente equilibrada del vehículo. Después acelera, tomando cada una de las cerradísimas curvas a una velocidad pasmosa. Adelanta sin contemplaciones a los pocos coches que se encuentra en su camino con movimientos secos y precisos, sin dudar un instante, entrando a la velocidad exacta en cada giro, derrapando las ruedas lo justo para cortar la curva. Friedrich von Zhantier es un conductor superdotado y lo sabe, los años no han hecho mella en sus reflejos, en la furiosa concentración con que sabe adelantarse a cada accidente del trazado. Cada día recorre este trayecto a las seis de la mañana camino del CERN y bien entrada la noche de regreso, pero los focos de su magnífico deportivo son potentes; su vista, impecable, y su memoria de cada detalle del circuito, perfecta.

De repente, un instante antes de llegar a cierta curva, frena bruscamente. El giro no tiene nada de particular, se ha enfrentado antes a desafíos mucho más peliagudos, pero reduce la velocidad y pasa por ella melindroso, alejándose todo lo posible del quitamiedos abollado que ofrece una endeble protección frente al precipicio que se abre al otro lado.

—Lo siento de veras, Corrado —murmura sin

apartar la vista de la carretera.

No hay respuesta, y un poco más allá, cuando la curva queda atrás, Friedrich von Zhantier comprueba que no hay nadie en el asiento del copiloto y acelera, camino de su casa, donde nadie le espera.

PIRÁMIDE DE KEOPS

La secretaria de Henry Pullman era una gringa de mediana edad, pintada como un comanche en pie de guerra. Los párpados embadurnados de azulete, pestañas postizas, unos labios, que en un rostro treinta años más joven hubieran resultado atractivos, enterrados bajo tres capas de carmín.

—Tome asiento, por favor —dijo, torciendo los labios de ex Miss California en una sonrisa de pasarela—. El senador le recibirá enseguida.

Héctor estaba demasiado excitado para sentarse. Prefirió acercarse a la cristalera, desde donde se divisaba una vista magnífica de la bahía. Doscientos metros más abajo el puente que unía San Francisco con Oakland parecía el largo esqueleto de un gigantesco dragón encallado en el mar.

Era una buena señal que Pullman le hubiera llamado al día siguiente de la reunión con la comisión. Alguien lo bastante influyente como para situar sus oficinas en el piso cuarenta y dos de la *Transnational Tower* no se molestaría en citarle sólo para darle una mala noticia. La torre doblaba en altura a la pirámide de Keops y, según Velasco, Pullman no era menos poderoso que el faraón. Si las cosas se hubieran torcido, se habría limitado a telefonearle.

—¡Mayor Espinosa! ¡Bienvenido!

Héctor se giró rápidamente, sorprendido de que el senador se molestara en salir de su oficina para recibirle. Pullman le ofreció una mano pequeña y delicada. Héctor la estrechó, apretando con fuerza. Para su sorpresa, el senador devolvió el apretón firmemente mientras sus labios esbozaban una blanda sonrisa.

—A sus órdenes, señor.

—Relájate, hijo —dijo Pullman, haciéndole pasar al despacho—. Las formalidades, para cuando estemos en público.

La pieza, pensó Héctor, era más grande que su apartamento. Una magnífica biblioteca en cuyos estantes se apretujaban miles de volúmenes encuadernados en piel corría a lo largo de tres de las paredes. La cuarta, hecha de cristal tintado, dejaba pasar una luz abundante y tan suave como los modales del senador. En un ala de la pieza dos butacas y un sofá de cuero rodeaban una mesa de nogal.

—Ayer tuviste un éxito enorme —dijo Pullman, empujándole delicadamente hacia una de las butacas—. Te metiste a la comisión en el bolsillo. Veni, vidi, vinci. Ahora es necesario pasar a la acción cuanto antes. Mi objetivo es establecer una directiva de la AIEA que haga obligatoria la instalación de un detector RAN en todas las centrales nucleares y cementerios radiactivos del mundo. Dentro de unos pocos años dispondremos de una red mundial que nos permitirá controlar la producción de plutonio en cada rincón del planeta.

¿Entonces lo había conseguido? Un calambre recorrió los músculos de Héctor, tensándolos como si estuviera a punto de saltar al cuadrilátero.

El rostro bronceado de Pullman se había distendido en una sonrisa que sería afable de no ser por la manera en que sus ojos se abismaban, serenos y vacíos, como los de una estatua.

—Voy a ponerte al frente de un equipo que se encargará de redactar la propuesta. Estarás ubicado en Ginebra a fin de trabajar en estrecha colaboración con los diferentes organismos internacionales implicados. Confío en que no tendrás objeción en desplazarte.

No, pensó Héctor, no la tenía, un año atrás le hubiera pesado dejar a Herlinda, pero Herlinda le había resuelto el problema por adelantado.

—Se acabó, Héctor. Quiero un hombre a quien yo le importe algo. Tú no me necesitas. Ya tienes tu trabajo.

No, nada le retenía en San Francisco.

—Estaré listo tan pronto como sea necesario, señor.

—Buen soldado. Así me gusta.

Pullman se quedó pensativo unos instantes. Su cabeza grande y bien proporcionada recordaba uno de los bustos romanos que se exponían en la galería de antigüedades del Museo de la Legión de Honor.

—Quiero instalar un radar de neutrinos en la central nuclear de Bushehr —dijo de repente, fijando en él aquellos ojos de mármol.

Al menos iba al grano. Tampoco podía pretender que no se lo esperara. Velasco se había ocupado de dejárselo muy claro.

—¿Mediante la Agencia Internacional de Energía Atómica, señor?

—Me gustaría —respondió Pullman—. Pero mucho me temo que el régimen iraní no lo autorizará.

—Si han firmado el tratado de no proliferación, la AIEA podría imponer su autoridad, ¿no?

—En absoluto. Ninguno de los protocolos actuales contempla la obligación de instalar un radar de neutrinos. Hoy por hoy Irán no tiene obligación alguna de acceder a esa demanda.

—¿Quizá presionando lo suficiente?

—Lo dudo. Llevamos meses tratando de convencer al primer ministro iraní para que acepte una simple inspección durante la próxima parada de la central y hasta el momento todos nuestros esfuerzos han sido en vano.

—Tenía entendido que la central de Bushehr había pasado todas las inspecciones decretadas por la ONU, señor.

—Hijo —dijo Pullman, tomándole del brazo—, tengo razones para sospechar que hay un exceso de uranio en ese reactor. Según mis informes podría haber hasta un treinta por ciento de combustible adicional, colocado a espaldas del primer ministro por agentes del general Sistani, uno de los radicales más recalcitrantes de la República Islámica.

—¡Treinta por ciento! —exclamó Héctor—. ¡Pero eso equivaldría a más de cien kilos de plutonio!

—Y basta con cinco para fabricar una bomba nuclear de mediana potencia —añadió Pullman—. Como ves, Sistani no se anda con bromas.

—Si puedo preguntar, senador, ¿cómo es posible que el primer ministro no esté al tanto de semejante maniobra?

Pullman inclinó su elegante cabeza hacia un lado,

como ponderando la pregunta.

—El general Rostam Sistani es el presidente del Consejo de Seguridad Nacional de Irán —dijo—. Como tal, tiene atribuciones que compiten con las del primer ministro. Sabemos, por ejemplo, que el director de la central nuclear de Bushehr está en su nómina. El general es un hombre muy poderoso y valiente. Alguien capaz de arriesgar un movimiento tan temerario como el que estamos contemplando. Necesitamos salir de dudas y para ello nos hace falta tu aparato. ¿Te das cuenta? Si mis temores son infundados y el radar de neutrinos confirma que la cantidad de uranio en la central es la correcta, no habría necesidad de seguir presionando al ministro Razavi. En cambio, si RAN detecta un exceso, podemos ayudarle a abortar la maniobra de su rival.

—Pero ¿es imprescindible una operación clandestina? —insistió Héctor—. ¿No podría obtenerse una directiva del Consejo de Seguridad de la ONU?

—¡Imposible! El Consejo de Seguridad es una jaula de grillos. Quizá podríamos forzar una resolución con pruebas en la mano, como las que nos proporcionaría RAN. Pero, si no podemos sustanciar nuestras sospechas, lo único que conseguiremos en el Consejo es poner sobre aviso a Sistani... No, tenemos que ser muy discretos. Eso no quiere decir que vayamos a actuar al margen de la ONU. He hablado con el secretario general y está de acuerdo en que uno de sus ayudantes participe en la operación a título de observador.

En ese momento la puerta se abrió, dando paso a la secretaria, que hacía equilibrios sobre unos zancos altísimos, llevando una bandeja con una tetera de plata y dos vasos de fino cristal, decorado con filigranas geométricas.

—¿Un poco de té? —ofreció Pullman mientras la secretaria decidía por él, llenando ambos vasos antes de retirarse, repiqueteando animosamente sus tacones contra el suelo de parqué.

Héctor sorbió la bebida. Dejaba en el paladar un recuerdo a jazmín.

—Viene directamente de Shiraz —dijo Pullman—. Fui agregado cultural en la embajada americana desde el setenta y cinco al setenta y ocho. Viajé mucho por el país. Espero volver algún día. No me gustaría morirme sin ver de nuevo Persépolis.

En ese momento llamaron a la puerta. Miss California anunció que el coronel Velasco estaba aguardando.

—Hazlo pasar —dijo Pullman.

Como era su costumbre, Velasco vestía de uniforme. En su caso era falso afirmar que el hábito no hacía al monje. Su físico era una perfecta medianía en cuanto a altura, peso y complexión. De su rostro lo único que llamaba la atención era el rictus de amargura o desprecio en su boca y los diminutos cráteres dejados por la viruela en las mejillas. Vestido de paisano, uno pasaría de largo sin reparar en su presencia.

En cambio, era imposible apartar la vista de aquel uniforme, la franja naranja de los pantalones recta como una pista de aterrizaje, la guerrera azul marino abotonada hasta el cuello, cada botón destellando como un denario de oro. La medalla del Servicio Nacional de Defensa en el pectoral izquierdo, los galones en el derecho. La gorra de plato en la mano.

—Coronel... —saludó Héctor.

—Mayor...

Pullman les hizo un gesto a ambos para que se acercaran a una gran pantalla de cuarzo líquido situada en una esquina de la enorme mesa de trabajo.

La pantalla se iluminó cuando el senador la rozó con el índice, animando una imagen tomada por satélite. Mostraba una pequeña península cuya geografía recordaba un brazo flexionado, cortado por encima del codo, en el que el muñón hubiera sido cubierto por una prótesis metálica terminada en un garfio.

—La ciudad de Bushehr vista por uno de nuestros satélites. —Pullman rozó la pantalla de nuevo y seleccionó una opción de un menú desplegable. Un mapa de Irán ocupó el ángulo superior izquierdo de la pantalla. Un círculo destellaba entorno a Bushehr, en pleno golfo Pérsico, a unos cuatrocientos kilómetros en línea recta de Teherán y unos doscientos de Shiraz. La ciudad propiamente dicha se extendía a lo ancho del muñón desde la base de la prótesis hasta el garfio. La central nuclear se situaba en el codo del imaginario brazo a poco más de un grado al suroeste. Una regla electrónica indicaba que la distancia entre el centro de la ciudad y el reactor era de unos diez kilómetros.

—Se da la afortunada circunstancia de que el reactor nuclear está en la misma costa —dijo Pullman.

Y casualmente, ironizó Héctor para sí mismo, RAN había sido rediseñado para operar bajo el mar. También casualmente Velasco aparecía en el momento preciso, después del sermón del senador, justo a tiempo para hablar de negocios.

—Más aún, la profundidad del fondo marino en el golfo es escasa. Un submarino Nautilus puede anclar fácilmente un detector RAN a una distancia del orden de un kilómetro del reactor. ¿Qué le parece, mayor?

Qué le iba a parecer. El senador no le estaba pidiendo, en realidad, su opinión. Le estaba informando, con su estilo suave, de toda una logística prevista desde mucho tiempo atrás.

—¿Qué autonomía tiene un submarino de este tipo, señor?

A un gesto de Pullman tomó la palabra Velasco.

—De sobra para un viaje de ida y vuelta a la costa iraní desde un barco navegando a suficiente distancia de sus aguas territoriales. Cuarenta o cincuenta millas; más, si fuera necesario.

—¿Y las cuestiones de seguridad? Sin duda esa región estará continuamente barrida por sonar.

La boca del coronel se torció en un aspaviento que caricaturizaba una sonrisa.

—Tenemos nuestros métodos —dijo.

—El mismo submarino se ocupará de llevar la fibra óptica con las señales de RAN hasta el barco nodriza —explicó Pullman—. A bordo irán varios técnicos de su equipo a fin de asegurar que la instalación y puesta a punto procede sin problemas.

—Entiendo... —asintió Héctor—. ¿Y yo? No estoy muy seguro de qué se espera de mí en este asunto.

—La operación en Irán será un esfuerzo coordinado —dijo Velasco—. La cobertura militar correrá a cargo de la OTAN mientras que la logística será compartida por varias agencias de inteligencia, incluyendo la participación de Rusia e Israel. El centro de operaciones estará localizado en Ginebra. Su presencia allí nos será de suma utilidad, mayor. A fin de cuentas usted es el experto.

Pullman golpeó suavemente su portentoso cráneo con los nudillos.

—Tú eres el genio de la lámpara, muchacho —dijo, olvidando, como distraído, el tono formal que había adoptado en presencia de Velasco—. Te necesitamos a nuestro lado.

CUESTIONES DE PROTOCOLO

Jozef Linsen se precia de conocerse bien a sí mismo, y lo cierto es que no ignora ni sus virtudes ni sus defectos más notables. Sin embargo y contra lo que se imagina, este conocimiento le sirve de poco para construir una imagen precisa de su personalidad. El suyo es un problema de medida, de falta de perspectiva, que le muestra un espejismo distorsionado de la realidad que le rodea.

Sabe, por ejemplo, que es elegante, y este conocimiento le lleva a creer que su presencia es imponente y grave. Se ve a sí mismo como un nuevo Petronio cuyo esmerado atuendo le granjea automáticamente autoridad y respeto, cuando no rendida admiración.

Nada más lejos de la realidad. La elegancia de Linsen es percibida por el resto del mundo como una característica maniática e irritante. Es cierto que viste trajes confeccionados a mano en las mejores boutiques de Milán y París. Que sus zapatos, del más fino cuero, relucen impolutos y su colección de corbatas es digna de un príncipe. Pero todo eso viene acompañado de una inquietud frenética y contagiosa, un continuo esquivar toda superficie que pudiera acarrear una mota de polvo, una ansiedad ante cualquier asomo de arruga en sus pantalones y camisas, cuya consecuencia es hastiar a todo aquel que le rodea. Linsen percibe la hostilidad a su alrededor, pero no es capaz de relacionarla con su dandismo, del que tan orgulloso está.

Algo parecido ocurre con su forma de actuar. Se ve a sí mismo como un buen gestor, capaz de enfrentarse resueltamente a los problemas —en realidad procura eludirlos excepto cuando está seguro de salirse con la suya—; capaz de imponer su voluntad si es necesario —pero no se da cuenta de que sólo lo hace cuando tiene la certeza de que se la impone a alguien más débil que él—; capaz, en fin, de actuar pragmáticamente sin dejarse arrastrar por convicciones fanáticas —realmente no tiene problema alguno en mudar de ideas con tanta facilidad como cambia de traje—. La realidad y su percepción de ésta divergen tanto que Jozef Linsen está convencido de que la enemistad que le rodea es el estado natural del ser humano.

No deja de ser notorio que alguien así haya ocupado la dirección del CERN durante cuatro años. Pero es que Linsen no carece de virtudes. Entre ellas, la más destacada es su extraordinaria habilidad para aprovechar las debilidades de los demás, acompañada por la convicción de que la vida es un bazar donde cada mercancía —la ropa de marca, los *affaires* sentimentales, el prestigio científico— tiene un precio que puede regatearse. De ahí que un buen comerciante como él haya realizado tan exitosa carrera.

Es cierto, sin embargo, que lleva una década conformándose con el puesto de subdirector científico, un cargo perfectamente inútil, dado que Helena Le Guin toma todas las decisiones importantes sin asesorarse jamás con él. Más bien lo contrario, a la directora le gusta tratarlo como una especie de secretario de lujo, e incluso, a veces, como un mero recadero. Alguien menos paciente hubiera renunciado tiempo atrás a seguir en la dirección, incapaz de soportar las continuas humillaciones a las que Le Guin le somete. Pero otra de las virtudes de este elegante prohombre es su tenacidad.

La tenacidad y, según piensa, la diplomacia —en realidad se trata más bien de hipocresía—. A decir verdad, se precisa nervio para despachar a diario con alguien a quien pretende reemplazar en tan sólo unos pocos meses.

Aunque..., ¿por qué no? No hay nada de malo en el tradicional ojo por ojo y ha pasado diez largos años aguardando su oportunidad para devolverle a Helena Le Guin las puñaladas que le debe.

Hay que admitir que la situación es incómoda. De hecho, en este momento, es perfectamente consciente de la expresión de disgusto que agria el rostro de la directora. Una expresión que Linsen considera permanente, sin darse cuenta de que es su presencia lo que la suscita. De ahí que concluya que Helena Le Guin es una mujer amargada, intransigente, esencialmente desagradable. Nervioso, ajusta el nudo de su corbata, estira un poco la pernera de sus pantalones y se dispone a hacer de tripas corazón a lo largo de lo que espera que sea una corta entrevista.

En este momento están cubriendo el primer punto de la agenda, el de los nuevos contratos. Linsen ha ido recitando nombres y cargos mientras la directora le escudriña con sus ojos hostiles, en silencio, haciendo girar una pluma entre los dedos. Es una Waterman de nácar, con plumín de oro, carísima, que Linsen envidia pero —se dice a sí mismo— no puede permitirse. Él, que se considera un hombre ahorrador y no es sino un avaro.

Cuando llega al nombre De Ávila, la directora parece salir de su letargo.

—Conciértame una cita con ella cuanto antes. Quiero darle la bienvenida en persona.

—Naturalmente —contesta Linsen, resentido por los tajantes modales de Le Guin, pero sin medir los suyos, demasiados serviciales.

—Otra cosa —dice ella, saltándose arbitrariamente el orden que Linsen había previsto—. El programa de la BBC. ¿Tenemos ya fecha?

—Si te parece bien, podríamos confirmarlo para la semana que viene. Me he permitido contactar con Carl Penrose y a él le vendría bien entonces.

Linsen no puede disimular una sonrisa de satisfacción. Uno de los aspectos que más le agradan de su trabajo y uno de los pocos frentes donde la directora le da un respiro son las cuestiones de protocolo. Ocuparse de éstas le da la ocasión de tratar con gente importante como Penrose, director del programa científico de más audiencia en el mundo. Linsen está convencido de ser el diplomático perfecto, la elegante encarnación del espíritu del CERN, prácticamente el embajador oficioso de la organización.

—De acuerdo. Espero que lo tengas todo preparado para entonces.

—Está todo previsto para que el programa sea un éxito —contesta Linsen. A continuación comienza a detallar el programa que llevará al equipo de la BBC primero a visitar la Esfera, luego a una excursión guiada por el laboratorio y finalmente a una entrevista televisada en directo.

—Gracias —interrumpe Helena, sin dejarle terminar su elaborada descripción—. Eso será todo.

—Hay un pequeño detalle —dice Linsen, que ha estado esperando desde el principio de la entrevista el momento en que va a permitirse el lujo de hacerle pasar un mal rato a la directora para compensar todos los desplantes que se ha permitido con él.

—Tú dirás.

—Se trata de Mauricio Gatto. El pobre hombre ha hecho otra de las suyas.

Linsen disfruta con la expresión de alarma en el rostro de la Le Guin y la manera en que se alza, rígida, de la butaca en la que se había recostado.

—¿Qué ha ocurrido?

—Ayer de madrugada se coló en la sala de control principal del LHC, hacia las tres de la mañana. Los operadores del turno de noche no deberían haberle permitido la entrada, pero están tan acostumbrados a verlo deambular por allí que no le hicieron ningún caso. Una hora más tarde detectaron una ristra de imanes superconductores a punto de colapsar. Alguien los había puesto en modo de prueba y forzado manualmente para que se sobrecalentaran... Tuvieron el tiempo justo de extraer el haz del acelerador antes de que el colapso de los imanes lo sacara de la órbita. Va a costar varios días recuperarse del accidente, y podía haber sido mucho peor si los imanes hubieran colapsado con el haz todavía circulando.

—¿Fue Mauricio quien alteró los imanes? —pregunta

Le Guin. Linsen, que no es consciente de sus propios tics, no pierde detalle en lo que se refiere a las manías ajenas y disfruta constatando la desesperación con que la directora busca sus fetiches. Pasa el dedo por el capuchón de la pluma de oro, acaricia un libro de notas con gruesas tapas de papel de arroz, saca disimuladamente una pitillera de plata que abre y cierra, produciendo un clic cada vez, sin decidirse a extraer de ella un cigarrillo. Ha conseguido fastidiarle el día.

—No tenemos pruebas, pero toda la evidencia apunta hacia él. Lo cierto es que sería conveniente que se beneficiara de un retiro anticipado. Sus excentricidades empiezan a ser peligrosas.

—No se repetirá —dice Le Guin—. Me ocuparé en persona de dejarle muy claro que no tiene autorización para acercarse a la sala de control.

—Sin embargo, sugiero que iniciemos un expediente...

—No.

Linsen sonríe, encajando el monosílabo que ha explotado en sus oídos como un obús. La directora no se molesta en ofrecer explicaciones ni justificarse. Se limita a ejercer su autoridad, déspota e insensata, protegiendo a un chiflado. Pero llegado el caso su insensatez le beneficia. Puede usarla en su contra en las próximas elecciones.

La directora examina unos documentos, dándole a entender que le entrevista ha terminado. Jozef Linsen saluda ceremoniosamente y sale del despacho. A pesar del tanto que se ha marcado, el resentimiento le ahoga. Cruza el aparcamiento envenenándose con su propia bilis, salta al interior de su Mercedes y da marcha atrás sin mirar por el retrovisor. De repente, un batacazo seco y la sensación asfixiante del airbag rodeándolo. El pánico dura un segundo, lo justo para comprobar que no se ha hecho daño. Enseguida es sustituido por la furia. Sale del vehículo como una exhalación y se tropieza con un miserable Peugeot al que ha embestido en el morro, la trasera de su precioso Mercedes hecha cisco y un gordito apurado con barba zarrapastrosa y cara de lelo que le mira aterrorizado tras unas gafas de lentes de culo de vaso. Linsen le conoce vagamente. Se trata de John Carpenter, uno de los técnicos de Friedrich von Zhantier.

Y sin pararse un segundo a considerar que la culpa del accidente ha sido suya, Jozef Linsen se encara con el hombrecillo, dispuesto a hacerle pagar todos los disgustos de la mañana.

CIUDAD INVISIBLE

Hay otras ciudades donde la riqueza se exhibe de manera indecente, incluso obscena. En Nueva York, Tokio, París o Sydney pueden encontrarse tiendas y restaurantes, hoteles y clubes, calles y a veces barrios enteros que vocean la afluencia de sus clientes y propietarios a los cuatro vientos, sin pudor alguno.

También en Ginebra el dinero es visible en multitud de detalles, como las hileras de Ferraris y Mercedes aparcados delante de ciertos locales de moda, los collares de perlas que adornan los cuellos de las damas que frecuentan el casino o los relojes y pulseras engarzadas en diamantes que se exhiben, sin etiqueta de precio, tras los cristales irrompibles de las joyerías de la rue de la Confédération. Pero esta riqueza a la vista de todos se diría discreta, tímida, un poco avergonzada de sí misma. Si no se sabe dónde mirar, es fácil concluir que esta provinciana ciudad, con ser rica, no es, ni mucho menos, tan opulenta como tantas otras.

Pero es que las auténticas fortunas se esconden aquí entre los sólidos muros de las casonas del barrio antiguo, tras los setos altísimos que camuflan las mansiones que bordean el lago Lemán y las discretas puertas de roble macizo que disimulan bancos privados, clubs exclusivos, restaurantes restringidos a una élite cuya presencia pasa inadvertida. No en vano es esta la patria de Calvino. La Ginebra auténticamente adinerada es una ciudad invisible.

A pesar de tanta opulencia la ciudad no carece de jóvenes rebeldes que reniegan de sus familias acaudaladas. Aspiran a ser novelistas, directores de teatro, músicos en alguna banda de rock alternativo. Suelen reunirse en L'usine los fines de semana. L'usine, como su nombre indica, es una antigua fábrica cuyas naves han sido transformadas, con subvenciones del ayuntamiento, en locales donde esta juventud contestataria se encuentra cada noche, baila, bebe, fuma marihuana y quema la velada arreglando el mundo.

Aunque la mayoría de los parroquianos son chicos rondando la veintena, no faltan clientes de mayor edad que acuden al calor de sus tersas pieles con la esperanza de vender algo, ligar o simplemente para ahogar la soledad entre la multitud y el ruido atronador de la música.

Es el caso de John Carpenter, que esta noche tiene aquí una cita para tratar un negocio un poco turbio. L'usine es un buen sitio para este tipo de encuentros, discreto, precisamente por lo multitudinario. Sin embargo, Carpenter no se siente a gusto rodeado de chavales poco respetuosos, que le zarandean a empellones de un lado a otro. Además su asma tiende a agravarse en espacios cerrados y tan recargados como éste, creándole una angustiosa claustrofobia que apenas le permite abrirse paso entre la muchedumbre adolescente.

—¡*Tovarich!* ¡Aquí!

Desde una mesa situada en una de las esquinas del local el hombre con el que ha quedado agita un brazo para llamar su atención. Su nombre es Igor Boiko, acaba de cumplir treinta años y, a pesar de que su ficha policial le identifica como traficante de cocaína, el comisario a cargo de la brigada antidroga tiene órdenes estrictas de dejarle en paz. Son órdenes que vienen directamente desde el Ministerio del Interior, lo cual sorprendería a cualquiera que no fuera un agente de la policía suiza, acostumbrado a no cuestionarse aquello que no es de su incumbencia. Lo mismo piensa el funcionario que ha tramitado la orden después de recibirla del subsecretario, que por su parte debe favores al embajador ruso, el cual no olvida que su carrera depende de ciertos poderosos amigos de la antigua KGB, entre los que se cuenta un hombrón rotundo y jovial, de apetito pantagruélico, que responde al nombre de Yuri Popov.

Igor Boiko viste una camiseta negra, sin mangas, bajo la que se anuda una tremenda musculatura. Sus brazos son prodigiosos. Los bíceps están tan definidos que el músculo muestra claramente sus dos cabezas, cada una de ellas del tamaño de una naranja madura. Sus tríceps sobredesarrollados denotan una fuerza sobrehumana. Los antebrazos son un manojo de fibras protuberantes que terminan en unas manos descomunales. Una cadena dorada rodea su cuello. Cuelga de ella un extraño talismán. Un aro de acero en el que se inscribe la triple aspa símbolo de la radiactividad, como una especie de amenazadora mariposa de tres alas.

La camiseta cubre parcialmente un tatuaje que abarca todo su torso. Es una serpiente bicéfala, cuyas escamas de tinta azul se extienden por los gruesos abdominales, ascendiendo por los densos pectorales hasta la altura del cuello. Allí el tronco del monstruo se divide en dos reptiles gemelos, cuyos anillos coinciden con los poderosos músculos de los brazos en los que están tatuados. Las cabezas abren sus fauces a la altura de las manos.

En contraste con el cuerpo salvaje, las facciones del hombre son hermosas, casi delicadas. Su cabello es rubio, ondulado y suave; los ojos, oscuros y melancólicos. Excepto por la profunda cicatriz, en forma de herradura, que nace bajo el párpado derecho y rodea el pómulo, el suyo podría ser el rostro del entrenador del equipo de balonmano femenino de la universidad o el del cajero del círculo ecologista.

John Carpenter se abre paso hasta la mesa y se deja caer en una silla, derrengado.

—¿Tomamos una copa? —dice, sacando de su cartera un billete de cien francos suizos y dejándolo encima de la mesa. Boiko se apodera del billete sin prisa y lo hace desaparecer en su bolsillo.

—¿Gin tonic, tovarich?

John Carpenter le contempla caminar hacia la barra, fijándose en cómo penetra sin esfuerzo a través de una sólida muralla de cuerpos, que se apartan de él como si su contacto produjera una descarga eléctrica. En realidad el efecto es parecido; Boiko sabe administrar empujones y codazos tan discretos como inclementes, que le ayudan a abrirse paso fácilmente. Luego le observa regresar a la mesa con las bebidas en la mano, deleitándose en las expresiones a la vez ofendidas y asustadas de los jovencitos a los que va apartando sin que se derrame una sola gota de líquido de los vasos.

Carpenter saca un paquete de Gitanes, enciende un

cigarrillo y ofrece otro. Fuman en silencio durante un rato, sorbiendo sus bebidas. Ninguno de los dos es ni hablador ni impaciente.

Cuando terminan, Carpenter deposita un sobre color Manila encima de la mesa. Boiko lo coge con tanta calma como se ha apoderado antes del billete y lo hace desaparecer en el interior de una cazadora de cuero negro que cuelga de la silla. A su vez Carpenter recibe ciertos productos, envueltos en papel de plata, que también pone a salvo sin demora.

—Gracias, Igor... Oye...

Boiko le mira, interrogante. Carpenter apura su gin tonic, mientras piensa que el paso que está a punto de dar quizá implique un cierto riesgo y quizá no valga la pena. Pero hay algunas cosas que no puede seguir soportando. Han sido demasiadas humillaciones en su vida y tiene por fin la ocasión de resarcirse. Es una oportunidad única, piensa, y no deja de ser curioso que se le haya presentado gracias a la coca. Sin ella nunca hubiera conocido a alguien como Boiko. Sin ella nunca se hubieran hecho amigos.

Es una extraña amistad, de eso no cabe duda. Cualquiera que les viera juntos se preguntaría qué pueden tener en común dos tipos tan dispares. Pero a él le gusta imaginarse que son algo así como Séneca y Superman. Cada uno poderoso a su manera, su cociente intelectual tan excepcional como los músculos del ruso. Ambos igualmente solitarios, especiales, aislados del resto del mundo por una idéntica tragedia personal. La de haber nacido en el lugar y el tiempo incorrectos. En Roma, en Esparta, Igor hubiera sido un general o un rey.

Y él podría haber ganado un premio Nobel o la medalla Fields de matemáticas si sus padres hubieran podido costearle los estudios.

Pero no se queja, ni Boiko tampoco. Los dos se han hecho a sí mismos, cada uno a su manera, y eso les une. Es un hecho que Igor le da trato preferente sobre cualquier otro cliente, que aprecia su compañía. A menudo le tira de la lengua, le pide que le hable del CERN, de los experimentos, de las bombas que se empeña en imaginarse almacenadas por megatones en el laboratorio. Puede escucharle durante horas sin interrumpir apenas, sin que nadie se atreva a acercarse a ellos, excepto Misha, el único de sus compinches que no le teme, el único al que Boiko trata con deferencia.

—¿Todo bien, *tovarich*?

Está esperando a que suelte lo que le preocupa, contemplándole con su rostro de niño bueno, mientras las manos, que podrían partirle el espinazo en dos sin esfuerzo, tamborilean indolentes sobre la mesa.

—Necesito pedirte un favor... El otro día, en el aparcamiento del CERN, un tipo me abolló el coche de mala manera. El imbécil dio marcha atrás sin darse cuenta de que yo entraba. Me ha destrozado todo el morro. La culpa era sólo suya y, sin embargo, el desgraciado me echó una bronca tremenda. Es uno de los capullos de la dirección, un imbécil engreído que se cree el amo del mundo porque lleva placas diplomáticas.

—¿Quieres que Boiko te ayude a ajustar cuentas?

Una vez más Carpenter titubea, inseguro de su decisión. Después de todo Linsen ha sido director general del CERN y sin duda se trata de un tipo importante, con influencias. Si le descubren, lo pasaría mal. Pero el recuerdo del rostro congestionado mugiendo a un milímetro de su nariz, salpicándole con su saliva apestosa, le da valor.

—Eso es.

—Mejor esperar un par de meses. Nadie se acuerda ya de tu coche. Entonces Boiko visita. ¿Te va bien así?

—Claro, hombre —dice Carpenter, complacido.

Si algo le sobra es, precisamente, paciencia.

LA ESPUELA

—Me alegro que hayas podido venir, hijo.

El senador vestía un frac hecho a medida, que le sentaba a la perfección. Héctor se sintió tan ridículo, enfundado en su traje corriente, como si hubiera asistido al cóctel vestido con el uniforme de faena.

Extraña manera de malgastar su última noche en San Francisco, pensó, perdiendo el tiempo en una fiesta para gente bien. Perra suerte. Podían haber salido, el grupo de siempre, a tomar una postrera ronda de cervezas por el barrio. La espuela, así llamaban los españoles a la copa que se bebe para el camino.

Al menos era una de esas recepciones donde la gente circulaba de un sitio a otro y no fue difícil encontrar una discreta esquina desde donde contemplar el espectáculo. El salón, con toda su profusión de alfombras orientales, arañas de cristal de Bohemia y columnas de mármol, impresionaba menos que el despacho de Pullman. Las conversaciones a su alrededor eran tan triviales como las de cualquier *party*. También le resultaba familiar la histeria con la que damas y caballeros pululaban entre los corrillos, depredadores con traje de gala a la caza de una oportunidad de negocio, un nuevo amante, un enchufe... Pero había caviar del Volga y champán francés. Héctor sorbió su copa, más entretenido de lo que se hubiera imaginado con el espectáculo.

No tuvo que esperar demasiado hasta que Pullman se acercó a él, desembarazándose por el camino, con exquisita elegancia, de un par de pelmas que le pisaban los talones.

—¿Preparado para el viaje?

—Con ganas de empezar el trabajo, señor.

—Buen soldado —dijo el senador, haciendo chocar el cristal de su copa contra la de Héctor.

La espuela, después de todo. Pero el champán se había recalentado y el trago le supo agrio. Un camarero uniformado como un capitán de granaderos se materializó a su lado con nuevas bebidas.

—Quería comentarte un par de detalles, muchacho. En lo que se refiere a la propuesta de incorporar RAN al protocolo de inspección de la AIEA. Comprenderás que mientras la operación en Irán no haya concluido habrás de ser muy discreto.

—¿Cuál será entonces mi cometido en Ginebra, senador? ¿Cómo voy a redactar una propuesta sobre algo que no puedo mencionar?

—Tu trabajo abarcará todo un paquete de nuevos sistemas para prevenir la proliferación nuclear. RAN es el más importante, pero hay otros que tampoco pueden descuidarse. Los detectores de neutrones, por ejemplo. Todavía no hemos conseguido una estandarización satisfactoria de las medidas. Quiero que te concentres inicialmente en ese problema.

Los ojos de Pullman eran dos inmóviles lunas de antracita. Héctor sintió un agudo pinchazo a la altura del diafragma.

—Estoy a sus órdenes —dijo, procurando no revelar sus emociones.

Pullman le tomó del brazo y tiró blandamente de él hacia la terraza contigua al salón. Las vistas de la ciudad eran magníficas, pero se le antojaron falsas, un montaje fotográfico, una ilusión. Como su célebre oficina en Ginebra y su proyecto frente a la ONU. Cartón piedra, humo. Pura fachada.

Un delgado estuche de madera había aparecido en la mano del senador. Contenía cinco puritos, alineados como rígidos cadáveres en su ataúd de cedro.

—Gracias, no fumo.

—Es una pena. Vienen de La Habana.

Al menos algo auténtico. Al viejo le hubiera encantado aceptar uno de aquellos cigarros.

—Como los que se fuma Fidel —hubiera dicho—. Es un cabrón, hijo. Pero un cabrón con pelotas.

—Otra cosa —dijo el senador—. Creo que sería conveniente que te acostumbraras a llevar tu arma de reglamento encima hasta nueva orden. Cosas de Velasco. Ya sabes lo paranoico que se pone con todo el asunto de la seguridad.

¿Cargar de nuevo con la pistola? Hubo un tiempo, durante su juventud, en que le gustaba llevarla bajo la camisa, pegada a los riñones. Afortunadamente el negro Príamo le quitó pronto la idea de la cabeza.

—¿Dónde vas con ese hierro, chico? ¿A quién le tienes miedo?

El negro Príamo tenía razón. Cualquiera que llevara un arma tenía miedo. El miedo era el oficio de Velasco y parecía empeñado en metérselo a él en los huesos. Se prometió a sí mismo que no lo conseguiría.

El senador cortó la cabeza al habano y lo encendió con un grueso fósforo que ardió como una antorcha.

—Nunca te he dicho que conocí a tu padre.

La frase quedó flotando entre ambos, como el humo del habano. ¿Por qué no le sorprendía? Quizá, a esas alturas, se esperaba ya cualquier requiebro de Pullman. O, quizá, algo en su forma de tratarle le había hecho intuirlo desde mucho tiempo atrás.

—¿Durante la crisis, señor?

Pullman asintió. No hacía falta precisar de qué crisis se trataba. Para toda la generación del senador no había habido otra que se comparara con la del sesenta y dos.

—Yo acababa de empezar. Era algo así como el mozo de los recados del presidente. Tenía los ojos bien abiertos. Aquello podía haber acabado mal, muy mal. De no haber sido por unos pocos hombres, como tu padre. Deberías estar muy orgulloso de él, mayor.

—Lo estoy, señor.

—Lo sé, hijo, lo sé —dijo el senador, palmeándole los hombros—. Y estoy seguro de que, cuando llegue el momento, estarás a su altura.

Irene de Ávila titubea, sin decidirse a introducir la llave en la cerradura del apartamento número ocho, en el cuarto piso del número veintinueve de la rue de Lyon, como si el hogar de su infancia pudiera seguir existiendo todavía a condición de no empujar la puerta cerrada que tiene frente a sí.

Una sala de estar grande y luminosa con un techo

allá en la estratosfera. El piano en un rincón —Leila sentada frente a las teclas—. Paredes pintadas de blanco. Una de ellas ocupada por un gran cuadro. Representa un hombre todavía joven, delgado, guapo, con el cabello hasta los hombros y una barba rojiza, terminada en una perilla puntiaguda. Está desnudo, los brazos cruzados frente al estómago, reclinado en una roca, la mirada perdida en el horizonte. No se sabe qué mira, pero su mirada rezuma nostalgia. En una esquina del cuadro, el garabato incomprensible con que firma Leila. El modelo es Raúl de Ávila. Irene recuerda el comentario de su madre cuando colgaron el cuadro. Fíjate en Raúl, dijo. Parece Ulises mirando al mar.

La nostalgia en los ojos de su padre. La nostalgia del viajero, distante de su patria. ¿Había dos ciudades más diferentes en Europa que Madrid y Ginebra? Irene recuerda las visitas a la gran metrópolis castellana, unos días por Navidad y tres semanas en verano, a menudo sin sus padres. Tres semanas convertida en la pequeña emperatriz de una urbe tórrida y semidesértica, sus más nimios caprichos atendidos por dos ancianos servidores. El cabello rojizo, la nariz insolente y el apellido hidalgo venían del abuelo Álvaro. El carácter optimista, la testarudez y los huesos anchos, de la abuela Belén. Los dos habían desaparecido con menos de un año de diferencia, demasiado pronto para dejarle otra cosa que el recuerdo de su cariño.

Irene duda, sin decidirse a dar la vuelta a la llave, atrapada en el torrente de la memoria, que viene crecido, llevando entre sus aguas revueltas los objetos que definen su infancia. El piano, los libros, la mesa de la cocina cubierta por los folios con los cálculos de Raúl, páginas y páginas de ecuaciones que a veces se traspapelaban, mezclándose con las partituras que rodaban por todas las esquinas de la casa, formando un solo mensaje secreto, escrito sólo para ella.

Ulises mirando al mar. Ginebra no era Ítaca, no para Raúl. Extraño Ulises, su padre. Siempre genial, siempre sonriendo, siempre distraído, siempre trabajando.

¿Trabajando en qué? Todos aquellos teoremas, minuciosamente organizados en carpetas de anillas, que se iban amontonando por toda la casa. De niña, Raúl de Ávila compartía en su imaginación, el altar de la gloria reservado a Hilbert, a Riemann, a Gauss.

¿Y Leila? Qué hogar para ella, exiliada de un país que se negaba a mencionar, sobreviviente de un horror del que jamás se hablaba en casa, del que sólo tenía vagas noticias, murmuradas a medias por su padre.

—Tu madre sufrió mucho, hija. Algún día te lo contará, cuando se sienta con fuerzas para ello.

Pero nunca había encontrado las fuerzas para contarle. Incluso cuando descubrió los recortes de periódico que todavía guarda. Las fotos de una Leila jovencísima, quizá de diecisiete o dieciocho años, tomadas en el Carnegie Hall. Leila vestida con un rutilante traje de noche, luciendo un collar de perlas, gruesas como huevos de paloma, sonriendo confiadamente a la cámara. Leila sentada frente al piano con la frente fruncida en un gesto de furiosa felicidad. Leila, saludando a una multitud fervorosa, puestos en pie en sus asientos. Era fácil imaginar el aplauso resonando en el Carnegie, en la Ópera de Viena, en el Ateneo de París. Bastaba leer los titulares, los recortes de la crítica, las frases halagadoras. *La nueva princesa de los persas. El piano maravilloso de Leila Satrapi.*

¿Satrapi? Leila firmaba incluso sus cuadros usando el apellido de Raúl. Irán era una palabra tabú en su casa.

—¿Por qué abandonaste tu carrera de concertista, mamá?

—Dejó de interesarme, cariño.

Ella había arrojado los recortes sobre la mesa, como un fiscal mostrando las pruebas del crimen al juez.

—¿Dejó de interesarte? ¡Aquí dicen que podías haber sido la mejor pianista del mundo!

—Algún día lo entenderás, hija.

El tabú había acabado por calar también en Irene. A su llegada a Nueva York pasó muchas tardes en la biblioteca pública, leyendo sobre la revolución islámica de mil novecientos setenta y nueve y sus consecuencias sobre la vida de mucha gente. Gente como la desconocida familia de la que Leila nunca hablaba.

Pero al cabo de cierto tiempo dejó de investigar en la hemeroteca y dejó de preguntar. También ella firmaba De Ávila, usando tan sólo el apellido de su padre. Afortunadamente sus genes se habían decantado por expresar el fenotipo de sus antepasados castellanos. De Leila sólo había heredado los ojos oscuros y las manos de largos dedos.

Nada la delataba.

Helena Le Guin consultó su reloj de pulsera, recreándose unos instantes en las elegantes manecillas que casi coincidían en las doce en punto. El reloj era un Patek Philippe, herencia de su padre y formaba parte de una pequeña colección de objetos personales, sagrados para ella, que incluían su pluma, la pitillera de plata, el Dupont de oro, el anillo de boda de su remoto y fracasado matrimonio, un libro de notas, encuadernado en piel, con gruesas hojas de papel de arroz, donde raro era el día en que no anotaba alguna reflexión con letra apretada y diminuta, aprovechando avariciosamente el espacio disponible en cada una de las escasas hojas todavía en blanco. Helena se sabía fetichista y aceptaba estoicamente esa faceta de su personalidad. No era una manía excesiva, teniendo en cuenta que correspondía a una mujer de cincuenta y dos años, sola, sin hijos y sin más vida que su trabajo.

Un pequeño placer solitario, como todos los que podía permitirse, el de recrearse en el uso de esos objetos, en la conexión entre ellos, nunca más evidente que en las horas finales de sus agotadoras jornadas. Adormecerse un instante contemplando la inmaculada esfera sobre el fondo azulado del reloj, cuyo color le recordaba los cielos de cierta ciudad junto al Mediterráneo. Extraer meticulosamente la pluma del estuche, escribir unas líneas en el cuaderno, recreándose en la pausada seguridad con que el plumín se deslizaba sobre la página, el suave sonido del oro rasgando el papel, el equilibrio perfecto del objeto de metal noble entre los dedos.

Cuando concluyó su anotación, confirmó de un último vistazo al reloj que ya era medianoche. Hora de marcharse a casa. «Casa», desde hacía más de una década, era una habitación doble, alquilada en el Hotel

Continental de Ginebra.

—¿Para qué más? —dijeron por Megafonía—. «Casa» era un eufemismo que hacía referencia a una cama en la que derrumbarse cinco o seis horas cada noche. Una cama tan grande y fría como un océano.

—Estás cansada. Vete a dormir.

A esas horas los altavoces sonaban muy lejanos. Las luces se iban apagando poco a poco en la fábrica. Autocontrol había cerrado ya sus puertas, lo mismo que Estrategia, Táctica, Manipulación... Era tarde y el único departamento en el que todavía quedaba una tenue luz era el de la nostalgia.

SEGUNDA PARTE
MARZO

MENSAJE CIFRADO

La voz del teniente Trischuk llegó algunos segundos después de que se movieran sus labios. No era nada anormal. Héctor sabía que el fenómeno estaba relacionado con el protocolo de codificación y descodificación de la señal, enviada vía satélite desde el barco nodriza situado en pleno golfo Pérsico, a unas cincuenta millas de las costas de Irán. Pero aun así el efecto le produjo un escalofrío. Había algo de tétrico en aquellos labios que se movían en vano, en la voz en *off* desgajada del rostro.

—¿Qué tal va todo, socio? —preguntó, consciente de la presencia del cancerbero Velasco a su lado.

—Ni nombres, ni rangos, ni detalle alguno que pueda delatar la localización de RAN —había insistido antes de abrir la transmisión.

—Coronel, estamos utilizando una frecuencia privada con un doble cifrado. Es imposible interceptarnos, y si eso ocurriera, sería imposible descodificar los mensajes.

—No hay nada imposible, Espinosa. Aténgase al protocolo y no discuta.

Los labios de Trischuk formaron una palabra. El sonido llegó un instante después.

—Todo va estupendamente —dijo—. Papá Noel ya ha dejado el juguete en casa.

La mueca en la cara picada de viruela de Velasco

mostraba su satisfacción por el hecho de que el teniente utilizara las claves acordadas. Héctor se mordió los labios, reprimiendo una sonrisa. El chico acababa de salir de la escuela de oficiales y estaba encantado jugando a los espías.

—¿Has desempaquetado el regalo?

—Ya lo creo. También hemos encendido el árbol. Ni una bombilla fundida.

La testarudez de Velasco. Cualquiera lo bastante listo como para romper una comunicación punto a punto y descifrar su contenido se estaría muriendo de risa con sus parrafadas infantiles, totalmente obvias. Pero lo importante era que el módulo RAN estaba ya instalado en el punto previsto, sumergido a poco más de un kilómetro del reactor nuclear de Bushehr. Instalado y funcionando a la primera.

—¡Vaya! Te felicito.

—El mérito es de todos, se... socio —dijo Trischuk.

—Okay —asintió Héctor—. Estoy listo para recibir datos.

El teniente puso cara de susto al oír la blasfemia. La frase oficial, recordó un segundo demasiado tarde, hubiera sido pedirle las fotos de los niños.

—Los mando de inmediato —dijo—. ¿Algo más?

—Eso es todo por hoy. Cuídate.

Cuando levantó la vista de la pantalla, constató que la expresión en el rostro del coronel no hubiera sido peor si acabara de estallarle el apéndice.

—No se enfade —dijo lo más amistosamente que pudo—. Sabe muy bien que la transmisión es la parte más segura de la operación.

—Se cree muy listo, ¿verdad, mayor? Demasiado listo para obedecer órdenes.

—Lo lamento —dijo Héctor—. La próxima vez llevaré más cuidado.

—Tengo cosas que hacer —replicó el coronel, levantándose de golpe—. Imagino que querrá estudiar los datos.

—Le avisaré en cuanto tenga algo.

Velasco se dirigió a la puerta de la sala de operaciones, recién acondicionada en uno de los sótanos de la misión diplomática de Estados Unidos frente a la ONU. Pero antes de franquearla se giró hacia él.

—¿Sabe lo que me jode de usted, Espinosa? Que crea poder limpiar la mierda del mundo sin ensuciarse las manos.

Antes de que Héctor encontrara algo apropiado que contestarle, el coronel había salido, dando un portazo.

¿Habría aquel tufillo a rancio flotando en el aire en todas las salas de la sede de la ONU en Ginebra? Olía a legajos disecados, mezclándose con los aromas superpuestos de desodorantes y lociones de afeitar. En aquella reunión, reparó Héctor, hasta los taquígrafos eran hombres.

En uno de los extremos de la mesa oval se agrupaban Mister PESC, Pullman y sus respectivos ayudantes, junto a los representantes de Francia e Inglaterra. Un poco más allá se alineaban los uniformes; un par de generales del Pentágono, sus homólogos europeos, Velasco y el capitán Dijstra, un holandés grandote y pelirrojo con insignias de la OTAN en la guerrera.

En el extremo opuesto de la mesa se sentaba el enlace oficioso con el secretario general de la ONU, un hombre flaco y de aspecto meditabundo llamado Richard Gregoire. Junto a él otros dos diplomáticos, sobre los cuales Velasco le había puesto al tanto un rato antes. El primero era un hombre de unos sesenta años, gordo, calvo y sudoroso. Se llamaba Yuri Popov y representaba los intereses de Rusia. El segundo era un hombrecillo vestido de negro con grandes gafas de pasta y aspecto de rabino. Se trataba de Simón Geldman, del Ministerio de Defensa israelí.

Supuestamente aquel grupo heterogéneo gestionaba la operación Alerta.

—El nombre no está mal, ¿verdad, mayor?

La sonrisa sardónica de Velasco, unos instantes antes de entrar en la sala de reuniones. Lo había abordado como un carterista, llevándoselo a una esquina casi a empujones, mientras Dijstra interponía su contundente anatomía entre ellos y el resto de los asistentes.

—A los burócratas les gustan los nombres resultones —Velasco se rozó las mejillas con la punta de los dedos, como si quisiera borrar las diminutas marcas que las cubrían—. Y las reuniones grandes. Mucha gente. Demasiada gente. Sólo falta invitar a la prensa.

—Supongo que es inevitable.

—Supone mal. Es imposible decidir nada en una asamblea así. Aunque tampoco hay necesidad. Esto de hoy no es más que un espectáculo para contentar al Pentágono, a los jerifaltes europeos y al secretario general de la ONU. Para eso montamos este circo.

El circo había empezado ya y el ruso Popov parecía

querer apropiarse del rol de jefe de pista. Se levantó de su asiento resoplando, las mejillas coloradas como si hubiera vaciado una botella de vodka antes de entrar. Sonrió a todo el mundo y se quitó la chaqueta, dejando al descubierto una camisa con dos grandes manchas de sudor bajo las axilas, al tiempo que solicitaba la palabra a Mister PESC.

—Quiero expresarles la satisfacción de mi gobierno por haber sido invitado a participar en esta operación —dijo, inclinando su cabezota en una especie de reverencia—. Tengan la seguridad de que Rusia desea garantizar la máxima transparencia en el uso pacífico de la energía nuclear en Irán.

Hubo un ligero murmullo de asentimiento. Gregoire levantó la mano. Su aire indefenso parecía el del payaso triste que termina apaleado al final de la función.

—Caballeros, como simple observador sin ninguna representación oficial, entendería perfectamente que en caso de tratarse algún tema delicado, mi presencia en esta reunión no se estimara necesaria.

Su intervención era una pura formalidad. Si Pullman o mister PESC no le quisieran allí, les hubiera bastado con no invitarle. El alto comisionado europeo completó el ritual, dedicándole una sonrisa de maestro de ceremonias.

—Cuenta con toda nuestra confianza, señor Gregoire.

Otro murmullo, un revuelo de carteras y ordenadores personales abriéndose y era el turno de Velasco, tan incómodo de paisano como un cobrador de seguros, tan seco y desabrido como un humorista amargado, contando chistes sin gracia.

—La instalación del monitor de uranio en las proximidades de la central nuclear de Bushehr ha sido un éxito. El dispositivo funciona perfectamente y está operando de acuerdo al plan previsto...

Había que reconocer que Velasco predicaba con el ejemplo. Ni un nombre, ni un detalle, ni un dato si no se los arrancaban con tenazas.

—¿Señor Geldman? —dijo Pullman cuando el coronel hubo terminado su vacío informe.

—Sólo quiero añadir que nuestros contactos locales están sobre aviso y dispuestos a intervenir si fuera necesario. —El rabino sonreía, azorado, como disculpándose por añadir su laconismo al del coronel.

Su turno. El funambulista.

—Doctor Espinosa —dijo Pullman—. Cuando quiera.

Héctor conectó su Macintosh al proyector de diapositivas mientras uno de los taquígrafos atenuaba las luces de la sala.

—Abúrrales con detalles técnicos y deles tan poca información como sea posible —pareció repetir el coronel en su oído.

—El monitor al que se ha referido el coronel Velasco es un tipo de dispositivo que llamamos RAN, acrónimo del nombre Radar de Neutrinos. Estas partículas se producen copiosamente en las fisiones nucleares. El número de neutrinos que escapa de un reactor es proporcional a las cantidades de uranio y de plutonio que se almacenan en éste.

La medida precisa de este número, así como del espectro de energía de los neutrinos, permite estimar las cantidades de ambos elementos presentes en la reacción...

Cuando terminó su charla, cuarenta transparencias más tarde, todo el mundo parecía tan agotado como pretendía Velasco, excepto el ruso, que empezó a aplaudir con entusiasmo. Héctor se fijó en sus manos, que le delataban más que si hubiera acudido a la reunión con un revólver al cinto. Eran como las de su padre, rudas y con dedos gruesos y crueles.

—Una brillante idea, mayor Espinosa.

—¿Disponemos de resultados iniciales? —preguntó Pullman.

Héctor mostró un gráfico en el que se veían doce puntos rojos, distribuidos en torno a una línea horizontal de color gris. Tres de ellos caían por encima de la línea; otros cuatro, muy cerca de ésta pero aún en la parte superior; tres, prácticamente coincidiendo con el trazo gris, y dos ligeramente por debajo.

—Los puntos rojos representan el número total de neutrinos producidos durante los últimos doce días en Bushehr —apuntó—. La curva gris es la que correspondería a la cantidad nominal de uranio en el reactor. Aún es pronto para discernir si existe una discrepancia. Necesitaremos entre tres y cuatro meses para conseguir una medida significativa.

Mentira, pensó, mientras desconectaba el ordenador y regresaba a su asiento. Sabrían a qué atenerse en la mitad de ese tiempo. Pero Velasco se lo había dejado muy claro.

—Quien no sabe, no delata.

DOS MINUTOS PARA MEDIANOCHE

El restaurante es uno de los muchos de Ginebra que no abre sus puertas al público. Su clientela se limita a banqueros privados, inversores y diplomáticos, que cierran sus negocios al calor del exquisito menú de la casa y unas pocas botellas de los mejores caldos del mundo. En alguna ocasión un exceso de joyas o un acompañante demasiado joven delatan al vividor adinerado o a la viuda alegre reuniéndose con su amante, su administrador o quizá su prestamista. En otras, un ojo agudo podría reconocer el rostro de un político notable, un actor famoso o una estrella de rock. Pero, en general, la etiqueta del local requiere que cada grupo ignore al resto de los comensales, como si no existieran. A todos los efectos nadie aquí conoce a nadie.

Es normal que los clientes acudan por separado, encontrándose en uno de los discretos reservados al abrigo de toda indiscreción. Es el caso de los dos hombres que, en este momento, se sientan frente a frente. Uno de ellos ha llegado a las doce en punto del mediodía a pie, recorriendo con largas zancadas el par de kilómetros que separan la place des Nations, en cuyas proximidades se alzan los edificios de la ONU, del discreto palacete en el corazón de la ciudad vieja, donde se encuentra este peculiar restaurante.

Su interlocutor ha llegado con un cuarto de hora de retraso en un Mercedes blindado de color negro con cristales tintados a prueba de bala y flanqueado por dos robustos guardaespaldas. Su atuendo es corriente, casi humilde, pero el *maître* lo trata con una deferencia que no ha manifestado hacia el primer invitado, a pesar del impecable traje que éste vestía. En realidad el *maître* no conoce a ninguno de los dos caballeros —y parte de su talento consiste en no recordar los rostros de sus clientes—, pero su avezado sexto sentido le permite distinguir de qué pasta está hecho cada uno de estos hombres.

Rostam Sistani se ha contentado con unas tostadas de caviar que se toma acompañadas de mucho té mientras contempla los inútiles esfuerzos de su compañero de mesa por hacer mella en su ensalada nórdica.

—*Motashakkeram*, Gregoire *aga* —dice—. Le estoy muy agradecido por su ayuda.

Robert Gregoire desiste de su empeño en tragar un minúsculo pedazo de salmón *fumé* y se sirve la cuarta copa de un excelente Brunello di Montalcino. Los nervios le atenazan la garganta, que se resiste a dejar pasar otra cosa que el estupendo vino.

Mientras bebe piensa que, en persona, Rostam Sistani es todavía más impresionante de lo que se había imaginado. Y no por culpa de la descripción que de él ha hecho Shirin. Uno de sus primeros regalos fue una preciosa reproducción del célebre grabado de Adel Adili *Rostam matando al dragón*, en el que el héroe mitológico de la tradición persa aparecía golpeando con su tremendo alfanje el lomo de una serpiente alada. Gregoire recuerda nítidamente cada detalle del cuadro. Rostam viste una armadura metálica, ceñida a un cuerpo a la vez poderoso y elegante. Sus enormes brazos, desnudos excepto por unas abrazaderas que se ciñen en torno a los bíceps, empuñan una espada curva de hoja ancha y resplandeciente, que nadie excepto él puede blandir. La instantánea lo muestra en el momento en que descarga el golpe; las piernas, bien abiertas para mantenerse firme; las rodillas, flexionadas; los hombros, proyectados hacia delante. La cola del dragón bate el suelo rabiosamente, su lomo muestra la cruel herida que el acero acaba de infligirle, el grueso cuello está retorcido en un escorzo de dolor. Es fácil imaginarse el bramido de la bestia y el ensañado gruñido del héroe. Tras él, un caballo blanco se revuelve agitando la crin. Rostam ha desmontado para enfrentarse a su enemigo a pie, de igual a igual, confiando en su poder. Lleva un casco adornado por dos pequeñas protuberancias, similares a antenas, que recuerdan las del dragón y acaso le definen como la encarnación humana del animal que está matando. La escena está iluminada por el sol poniente y resulta bellísima, pese a su extrema violencia.

—Así es Rostam Sistani, cariño.

Shirin lo idolatra, claro está. El hombre de carne y hueso es menos corpulento que el héroe del grabado, aunque exuda las mismas energía y fuerza física que éste. En lugar de la larga barba partida en dos tirabuzones puntiagudos su interlocutor luce una perilla corta y discreta, casi totalmente cana, uno de los pocos detalles que delatan su edad. Aun así no aparenta más de cuarenta años, casi veinte menos de los que en realidad tiene. Pero ni el grabado ni las palabras de Shirin podrían capturar la fiera intensidad que parece emanar de él, electrizando la atmósfera que le rodea.

Gregoire recuerda la primera vez que Shirin le habló de él. Tenía diez años, le contó, cuando los iraquíes atacaron con armas químicas la pequeña ciudad en la que vivía. Apenas hubo supervivientes en su barrio y ninguno en su familia, excepto ella. Una bomba provocó un incendio en su casa, atrapándola en la buhardilla.

—Salí al balcón —Shirin hablaba con la emoción congestionándole la voz, la larga cabellera morena ocultando las marcas del ácido, aún visibles en su bello rostro—. Cuando miré hacia abajo, vi un grupo de soldados que me animaban a saltar, pero estaba demasiado alto. Pensé que iba a morir.

En ese momento llegó un *jeep*. Los soldados se cuadraron ante el hombre que saltó de éste y le señalaron el balcón en el que yo me hallaba. Él levantó el brazo hacia mí y después se tocó el corazón. Supe que iba a salvarme. Un ayudante le trajo una manta y un casco resistentes al fuego, que relucían como si fueran de plata. Se los puso y en ese momento una explosión hizo saltar las ventanas, lanzándome una tromba de humo. Estuve a punto de desvanecerme y caer, pero me gritó con tanta fuerza que pude sostenerme en su voz. Entonces lo vi penetrar en la casa a través del humo, resplandeciente en su armadura.

Shirin lloraba en silencio, sus lágrimas tan comedidas y discretas como todo en ella. Gregoire se asombra de que alguna vez hubiera encontrado atractiva a la escandalosa Adele, con sus gritos histéricos, su lengua de víbora, sus lágrimas de cocodrilo.

—El hombre que me salvó era el general que acababa de liberar mi ciudad. Era Rostam Sistani. El hombre más valiente del mundo, el más generoso. Aquel día perdí a mi padre, pero Dios me mandó otro.

Las manos. Gregoire observa las ronchas de piel tersa como satén allá donde el general sufrió quemaduras de tercer grado, apartando muebles y vigas ardientes para llegar hasta la niña. Shirin le contó que las tenía en carne viva al día siguiente, cuando dirigió el ataque contra el ejército enemigo.

Rostam Sistani sorbe su té y aguarda. No parece tener prisa alguna. No es como toda la gente que le rodea, autómatas esclavizados por sus relojes.

—¿Radical? —Shirin le tomaba la mano, apretándosela con fuerza, como si quisiera trasmitirle sus convicciones a través de la piel—. Claro que es radical. Rostam es la encarnación de nuestra revolución, cariño. Un hombre bueno, un creyente, un visionario. Los grandes señores de Occidente no pueden comprarlo, por eso le azuzan sus perros a sueldo.

Gregoire acaba su copa y hace un esfuerzo por concentrarse.

—Respecto a la confidencialidad... —dice con un enorme esfuerzo, sin conseguir acabar la frase.

—No tiene de qué preocuparse —corta Sistani. Su voz es vigorosa, acostumbrada a mandar—. Está usted tratando con gente decente, señor Gregoire. Nosotros no traicionamos a nuestros amigos.

Gregoire se muerde los labios y lleva una mano huesuda a la base del cuello, como si temiera que éste, demasiado enclenque para soportar el peso de su cabeza, fuera a ceder de un momento a otro. Lo cierto es que está aterrorizado.

—No tienes por qué hacerlo si no quieres —le ha insistido Shirin esa misma madrugada, su voz acariciándole los oídos como seda de Ispahán, sus cuerpos enlazados en la quieta oscuridad del hotel.

No se hubiera atrevido solo. Pero Shirin le ha acompañado a este viaje y ahora sabe que le acompañará toda la vida.

—¿Se encuentra bien? Está usted muy pálido.

—No es nada —murmura Gregoire, sirviéndose otra copa de vino.

—Deje de beber —dice el general, señalando la botella con marcado desprecio—. El alcohol no va a hacerle más valiente, pero no tardará en embotar sus sentidos. Pruebe un poco de té.

—Tiene razón —asiente Gregoire, avergonzado—. Discúlpeme. Esto es nuevo para mí.

—Si yo estuviera en su lugar, también albergaría dudas —dice Sistani—. Tómeselo con calma. No es preciso que me cuente nada si no se siente con ánimos. La gente necesita tiempo para conocerse y más aún para apreciarse. A mí me basta con habernos conocido hoy.

La mirada del héroe del grabado es hosca y criminal. La de este Rostam, en cambio, es noble y diáfana. Gregoire agradece su estilo directo, su falta de hipocresía. Está harto de hipocresía. Está harto de halcones trajeados cuyos ojos miran a través de él. Está harto de ser transparente, insignificante, carne de cañón. Harto de ser una sombra. Harto de seguir siendo el crupier del barco casino, donde los que ganan son los otros, mientras él da vueltas a la ruleta.

Deja la copa de vino encima de la mesa, proponiéndose no volver a tomarla, y se gira hacia la silla vacía donde ha depositado su cartera. Saca de ella una carpeta y se la tiende a su interlocutor.

—Señor Sistani —dice—, hay una operación en marcha que ha instalado un monitor clandestino en las proximidades de la central de Bushehr. Su objetivo es medir las cantidades de uranio y plutonio en el interior del reactor. Le he preparado un informe con todos los datos de que dispongo.

—¿Qué tipo de monitor es ése? —pregunta Sistani mientras toma la carpeta, extrae el informe y comienza a ojearlo.

—Es un detector de... ¿neutrinos? Le pido disculpas. La física no es mi fuerte.

—No se preocupe —sonríe Sistani—, tampoco es el mío. ¿Sabe dónde se encuentra ese objeto?

Gregoire niega con la cabeza, balanceándola peligrosamente sobre el largo cuello.

—Desgraciadamente se dieron pocos detalles en la reunión a la que asistí.

—¿Se habló de operativos en la zona?

—Parece claro que existe una organización local, pero no puedo decirle mucho más.

—¿Tiene algún nombre?

Esperaba ese momento y se ha armado de valor para enfrentarse a él. Hay líneas que no quiere traspasar.

—Me temo que no puedo proporcionárselos —responde—. Dejé ese punto muy claro a nuestro...

común amigo cuando iniciamos los contactos.

Los intensos ojos negros se clavan en él, interrogantes, sombríos, poderosos como los del gran dragón.

—No se apure —dice por fin el general—. Le comprendo.

Luego esboza una sonrisa antes de concluir:

—Usted es un hombre de honor, Gregoire aga.

Después de la cena el senador propuso un paseo. Héctor aceptó, maravillado de su resistencia. Era ya casi medianoche y la jornada había sido una maratón de reuniones, rematada por una tediosa recepción. Estaba agotado y Pullman le llevaba al menos treinta años. Parecía imposible que fuera capaz de mantenerse en pie, mucho menos de pasear.

—¿Has visto ya el reloj de flores? —preguntó—. Es una de esas cursiladas adorables de la ciudad. Ven, vamos a comportarnos como buenos turistas.

Héctor se dejó arrastrar, contento de estirar las piernas. Caminaron a paso vivo hasta llegar a la esquina del jardín inglés, junto al puente del Mont Blanc, donde se situaba la famosa atracción. A cualquier otra hora del día era fácil encontrarse grupitos de turistas fotografiándose frente al gran seto que enmarcaba el reloj, pero era ya tarde y soplaba un viento frío capaz de desanimar incluso a los japoneses. El reloj estaba tallado sobre un gran seto, en el que las cuidadosas tijeras de los artesanos habían excavado la corona circular y recortado uno a uno los numerales. Tres largas agujas de bronce completaban el ingenio. La saeta horaria marcaba las doce. El minutero casi coincidía con ella.

—Mira. Faltan dos minutos para la medianoche. ¿No te dice nada?

—Me recuerda un reloj que había en mi casa —contestó Héctor—. No un auténtico reloj, sino una especie de escultura que mi padre tenía sobre la mesa de su despacho. Un disco de acero pintado de color negro con números romanos indicando las horas y dos manecillas de aluminio. La aguja pequeña marcaba siempre las doce. Mi padre movía el minutero de vez en cuando, acercándolo o alejándolo unos minutos de la hora. Pasó algún tiempo hasta que comprendí que ese reloj representaba el peligro de un holocausto nuclear.

—El reloj del fin del mundo —afirmó Pullman—. Muchos de nosotros jugamos todavía con sus agujas. Cuando terminó la guerra fría, me permití el lujo de atrasar el mío quince minutos. El mundo todavía estaba lleno de arsenales nucleares, pero parecía que las grandes potencias habían perdido las ganas de utilizarlos. Y, sin embargo, en este momento siento que la medianoche podría no estar lejana.

—¿Por culpa de la situación en Irán? —preguntó Héctor—. ¿Tan grave le parece?

—Desgraciadamente sí —suspiró Pullman—. Temo que hay en marcha una gran conspiración de los sectores más extremistas del país. Si triunfan, no sólo obtendrán una enorme cantidad de plutonio, sino que aniquilarán la carrera política de Sohrab Razavi. En el peor escenario el general Sistani podría ocupar de nuevo el cargo de primer ministro. Eso sería una auténtica catástrofe.

—¿Por qué le preocupa tanto? —preguntó Héctor—.

Entiendo que sería preferible un gobierno moderado en Teherán, pero si un radical subiera al poder hoy en día, ¿qué podría hacer? Tenemos una flota en el golfo Pérsico, un ejército en Irak y otro en Afganistán. Pakistán, Israel y Turquía son nuestros aliados. Incluso si obtuvieran unos kilos de plutonio, ¿cuál es el riesgo real de que fabriquen una bomba y mucho menos de que la usen?

—Sistani es un fundamentalista —replicó Pullman—. Un iluminado que está convencido de que su misión es exportar la revolución islámica al resto del mundo. Y lo ha hecho. Durante los años noventa fue uno de los responsables de la formación de Hezbolá en el Líbano. También se le conecta con grupos todavía más radicales como la Yihad Islámica.

—¿Quiere decir que se atrevería a proporcionar una bomba a cualquiera de esos grupos? ¡Sería una locura! Todo el mundo sabría a quién echarle la culpa.

—Cuando fuera demasiado tarde. ¿Te imaginas los muertos que provocaría una explosión nuclear en Tel Aviv o en Nueva York?

—¡Habría que estar loco! La represión sería brutal.

—Sistani fue uno de los generales del ejército de la República durante la guerra con Irak —dijo Pullman—. Como sabes, Saddam utilizó armas químicas en esa contienda. Una auténtica salvajada.

—Mientras Occidente miraba hacia otro lado —retrucó Héctor.

—Es verdad —suspiró Pullman—. Fue una iniquidad. Sistani tuvo que defender la ciudad de Abadán, en la frontera con Irak. El ejército de Saddam la bombardeó con gas venenoso, matando a la mayoría de los soldados iraníes y asesinando a casi todos los civiles. Sin embargo, Sistani, que por la época no pasaba de los treinta y cinco años y ya era general, consiguió rechazar el ataque subsiguiente, con lo que restaba de su división. Su estrategia fue muy simple. Una carga frontal, a pecho descubierto, encabezada por él mismo. Sostuvo bajas enormes, pero consiguió romper las líneas enemigas y rechazar el ataque.

—Un hombre valiente —dijo Héctor—. Cuesta no simpatizar con él.

—Las fuerzas iraquíes retrocedieron —continuó Pullman como si no le hubiera oído—, dejando tras de sí un gran número de soldados, la mayoría heridos. Sistani los masacró sin piedad alguna.

—Comprendo —murmuró Héctor.

—El general es un brillante estratega —continuó Pullman—. Como tal, se lo pensaría dos veces antes de atacar en absoluta inferioridad de condiciones. Pero también es un iluminado. La decisión de cargar contra las fuerzas iraquíes en la batalla de Abadán fue una locura desde el punto de vista militar. Su conexión con grupos terroristas tan peligrosos como la Yihad y su excepcional crueldad no son como para tomárselas a la ligera. Un hombre así en posesión de una bomba atómica podría causar una catástrofe sin precedentes.

—¿No es esa la razón por la que fue desplazado del poder en beneficio de otros más moderados?

—En efecto. Y por eso, si su complot triunfa, los moderados serán los primeros en perecer.

—¿Qué nos impide entonces poner sobre aviso a Razavi inmediatamente?

—Necesitamos pruebas. Razavi sabe perfectamente que si acepta una inspección especial de la AIEA, Sistani movilizará todo el país en su contra, acusándole de ceder a las humillaciones de Occidente. El primer ministro es el otro extremo del general. Es un hombre demasiado prudente, no se atreverá a mover un dedo si no podemos demostrar la existencia de un exceso de combustible en el reactor.

—Suponiendo que lo haya.

—No te quepa duda.

—¿Cómo puede estar tan seguro? Los datos de RAN no permiten todavía decidir una cosa u otra.

—Tú sabrás mucho de neutrinos, muchacho —dijo Pullman—, pero yo entiendo algo de hombres.

CIUDAD DE ESPÍAS

Ginebra, de noche, no tenía nada que ver con las ciudades que Héctor conocía. Ni con Miami, ni con San Francisco, ni mucho menos con Nueva York. Caminaba de regreso a su apartamento, por calles ya casi vacías, maravillado por la sensación de recorrer un decorado, demasiado elegante y pulcro para ser real. La mezcla de razas era tan abundante como en cualquier otra ciudad cosmopolita, pero había algo raro en toda la gente de color con la que se cruzaba. En Miami los paquistaníes conducían taxis, los árabes abrían restaurantes de comida rápida y los morenos perdían el tiempo en las esquinas. En Ginebra todos parecían millonarios. En Nueva York los adolescentes con la cabeza llena de gasolina y las venas espesas por el crack aceleraban sus carros entre dos semáforos, picándose para averiguar quién tenía más pelotas y menos sesos. En Ginebra también, pero los carros eran Jaguars, Mercedes, Porsches, Ferraris. En San Francisco no era raro ver dos tiznados pasándose una china de hachís. En Ginebra tampoco, pero llamaba la atención que a un palmo de ellos fumaran, indolentes, sus guardaespaldas.

Caminaba a paso muy vivo y el sudor le corría por la espalda, empapándole la camisa. Sintió deseos de quitarse la chaqueta. Imposible. La cartuchera donde llevaba su pistola, a la altura de los riñones, quedaba a la vista sin ella. Renegó por lo bajo, repitiendo un conjuro aprendido de la agüela que traería siete años de mala suerte al que lo escuchara. Cargar un arma le fastidiaba sobremanera, le recordaba la mirada circunspecta del negro Príamo y la forma en que le hizo sentirse un cobarde.

—¿Dónde vas con ese hierro, chico?

Se estaba haciendo tarde. Cruzó el puente y enfiló la calle que conectaba la orilla del lago con la estación de ferrocarril. Estaba desierta, excepto por unos haraganes remoloneando cerca de la entrada al centro comercial y un trío que caminaba unos metros delante de él, dos chicas con ganas de fiesta que tomaban por el brazo a un tipo envarado, el cual no perdía de vista al grupo de gandules, bastante numeroso, que con poco esfuerzo podían interceptarles el paso y darles un susto.

Las chicas, en cambio, no parecían apercibirse de la mala facha de la pandilla. Una de ellas, una rubia flaca con unos vaqueros ceñidos y botas de tacón alto, les hizo una mueca como de burla. La otra se rió con ganas, agitando una caballera color cobre, que le caía por encima de los hombros. Niñas bien que no se enteraban de nada para andar provocando tontamente a aquellos tipos. El hombre que las acompañaba parecía más alerta y empezó a tirar del brazo de la rubia, arrastrándola hacia la entrada del centro comercial, cuando la pandilla se puso en movimiento. En cambio la pelirroja se quedó rezagada, sin percatarse de la maniobra. Héctor apretó el paso, apresurándose para alcanzarla antes de que lo hicieran los golfos que ya estaban empezando a desplegarse, avanzando hacia la chica, escoltando al que parecía el líder, un rubio vestido con vaqueros y cazadora oscura.

Por si acaso Héctor llevó la mano bajo la chaqueta, a la altura de los riñones, soltó el cierre de la cartuchera y quitó el seguro a su automática.

Irene paseó la mirada por los carteles luminosos que titilaban en las azoteas de los edificios, pregonando marcas de relojería, compañías de seguros, firmas bancarias. La gran masa del lago, interponiéndose entre las dos riveras, absorbía parte de la luz que destellaban los neones, reflejándola delicadamente en el agua. Una Ginebra invertida, de colores marinos, se difuminaba contra el cielo. Olía a brea, a la madera de los viejos yates que todavía abundaban en el embarcadero, soplaba una brisa gélida que venía del lago.

Se sentía bien.

—Dábamos este mismo paseo casi todas las tardes al salir del colegio —la voz de Corinne se parecía al aroma de su perfume caro, aplicado sin mesura alguna—. Recorríamos todo el jardín inglés y luego el embarcadero hasta llegar frente al Jet d'Eau. Más allá era territorio enemigo.

Irene contempló la gran lanza, que arrojaba al cielo sus millones de litros de agua a una velocidad cercana a los doscientos kilómetros por hora. La iluminación halógena, muy potente, creaba un efecto mágico que se difuminaba sobre el amplio penacho de espuma.

—Territorio enemigo —repitió, siguiéndole la broma a su amiga—. Muy arriesgado.

—A ver si lo he entendido —dijo Matthieu,

mostrando su dentadura de veinte quilates—. Ginebra era una peligrosa ciudad donde se daban cita todos los espías de Europa, ¿no?

—Eso es —asintió Corinne—. Y por las tardes deambulaban a orillas del lago, dedicándose a sus turbios negocios.

—Nosotras éramos agentes de la Interpol y teníamos como misión controlarlos de cerca.

—Ya veo —dijo Matthieu—. ¿Y puede saberse cómo identificabais a los sospechosos?

—Muy sencillo. Era cuestión de mirarles fijamente a los ojos. Las dos a la vez, sosteniéndoles la mirada. La gente se reía o nos saludaba, algunas veces nos decían alguna cosa... Pero los espías apartaban la vista, inquietos; algunos se ponían la mar de nerviosos.

—No me extraña. Me imagino cómo me pondría yo si de repente me miraran fijamente dos crías descaradas. Además, seguro que llevabais falditas cortas, enseñando los muslos.

—¡Mats! —protestó Corinne.

—Había quien te aguantaba la mirada sin pestañear —dijo Irene—. Ésos eran los más peligrosos.

—Pero, bueno. ¿No se os ocurría jugar con muñecas, como todo el mundo?

—¡Espera! Vamos a probar —gritó Corinne.

—¿A estas horas? Pasan de las doce y media. Me temo que en el embarcadero vamos a encontrar pocos espías.

—Vamos hacia el puente de Mont Blanc. Ahí siempre hay gente.

—¡Vaya dos! Estáis zumbadas.

La primera pareja con que se cruzaron era un

matrimonio de turistas japoneses de mediana edad. Irene y Corinne avanzaron hacia ellos, tomadas del brazo, buscando sus ojos, haciendo un enorme esfuerzo para no desternillarse. Matthieu las seguía, algo rezagado, pretendiendo no conocerlas. Los turistas, tras un segundo de vacilación, se echaron a reír, saludándolas con la mano. La segunda presa fue una mujer joven, vestida a la manera, a la vez elegante e informal, que Irene llamaba, para sus adentros, «*la bohême Genevoise*». También ella rió, mandándoles un beso con la punta de los dedos.

—Pocos espías esta noche —dijo Matthieu.

Cruzaron el puente y enfilaron por la rue du Mont Blanc, camino de Cornavin, la estación central de ferrocarril de Ginebra, en cuyo aparcamiento Matthieu había dejado su Peugeot descapotable. La calle tenía un aspecto muy distinto al que Irene recordaba, más desértico, más sórdido. Era cierto que su memoria se correspondía siempre con la media tarde, cuando todos los restaurantes de comida rápida, las tiendas de souvenirs, los bazares y las relojerías baratas estaban abiertos, la hora en que la calle bullía de turistas y desocupados. Pero había algo más que la falta de gente, algo ominoso que flotaba en el ambiente. Las aceras estaban más sucias de lo que deberían, por ejemplo. Reparó en una cabina telefónica descuajaringada, el auricular colgando como un ahorcado de la caja destrozada. No había casi nadie y la poca gente con que se cruzaban andaba deprisa y mirando al suelo.

Irene conocía la sensación. La había vivido antes, muchas veces, en determinados barrios de Boston o de Nueva York y sabía muy bien lo que quería decir. Sin embargo, todo su ser se revelaba contra aquella idea. Que Nueva York tuviera barrios malos era casi una tautología, al menos antes de Giuliani. ¿Pero Ginebra? Ginebra era la ciudad más tranquila del mundo, la ciudad donde un perrito atropellado era noticia en el periódico, la ciudad donde el nivel de delincuencia se aproximaba a cero.

O al menos eso llevaba creyendo todos los años en que no había estado allí.

Estaban ya cerca de la entrada principal del centro comercial cuando reparó en un grupo de jóvenes agrupados alrededor de la escultura en granito, representando una esfinge tumbada, que había al final de la calle, a unos diez metros de las puertas de la estación. Eran seis o siete con aspecto vagamente caucásico y modales que no parecían muy amigables. Uno de ellos, vestido con vaqueros y una cazadora de piel, de color negro, estaba sentado a horcajadas sobre la estatua.

—¿Qué ocurre cuando el viajero no sabe responder a la pregunta de la esfinge, papá? —preguntó una Irene de diez años, cogida de la mano de Raúl en una tarde cualquiera de su infancia.

—La esfinge salta sobre él y le devora, mi niña. Por eso tiene cara de mujer, pero cuerpo y garras de león.

—¿Y por qué lleva el pecho desnudo?

Raúl no había sabido responder a esa pregunta, pero la esfinge le había ignorado, perdonándole la vida, al igual que ignoraba al tipo de la cazadora que tan irrespetuosamente la montaba.

Corinne también había reparado en el grupito y aún tenía ganas de gresca.

—¡Esos! —exclamó, excitada—. Fíjate en el de la

cazadora. ¡Está como un tren!

—¡Corinne, déjate de bobadas! —mascullό Matthieu con voz tensa.

Pero Corinne estaba embalada, había fijado la mirada en el jinete de la esfinge y ya estaba componiendo su expresión provocadora.

—Menudo pedazo de espía, ¿eh, reina? —cuchicheó sin apartar la mirada de él.

¿Espía? Irene reparó en el rostro melancólico, enmarcado por guedejas rubias, incongruente con los tremendos hombros, abultados como los de un delantero de fútbol americano, con armadura incluida. Más que espía, parecía un centauro, mitad querubín, mitad bestia.

Más bestia que querubín. Su respuesta a la mirada de Corinne fue un gesto burlón, levantando la barbilla y alzando los tremendos hombros.

Como si ese gesto fuera una orden, un tipo grande y obeso con el pelo recogido en una cola de caballo que estaba sentado en el pedestal de la estatua se levantó de un salto y echó a andar hacia ellos, arrastrando los pies como un matón de feria.

—¿Tiene ganas de marcha la nena? —preguntó mientras se acercaba.

Los otros le imitaron entre risotadas, hablando entre sí en una jerga que recordaba al ruso. Tan sólo se quedaron rezagados el rubio y un tipo fornido, calvo, con mejillas muy coloradas.

Irene notó cómo Corinne se estremecía. Matthieu la cogió del brazo y tiró de ella hacia la puerta de entrada de la estación.

—¡Si serás imbécil! ¡Vámonos de aquí!

Sólo entonces el querubín desmontó la estatua y se acercó, seguido del calvo, sin darse mucha prisa. Corinne y Matthieu tuvieron que darse una indigna carrerita para alcanzar las puertas del centro comercial. Su amiga se tenía bien merecido el susto.

—¡Corre, Irene, corre!

Súbitamente se dio cuenta de que no era una simple espectadora de la función, sino parte del espectáculo. Peor, se había quedado sola en el escenario, cercada por la pandilla que avanzaba hacia ella con el rubio en el centro.

—¿Y tú? ¿También quieres juerga tú? —dijo el gordo de la coleta, haciendo ademán de adelantarse.

Sin dejar de sonreír y casi sin mirarle, el rubio le propinó un empujón que le habría tirado al suelo si el calvo no lo hubiera sostenido.

—No ser maleducado, Klaus —dijo el rubio.

La sonrisa era lo que más inquietaba de él, precisamente por lo angelical. Irene intentó en vano tragar saliva. Una vena en su sien comenzó a palpitar, sincronizada con los martillazos que el corazón le daba en el pecho.

Y, sin embargo, una parte de su mente no se perdía detalle, como si no hubiera renunciado del todo al papel de espectadora, demasiado interesada por el drama para preocuparse por que la sacaran a escena. Reparó en el curioso talismán que colgaba del cuello del rubio. Parecía el símbolo de la radiactividad. Si lo que quería significar era peligro, venía muy a cuento.

Echó a andar, tratando de rebasarle por la izquierda, aprovechando el hueco que dejaban sus compinches, algo rezagados.

—Tengo que irme —dijo, procurando que no le temblara la voz—. Mis amigos me esperan.

—Tus amigos tenían prisa —contestó él, echando una mirada despectiva hacia la puerta de la estación—. Quédate un rato con Boiko.

Irene apretó el paso, pero el rubio se movió mucho más rápido que ella, tomándola del brazo. Se quedó paralizada un instante, contemplando la manaza que la aferraba, en cuyo dorso había tatuada una cabeza de serpiente. Ni siquiera trató de zafarse, consciente de que sería más fácil liberarse de unos grilletes de acero. Sin embargo, los gruesos dedos apretaban lo justo para retenerla sin lastimarla.

—¿Le dices a Boiko tu nombre?

Irene trató de evitar que le temblaran las rodillas. Seguramente sus amigos estarían telefoneando a la policía en ese mismo momento. Sólo tenía que mantenerse tranquila y seguirle el juego.

—Me llamo Irene. Suéltame, por favor.

—Boiko te invita a una cerveza. ¿Quieres?

—En otra ocasión. Es tarde y estoy muy cansada.

La tenaza que le aprisionaba el antebrazo se abrió, liberándola, a la vez que el bello rostro se inclinaba hacia ella como para besarla en la mejilla. Irene no se movió, asombrándose de no estar tan asustada como debería.

—¿Otro día? ¿Mañana? —susurró él en su oído.

En ese instante alguien la tomó del brazo. Irene se estremeció, pero el recién llegado la apretó contra sí firmemente, obligándola a ponerse en movimiento.

—Se acabó la fiesta, ¿*okay*? —dijo en inglés con

acento americano, su voz neutra, casi casual.

—¿Y tú, *tovarich*? —exclamó Boiko—. ¿Qué quieres tú?

Sin embargo, se quedó inmóvil, descolocado con la inesperada intervención del recién llegado. Era un hombre alto y delgado, moreno, trajeado. Sonreía mientras su mano izquierda tiraba con fuerza de ella hacia la puerta de la estación. Irene reparó en que llevaba la derecha apoyada en la cadera, por encima de la chaqueta, como sosteniendo algo.

Pero el tal Klaus todavía tenía ganas de gresca y se apresuró a obstruirles el paso.

—No tan deprisa, colega.

El americano siguió avanzando sin soltarla. El gordo le detuvo, aferrando con ambas manos las solapas de su traje.

—Te he dicho que no tan deprisa.

Sin previo aviso la cabeza del americano se proyectó hacia delante, como un ariete. Irene escuchó el chasquido de un tabique nasal al romperse.

El gordo dio dos pasos hacia atrás, tambaleándose, tratando de taponar con las manos la hemorragia en su nariz.

—¡Vamos! —apremió el americano, tirando de ella, pero sin levantar la voz.

Estaban a un paso de la puerta, pero varios de los pandilleros corrían hacia ellos. Una orden tajante les detuvo en seco. El americano se giró hacia Boiko, llevándose la mano derecha de nuevo a los riñones, como si temiera perder algo oculto bajo su chaqueta. Boiko repitió el gesto de alzar la barbilla, mitad desafío, mitad burla.

—Ya nos veremos por ahí, ¿eh, *tovarich*?

—He telefoneado a la policía —gritó Matthieu nada más verlos entrar.

Irene le miró como si lo viera por primera vez. La cara, congestionada; los labios, femeninos; los mofletes, un poco rollizos, colorados, no sabía si por el miedo o la ira. Se le ocurrió que no envidiaba a Corinne. No la envidiaba en absoluto.

—¿Estás bien? —preguntó el americano.

—La policía va a llegar de un momento a otro —continuó Matthieu, que parecía incapaz de controlar sus nervios—. ¡Menudo lío! ¡Os habéis portado como unas auténticas estúpidas!

Irene le ignoró y se giró hacia el héroe de la noche.

—Gracias. Nos hemos llevado un buen susto.

—Otra vez ten más cuidado. Esos de ahí no eran buena gente.

Lo dijo con voz seria, pero con una risa zumbona bailándole en los ojos. ¡Y qué ojos! Enormes, fosforescentes, de un intenso color esmeralda.

—Me llamo Irene —dijo ella, tendiéndole la mano.

—Héctor —dijo él, ofreciéndole la derecha, que todavía llevaba pegada a los riñones—. ¿Eres americana?

—Mi padre es español, crecí en Ginebra, estudié en Boston... ¿Y tú?

—Yo soy cubano —dijo Héctor, cambiando al castellano—. Cubano de Miami.

—¿Y te dedicas a salvar tontas en apuros en tus ratos libres?

—¡Ahora tendremos que declarar! —interrumpió

Matthieu—. ¡Y a lo mejor pasarnos dos horas en comisaría! Todo por insensatas.

—Con tu permiso —dijo Héctor, ignorándolo—, tengo que irme.

—¡Espera! —exclamó Irene—. Yo... —atolondradamente buscó algo que decir, sin dar con nada sensato—. Gracias de nuevo. Has sido muy valiente.

—No te metas en más líos—contestó él, propinándole un amago de pellizco cariñoso en la mejilla a modo de despedida. Irene se quedó petrificada, boquiabierta, viéndole alejarse con zancadas largas y elásticas.

—¡Tía! —exclamó Corinne—. ¡Te lo has ligado!

Irene la miró azorada, consciente de que había enrojecido hasta las orejas. Matthieu seguía furioso, con la vista fija en el suelo.

—¡Corinne! —mascullló—. Ya está bien de sandeces.

Tenía sus razones para no encontrarse a gusto. Don Juan no se había destacado por su valor aquella noche.

—No te pongas así, Mats —lloriqueó ella.

En ese momento aparecieron dos parejas de policías. Matthieu explicó rápidamente lo que había pasado. Dos de ellos salieron rápidamente a la calle y volvieron al cabo de unos instantes.

—No hay nadie ahí fuera.

—Tendrán que acompañarnos a la comisaría —dijo el que llevaba la voz cantante.

—¿Es necesario? —preguntó Matthieu—. Estamos muy cansados y afortunadamente no ha pasado nada...

El policía tampoco parecía muy emocionado ante la posibilidad de tramitar una denuncia a aquellas horas.

—Como ustedes quieran —dijo—. Buenas noches.

Mientras bajaban hacia el primer sótano del aparcamiento Corinne pasó el brazo por encima de los hombros de Irene, atrayéndola hacia sí.

—Nena —murmuró en su oído—, te has ligado a los dos tíos más buenos de Ginebra en la misma noche.

Corinne no tenía remedio. Pero lo cierto es que ella tampoco. Se había portado como una tonta imprudente, debería sentirse avergonzada de sí misma. Y en lugar de eso se sentía excitada y de un humor estupendo, disfrutando de la libertad en su primer día fuera del convento.

FUEGO SAGRADO

Helena Le Guin se concentró en la gran pantalla donde se proyectaban las imágenes grabadas a lo largo del día en diferentes puntos estratégicos del CERN. La cámara había captado una bonita toma de las veintitantas banderas que representaban los países miembros, ondeando contra el fondo nevado de las montañas del Jura. Carl Penrose se paseaba entre los mástiles, elegante y ceremonioso, con un micrófono en la mano y un sombrero de fieltro que le daba un aire estudiadamente *demodé*.

—Bienvenidos al Laboratorio Europeo para la Física de Partículas, más conocido en el mundo entero como CERN. Se trata de las siglas de Concile Européen pour la Recherche Nucléaire, el nombre original que se le dio a esta organización cuando se fundó, en mil novecientos cincuenta y cuatro, hace ya más de medio siglo. Desde entonces se ha convertido en el laboratorio de investigación en física nuclear y subnuclear más grande del mundo. Miles de experimentos se han llevado a cabo en estas instalaciones, donde se han realizado numerosos descubrimientos, muchos de los cuales han sido galardonados con el premio Nobel. Hoy en día el CERN alberga el mayor acelerador de partículas de la historia: el LHC.

La cámara empezó a alejarse de Penrose, elevándose poco a poco hasta enfocar el CERN y toda la región limítrofe en una magnífica vista aérea. Superpuesta a ésta se dibujaron una serie de anillos tangentes entre sí, los diferentes aceleradores que habían ido creciendo, cada vez mayores, a lo largo de cinco décadas. El Protón Sincrotrón, en su día una máquina futurista, reducido a simple telonero que inyectaba las partículas a su sucesor, el Súper Protón Sincrotrón, y éste, a su vez, mero comparsa del LHC. Rodear el perímetro de este último era una excursión de un día en bicicleta. O una fracción infinitesimal de segundo a bordo de los núcleos de plomo que viajaban casi a la velocidad de la luz por el interior del túnel, como una manada de caballos salvajes, contenidos a duras penas por las tremendas riendas de los imanes superconductores.

—Estamos en el aire en diez segundos —anunció el técnico de montaje.

—¡Concéntrate! —avisaron por Megafonía.

Helena sacó del bolso sus fetiches. El cuaderno de papel de arroz, la pitillera, el encendedor y la pluma. No es que pensara malgastar el poco espacio que le quedaba en su diario tomando inútiles notas, pero el tacto del papel y el peso de la pluma en la mano ayudaban. Un instante después Carl Penrose sonreía a las cámaras del estudio.

—Nuestros tres invitados a la tertulia de esta noche son Helena Le Guin, directora general del CERN; Friedrich von Zhantier, líder del experimento Omega, y sir James Reeves, destacado filósofo de la ciencia. Déjenme empezar por agradecerles calurosamente su presencia en este programa especial de la BBC.

—Es un placer —sonrió Helena.

—Un gran placer —repitió Reeves— y un gran honor para mí compartir esta tertulia con tan destacados colegas. —Su tono era suave, casi melifluo, la expresión del rostro sugería un conversador ameno y manso.

Friedrich, por su parte, se limitó a inclinar la cabeza; el rostro, rígido por la tensión; los labios, contraídos en una mueca a medio camino entre el sufrimiento y la exasperación.

—Desde hace algo más de tres años —dijo Penrose— ha entrado en funcionamiento el mayor acelerador de partículas de la historia. Sus objetivos científicos son explorar un rango desconocido de energía, buscando nuevas partículas y estados exóticos de la materia, como el plasma de quarks. Para ello el LHC puede acelerar protones o bien núcleos de plomo hasta energías muy superiores a las de todas las máquinas que le han precedido. Helena, permítame la primera pregunta. ¿Vale la pena el esfuerzo?

—¿Valía la pena lanzarse a explorar el Atlántico a bordo de tres carabelas? —contestó ella—. Se trataba de una empresa cara y quizá insensata. Colón esperaba arribar a la India, donde no hubiera llegado jamás, dadas las provisiones con que contaba. Si el continente americano no hubiera estado a mitad de camino, la aventura habría terminado en tragedia. Pero el nuevo mundo existía, para fortuna de aquellos aventureros y de todos nosotros.

«Algo parecido ocurre con la ciencia básica. Tenemos nuestros mapas y astrolabios, nuestras endebles carabelas y nuestra infinita curiosidad. Nos hacemos a la mar buscando las Indias, quizá para descubrir un nuevo mundo donde no lo esperamos».

—Una bella metáfora —dijo Penrose con una sonrisa—. Quizá el profesor Von Zhantier quiera añadir algún comentario.

—No soy hombre de metáforas —replicó Friedrich—, pero quisiera transmitir a la audiencia el enorme esfuerzo que supone un experimento como Omega.

Las espesas cejas de Carl se alzaron. Helena comprendió que se trataba de un gesto al realizador. Inmediatamente la pantalla empezó a proyectar las imágenes rodadas a lo largo del día.

¡Y qué imágenes! Omega tenía la altura aproximada de un edificio de cinco pisos. Nada muy sofisticado desde el punto de vista arquitectónico, el aparato consistía en una serie de cilindros concéntricos, por cuyo eje corría el tubo de vacío en el que circulaban los núcleos de plomo. Las colisiones entre los dos haces ocurrían en el centro del mecano. En cada choque se producía un infierno en miniatura, representado en la pantalla por una bola de fuego diminuta que al instante se enfriaba produciendo miles de partículas lo bastante estables como para ser registradas por los sofisticados sistemas electrónicos. En realidad Omega no era sino una gigantesca cámara de fotografías, capaz de capturar, en tiempo real, las huellas de esas partículas.

—Como pueden ver —explicó Friedrich—, se trata de un aparato enorme, tremendamente sofisticado y carísimo. Eso implica que nada puede improvisarse o dejarse al azar. El experimento Omega se asemeja a una compañía, cuyo objetivo es la producción de conocimiento.

—Un concepto interesante —dijo Penrose—, y bastante alejado de la visión del lego, que tiende a imaginar la ciencia casi como una aventura individual. ¿No habrá ya otro Einstein, profesor Von Zhantier? ¿Otro Enrico Fermi, otra madame Curie? ¿Se considera usted, si me permite el atrevimiento, un *manager* más que un genio?

—Me considero el líder de una gran empresa, si es eso a lo que se refiere —contestó Friedrich secamente—. En Omega trabajan alrededor de mil personas, entre físicos, ingenieros, informáticos y técnicos. Como en cualquier empresa, este personal está organizado en equipos con objetivos concretos, cumplen horarios de trabajo y están sometidos a estrictos controles de calidad. Como en cualquier empresa, realizamos grandes esfuerzos para maximizar la productividad y optimizar los recursos. La época en la que la ciencia era realizada por grupúsculos reducidos de *amateurs* pertenece a la historia. Los modernos experimentos requieren una organización ejemplar y una disciplina férrea para tener éxito.

Friedrich miró a su alrededor, desafiante.

—Gracias a esa organización y disciplina estamos a punto de confirmar un descubrimiento capital. El plasma de quarks.

Prevención de Catástrofes no había cesado de enviarle señales de alarma durante todo el discurso de Friedrich. Helena buscó a la desesperada una fórmula que le permitiera alejarse del terreno pantanoso en el que se habían metido el *Übermensch* y su arrogancia. No hubo tiempo. Sir James solicitó la palabra, blando como el merengue.

—Si me permite —dijo—, quisiera preguntar cuál es el interés para nuestra sociedad del plasma de quarks, al que tanto esfuerzo y tantos recursos humanos dedica el profesor Von Zhantier.

—¿Se atreve a poner en duda la importancia de ese descubrimiento? —interrumpió Friedrich, aniquilando a Reeves con la mirada—. ¿Y usted se llama filósofo de la ciencia?

La expresión de sir James pasó del merengue al flan con nata, trémulo, frágil, dulzón en exceso.

—Desde hace más de medio siglo —dijo cuando Penrose le hizo un gesto, a la vez disculpándose por la abrupta interrupción y solicitándole que continuara—, el CERN ha invertido enormes sumas en aceleradores cada vez más potentes, cuyo único producto, por utilizar la terminología de mi distinguido colega, ha sido un curioso zoológico de las llamadas «partículas elementales». Cada vez que se ha encontrado una de estas raras bestias hemos asistido al anuncio a los cuatro vientos de un gran «descubrimiento». Pero ¿se trata de nuevos descubrimientos, en el sentido que lo fueron el transistor o la penicilina, con un impacto crucial en las vidas de millones de personas? ¿O bien nos limitamos a dignificar una serie de hallazgos irrelevantes, excepto para unos pocos expertos, perfectos arcanos sin impacto en la sociedad ni relevancia alguna? ¿A quién puede importarle el descubrimiento de un electrón pesado, como el muón? Por no hablar de partículas como el Z o los W, cuya vida media es tan breve que sólo podemos inducir su existencia indirectamente. ¿En qué afecta al hombre corriente la existencia o no del bosón de Higgs, las partículas supersimétricas, el plasma de quarks?

—¡Sandeces! —exclamó Friedrich. Penrose levantó una mano, conciliador.

—Como pueden ver, queridos espectadores —dijo, dirigiéndose a las cámaras y a las decenas de miles de personas que estarían siguiendo el programa y escuchando desbarrar a Friedrich en directo—, los científicos no han perdido su proverbial talante apasionado.

¿Apasionado? Al paso que iban Von Zhantier no tardaría en estrangular a sir James. Helena fingió escribir algo en su cuaderno de notas sólo como excusa para hacer girar la pluma entre los dedos.

—Si me permites, Carl —intervino—, quisiera remontarme a cierto día de primavera de mil ochocientos ochenta y cinco. Un físico de la época, Wilhem Roentgen, estaba experimentando con un tubo de vidrio al vacío, entre cuyos dos electrodos había establecido un alto voltaje, cuando observó la emisión de un resplandor fluorescente, que atravesaba la pantalla opaca que cubría el dispositivo.

Helena se detuvo un instante. El viejo truco, igual de válido en el escenario y en las aulas, para aumentar el suspense.

—Roentgen se dio cuenta inmediatamente de que había descubierto un nuevo tipo de radiación, capaz de atravesar objetos opacos como el cartón e incluso el tejido que forma el cuerpo humano. Aun más, esa radiación podía proyectar una «sombra» de los objetos que atravesaba en una placa fotográfica. Poco después había obtenido la primera radiografía de rayos equis, correspondiente a la mano de su esposa.

«¿Qué hacía Roentgen, experimentando, solo, en su laboratorio? Sinceramente estaba jugando. Y ese juego, consistente en interrogar a la naturaleza y prestar devota atención a sus respuestas, es lo que llamamos ciencia básica.

Helena se irguió en el asiento y elevó un poco el tono de voz.

—Ciencia básica, motivada por la curiosidad, por la necesidad de comprender, por el placer de experimentar. Y no exenta de riesgos, dicho sea de paso, ya que la dosis de radiación que el propio Roentgen y otros pioneros recibieron fue muy alta.

«¿Valía la pena? ¿Tenía un impacto social? ¿Preocupaba al hombre de la calle? Roentgen descubrió los rayos equis, uno de los avances más drásticos de los tiempos modernos, una tecnología que, entre otras incontables aplicaciones, ha salvado millones de vidas.

—Bien hecho —dijeron por Megafonía—. Helena se recostó en el respaldo de la silla sin aliento, cerró un instante los ojos, tuvo la visión de una mujer vestida de negro, encorvada sobre sus probetas, trabajando de sol a sol, día tras día, jugándose la salud y la vida, poseída por el mismo afán insensato que animaba a Roentgen, que animaba, a pesar de todos sus defectos, a Friedrich von Zhantier. Era un fantasma familiar, presente en su vida desde niña, la sombra de madame Curie.

Va por ti, Marie, pensó.

—Una historia muy edificante, profesora —contestó sir James con su voz de monaguillo—, pero no veo una conexión evidente entre su ejemplo y el experimento Omega.

—La conexión es sencilla, querido amigo —replicó Helena—. Los rayos equis y el plasma de quarks son descubrimientos que el hombre realiza porque la necesidad de comprender la naturaleza forma parte de su carácter. Queremos saber de qué está hecho el universo, por qué brillan las estrellas, por qué estamos aquí. Esa necesidad de saber ha impulsado nuestra civilización. Es más, me atrevería a decir que nos define. Hubo un tiempo en que el fuego causaba terror a nuestros antepasados, mucho antes de que aprendiéramos a utilizarlo para darnos calor e iluminar la noche.

—Ciertamente, ciertamente —la sonrisa de Reeves era puro pastel de manzana. Manzana envenenada, claro estaba—, pero conviene no olvidar que la cruzada por el conocimiento nos ha llevado algunas veces a callejones sin salida. Los cabalistas de Praga tratando de animar al Gólem o los alquimistas de la Edad Media buscando la piedra filosofal son ejemplos de sabios cuya disciplina degenera hacia una vía muerta. En mi opinión es lícito preguntarse si la moderna física de partículas no está siguiendo los pasos de esos alquimistas.

—¿Alquimia? ¡El plasma de quarks es un nuevo estado de la materia, señor mío! —exclamó Friedrich.

—Que sólo se da en unas condiciones extremas como las que crea el LHC —puntualizó Reeves.

—De hecho, esas condiciones extremas se dan en otros lugares del cosmos —retrucó Helena—. Como, por ejemplo, en estrellas enormemente compactas, en las que la gravedad presiona tanto los protones y los neutrones que los quarks acaban por liberarse de la fuerza que los confina en su interior. El satélite Chandrasekar ha confirmado la existencia de dos de esos objetos y de acuerdo con nuestros modelos teóricos, podría darse el caso de que esas estrellas fueran muy abundantes en el universo. Quizá el origen de los quásares esté relacionado con las estrellas de quarks. Y los quásares son la fuente de energía más grande del universo; algunos de ellos radian el equivalente a una galaxia entera.

«No comprendemos todavía el origen de esos fenómenos maravillosos, pero creo que estudiar el origen de las luminarias más poderosas del cosmos va mucho más allá de la simple alquimia.

Helena observó la discreta sonrisa en el rostro de Carl Penrose. Estaba disfrutando de lo lindo con la escaramuza. Y lo mejor era que sir James se estaba llevando la peor parte.

—Sin embargo —dijo éste—, no debemos olvidar que nuestra curiosidad jamás debe llevarnos a arriesgar una catástrofe. Los científicos son los nuevos titanes de nuestro tiempo. Como Prometeo, hemos robado el fuego de los dioses para ofrecérselo al hombre. Pero algunos campos de la ciencia pueden ser hoy en día una caja de Pandora, que al destaparse libera toda suerte de cataclismos sobre esos mismos hombres que confían en nosotros. Es nuestra obligación ser enormemente responsables.

—¿Y quién no lo es? —intervino Friedrich, su tono de voz algo más moderado en volumen, pero no menos rudo—. En mi experimento observamos las normas de seguridad más estrictas. Le invito a que lo compruebe en persona.

—No me cabe duda, no me cabe duda. Pero ¿podemos prever todos los riesgos que Omega conlleva?

—¡Naturalmente que podemos! ¡No hemos tenido jamás un accidente!

—No me refiero a esos riesgos, sino a otros más... fundamentales. Por ejemplo, ¿podemos garantizar que el LHC no va a suponer una amenaza, ya no sólo para los científicos que lo utilizan, sino para todo el planeta? Si las condiciones que se dan en cada colisión no han vuelto a ocurrir desde el universo primitivo, con la excepción, quizá, de alguna estrella remota, ¿cómo sabemos que es seguro recrearlas? ¿Con qué probabilidad podemos excluir una catástrofe? Por ejemplo, la formación de cúmulos de materia extraña, que podrían disparar una reacción en cadena capaz de devorar el planeta.

Curiosamente Megafonía guardaba silencio. Aunque bien pensado, ¿qué iban a decir? El fariseo llevaba toda la noche guardándose su as en la manga, esperando el momento apropiado para clavárselo en el corazón.

—¡Majaderías! —gritó Friedrich.

—¿Majaderías, profesor? Hace apenas diez años el experimento ARPA que usted mismo dirigía pudo haber encontrado evidencias de esos estados, operando en el SPS, un acelerador muchísimo menos potente que el LHC.

—¡En absoluto! Esos rumores fueron propagados por un pobre hombre, un demente. Eran completamente infundados.

—¿Por qué, entonces, la dirección del CERN detuvo ARPA sin contemplaciones?

—Si me permiten, caballeros —interrumpió Helena, rezando en silencio para que Autocontrol evitara que sus rasgos delataran la descarada mentira que estaba a punto de soltar—, esa decisión se tomó por razones estrictamente prácticas. Como usted mismo ha recalcado, sir James, el SPS era un acelerador mucho menos potente que el LHC y no estaba garantizado que ARPA consiguiera demostrar la existencia del plasma de quarks. Preferimos apostar por completar la construcción del nuevo acelerador y el experimento Omega. Creo que fue una decisión acertada, a la vista del descubrimiento que casi tenemos en la mano.

—¿Y qué me dice del riesgo de que también se produzca materia extraña en el LHC, Helena? —preguntó Reeves—. ¿Cómo podemos garantizar que no se están produciendo esos grumos letales mientras hablamos? ¿Pueden demostrarme que es absolutamente imposible que estos objetos existan?

—La probabilidad, sin duda alguna, es muy pequeña —contestó Helena, sintiéndose como quien camina por arenas movedizas.

—¿Sin duda alguna? ¿Es esa una buena respuesta? ¿Sabemos calcular exactamente esa probabilidad? Porque si estamos hablando de la destrucción del planeta, el único resultado aceptable es la certeza absoluta de que la probabilidad de producir burbujas extrañas es nula. En otro caso afirmo que el experimento Omega debería detenerse de inmediato.

—¡Usted no sabe lo que dice! —gritó Friedrich.

—Al contrario, lo sé perfectamente. Les estoy exigiendo que sean responsables en mi nombre y en el de toda la humanidad.

En nombre de toda la humanidad nada menos. Si el ego de Friedrich no cabía en Ginebra, el de sir James podría ocupar toda la galaxia.

—Le diré lo siguiente —resopló Friedrich—. Hemos barrido nuestros datos buscando evidencias de esos estados. ¡No hay nada de nada, igual que no lo había en ARPA! ¡No tiene derecho a venir aquí a propagar rumores infundados! Su único objetivo es meter miedo a la gente. ¡Si hay algún irresponsable en esta sala, señor mío, es usted!

—El hecho de que no los encuentren no prueba que no existan, profesor —afirmó sir James, que a su vez observaba a Friedrich como si se tratara de un troll—. Quizá no saben dónde buscar.

—¿Qué insinúa? ¿Se atreve a acusarnos de incompetentes? —rugió Friedrich.

—Caballeros, por favor —intervino Penrose—. Un poco de calma.

—Una de las prioridades de la División de Teoría del CERN ha sido calcular la probabilidad de que se produzcan burbujas extrañas en Omega —intervino Helena, mintiendo a la desesperada—. Puedo asegurarle que los cálculos preliminares arrojan una probabilidad compatible con cero, confirmando los resultados negativos del experimento Omega.

Una mueca a medio camino entre la sorpresa y la burla se dibujó en los plácidos rasgos de sir James. Claramente no se había tragado la descarada patraña que acababa de elaborar.

—Ah —dijo—. Es la primera noticia que tengo.

¿Puedo preguntarle quién se está dedicando a tan importante proyecto?

—La persona más apropiada para ello —respondió Helena—. Se trata de la doctora Irene de Ávila, recién llegada al CERN, procedente de Harvard. Como quizá sepa, querido amigo, es la coautora del modelo teórico que explica la formación de estrellas de materia extraña. Creemos que su modelo puede extrapolarse a las condiciones del LHC, permitiendo una predicción teórica absolutamente fiable.

Las luces de alarma se habían encendido y las sirenas podían escucharse en todo el recinto de la fábrica. No quería ni imaginarse la cara que se le habría puesto a la muchacha si estaba siguiendo el programa. El Departamento de Bulos y Patrañas se estaba luciendo aquella noche.

—Ya veo —dijo Reeves—. Y supongo que esos trabajos se publicarán en breve.

Las sirenas escandalizaban tanto que resultaba difícil pensar. No le quedaba otro remedio que navegar entre Escila y Caribdis. Si contestaba dando largas reconocería que los cálculos no eran tan sólidos como pretendía. En caso contrario, sir James sólo tenía que llamarle en unas cuantas semanas y preguntar por un artículo inexistente. Al menos una cosa estaba clara. Tenía que telefonear a Irene de Ávila apenas saliera de aquella sala.

—Yo diría que es cuestión de algunos meses. Comprenderá que se trata de un cálculo delicado, que es necesario revisar concienzudamente.

Esta vez, al menos, parecía que parte del azúcar en el rostro de Reeves se había transformado en sacarina. En ese momento Carl hizo sonar la campana que daba por terminado el asalto.

—Un debate muy interesante, queridos amigos —dijo Carl—, que, sin embargo, debemos interrumpir en breve. Nuestro tiempo se acaba. Helena, me gustaría invitarla a que nos ofreciera una última reflexión.

Helena sonrió agradecida. Los ojos de Carl, fijos en ella, decían todo lo que su comedido rostro no expresaba.

—Sir James, no le quepa duda de que la política del CERN es la de minimizar todo tipo de accidentes, incluyendo el de crear, accidentalmente, un peligro como el que usted describe. Si el riesgo que hemos discutido esta noche no fuera despreciable, no dudaría en dar la orden de detener el LHC.

»Por otra parte, discrepo de su percepción de que la física que Omega estudia es inútil, innecesaria o irrelevante. El ejemplo del descubrimiento de los rayos equis, entre otros muchos, nos enseña que es imposible saber qué sorpresas nos reserva la naturaleza.

»Es cierto que uno de los titanes abrió la caja de Pandora, liberando todos los males del mundo. Pero también es verdad que el fuego de Prometeo nos liberó de la tiranía de los dioses.

Helena miró directamente a la cámara.

—Yo, sir James, creo en ese fuego sagrado.

LAS RAZONES DE UN ESPÍA

Les Berges. En Ginebra no faltan hoteles de cinco estrellas. El Ramada Park, el Hilton o el Hotel de la Paz, por ejemplo, ofrecen todas las comodidades imaginables a quien pueda pagarlas. De hecho, el Hotel des Berges no es ni el más caro ni el más lujoso de la ciudad. Sin embargo, en lo que se refiere al estilo carece de rival.

Un antiguo palacio, en el mismo borde del lago, cuya renovación ha requerido la fortuna de un príncipe saudí. Ciento tres habitaciones, amplias y confortables, cada una de las cuales podría ganar un concurso de *art déco*. Botones cuyos uniformes se asemejan a los de un almirante; recepcionistas que dominan ocho idiomas; una carta exquisita en el restaurante. Y el buen gusto, presente en un millón de pequeños detalles, que van desde los grabados originales de Escher que adornan la biblioteca hasta los delicados palitos de canela en rama que se sirven con cada capuchino.

Henry Pullman ocupa una de las *suites* más exquisitas del hotel, un ático desde cuyo balcón se domina la ensenada en la que el Ródano se abre al lago Lemán. Son las diez y cuarto de la mañana. Contrariamente a sus hábitos, el senador no ha madrugado hoy. Se ha acostado tarde y al sonar el despertador, a las siete menos cuarto, lo ha apagado sin contemplaciones. Trasnochar le sienta cada vez peor, a él, que todavía unos pocos años atrás podía encadenar dos noches en blanco. Pero el tiempo no pasa en balde.

Fuera, el cielo se ha cubierto de nubarrones grises. Cuando comienza el chaparrón, Pullman contempla durante un rato la tormenta antes de cerrar las cristaleras. En unos minutos las calles peatonales que rodean la *suite* se vacían de gente. El senador enciende uno de sus diminutos puros y se lo fuma parsimoniosamente tras la ventana, contemplando la ciudad desierta.

Suena el teléfono. Una voz obsequiosa le informa de que el señor Geldman le aguarda abajo. Pullman había previsto salir a almorzar fuera con su viejo amigo, pero el aguacero y el cansancio le hacen cambiar de idea.

—Dígale que suba.

Simón Geldman entra en la *suite*, lastrado con una vieja cartera de piel y sacudiendo un sombrero de fieltro empapado. Sus ojos miopes recorren la estancia como asombrados, admirando los cuadros de las paredes y los muebles de época. Parece un viejo judío recién salido del gueto en su primera visita a la gran ciudad. Pullman reprime las ganas de reír a carcajadas. Cuarenta años atrás, durante la guerra de los Seis Días, con el uniforme del ejército israelí manchado de sangre y la pistola al cinto, Simón aún no parecía el inofensivo rabino que tan bien ha aprendido a aparentar.

—*Shalom*, hermano —dice Pullman, acercándose a él y abrazándole calurosamente.

—*Shalom*, amigo mío —responde Geldman, devolviéndole el abrazo con idéntico afecto—. ¿Cómo va todo?

—Cada día tengo más achaques —suspira Pullman.

—No eres el único —contesta Geldman, dejándose caer en una de las butacas estilo Luis Felipe que adornan la pieza.

—¿Te apetece algo? ¿Un poco de té?

—Henry, estoy preocupado.

Debe de estarlo, piensa Pullman, para ir al grano tan rápidamente. A Simón le suele gustar un poco de conversación antes de pasar a los negocios. No quedan ya tantos con los que se puedan evocar los viejos tiempos. Pullman descuelga el teléfono y da una rápida orden antes de tomar asiento cerca de su amigo.

—¿Qué te inquieta?

—Se trata de la operación en Irán. Hay algo que no me gusta.

—¿Qué, exactamente?

Geldman se frota nervioso las manos, como para entrar en calor. El gesto le recuerda a Pullman los altos del Golam y una noche gélida, en la que las balas silbaban en torno a ambos, mientras el fuego de mortero se iba acercando cada vez más. Estaba convencido de que no saldría con vida de aquélla, pero todo el peligro inminente no le permitió olvidar, ni por un instante, el mordiente frío que les congelaba los dedos.

—Hay demasiada gente metida en este negocio. Deberíamos haberlo gestionado entre nosotros, como solíamos hacer.

—Eran otros tiempos, Simón. No podíamos dejar fuera a nuestros aliados, ni tampoco a los rusos.

—¿Y todos esos burócratas? ¿Y la ONU? ¿De qué

sirve un tipo como Gregoire?

—No es más que un correveidile para mantener informado al secretario general.

—Demasiada gente —insiste Geldman, estrujando su sombrero—. Cuanta más gente, más fácil resulta que alguien se vaya de la lengua.

—No es tu estilo ahogarte en un vaso de agua. Dame algo más concreto.

—¡Si pudiera! Es mi intuición, Henry.

Geldman parece tan cansado como él. Se están haciendo viejos. No es bueno que ancianos como ellos manejen tantos hilos. A partir de cierta edad todo se ha sedimentado ya. Las ideas, las creencias, la capacidad de amar, las ganas de luchar. Deberían ir pensando en retirarse.

Llaman al timbre. Entra una camarera, empujando un carrito con un servicio de té. Geldman aguarda a que salga y a continuación se acerca hasta la puerta, arrastrando los pies, la abre, echa un vistazo al pasillo —Pullman tiene la certeza de que alguno de sus hombres no anda lejos—, vuelve a cerrarla y regresa a su lado. El senador, entre tanto, sorbe su té, saboreando el ligero aroma a jazmín que desprende, un aroma que le recuerda los jardines de Eram hace media vida. Pasan un rato así, callados, oyendo llover. No es la primera vez que comparten ni el silencio ni el diluvio sobre sus cabezas.

—Estoy preocupado por Ebrahim —dice Geldman de sopetón.

—¿Ebrahim? ¿Por qué? ¿Algo va mal en Shiraz?

—No, todavía no. Pero antes o después alguien va a equivocarse.

—Ebrahim lleva veinte años en este negocio, Simón. ¿Por qué habría de fallar ahora?

Geldman mira al suelo y estruja su sombrero.

—Durante todo este tiempo le hemos dejado en paz. Una comunicación cifrada de vez en cuando, extremando al máximo la seguridad. Pero otra cosa muy distinta es obligarle a participar activamente en una operación encubierta que implica traslado de gente y material en territorio enemigo.

—Lo cierto es que sin su ayuda Velasco nunca habría conseguido montar Pato Cojo —dice Pullman—. Pero ese objetivo ya se ha conseguido. No necesitamos seguir importunándole.

—¿Hasta cuándo?

—Si todo va bien, no será precisa otra intervención local. De hecho, con un poco de suerte, todo este asunto puede haber concluido en unas pocas semanas.

—Inshalla, hermano. Ojalá sea así.

Pullman mira por la ventana. Ha dejado de llover.

—¿Damos un paseo?

—¿Nunca te preguntaste por qué alguien como él podría querer trabajar para nosotros, Henry?

—¿Las razones de un espía? Hace tiempo que dejé de hacerme ese tipo de preguntas, amigo mío.

Irene se dio cuenta de que iba a ser imposible trabajar aquella mañana después del telefonazo de Helena Le Guin.

—Irene, me gustaría hablar contigo. ¿Quieres que cenemos juntas? Doy una charla esta tarde en la Esfera.

Me gustaría mucho que asistieras. Si te parece, luego tomamos una pizza.

Consultó su reloj, la cuarta vez que lo hacía en la última media hora. Eran apenas las doce. Faltaba un buen rato para la conferencia, que no empezaba hasta las cuatro de la tarde. ¿Qué mosca le habría picado a Helena Le Guin para desear verla con tanta urgencia?

—Tengo un trato que proponerte —le había dicho—. Te lo cuento delante de una botella de Chianti.

Algo que ver con el trabajo, sin duda. El caso es que no iba a ser capaz de concentrarse hasta que se despejara el misterio y no valía la pena seguir perdiendo el tiempo en la oficina. No se lo pensó dos veces.

Diez minutos más tarde llegó a la rivera de un arroyo que desembocaba en el Ródano, aseguró con un candado su bicicleta y echó a andar, a paso vivo, decidida a llegar al estanque en no más de media hora.

Conocía bien el sendero. Era uno de sus paseos favoritos. Lo había recorrido innumerables veces, casi siempre acompañada. De hecho, se le hacía un poco raro andar sola por allí.

O es que la soledad siempre resultaba extraña.

Cuando caminaba con su madre, no le preocupaba otra cosa que escuchar su voz pausada, desgranando para ella cuentos de hadas con final triste. Si era Corinne quien la acompañaba, su cháchara las absorbía tanto que igualmente podían haber estado paseando por Júpiter. De la mano de André, sólo pensaba en el siguiente beso. Sin nadie con quien compartir el instante, era como si la escarcha helada en las ramas de los castaños, los restos de nieve en la vereda, el olor embriagador a tierra mojada fueran un decorado para una función cancelada en el último momento.

Llegó a la rivera del Ródano jadeando pero contenta. La rápida caminata la había hecho entrar en calor y se sentía animada, con la cabeza despejada y el corazón menos confuso que antes. No había nadie en los alrededores, excepto un corredor, a unos metros a su derecha, que aprovechaba la barandilla metálica en la que acababa de reclinarse para realizar estiramientos.

Era muy flexible. Se inclinaba sobre la pierna izquierda, muy alzada, apoyada en el barrote de acero cromado. Los brazos rodeaban sin dificultad la zapatilla embarrada y la frente descansaba cómodamente en su espinilla. Tenía el pelo moreno y rizado, llevaba una camiseta zarrapastrosa y unos pantalones cortos que dejaban al descubierto unos músculos largos y fibrosos. Las pantorrillas eran como dos bolas de cañón. Los cuádriceps de la pierna derecha, ligeramente flexionada, parecían esculpidos a cincel en la piel, color oliva.

Irene se acercó a él sin preguntarse a qué venía la súbita falta de oxígeno en sus pulmones.

—Hola, Héctor.

—¡Irene! —exclamó él. Un púgil con chándal de algodón, gorro de lana y guantes le atizaba a un saco de boxeo en su camiseta—. ¡Me alegro de verte!

Era más alto y más enjuto de lo que recordaba. Sobre todo, pensó, no debía atolondrarse. No hablar por los codos. No mezclar idiomas.

—Pues aquí me tienes. Yo también me alegro de verte.

A la luz del día su piel era menos oscura de lo que le

había parecido la otra noche. También parecía un poco menos seguro de sí mismo.

—¿Puedo hacer algo por ti? —preguntó Héctor, abriendo los brazos—. ¿Salvarte de algún peligro? ¿Invitarte a un café?

—Pensaba seguir paseando un rato.

—¿Necesitas un guardaespaldas?

—Me vendría mejor un amigo.

—Aquí tienes uno —dijo él, tendiéndole la mano.

MATERIA EXTRAÑA

El auditorio de la esfera estaba lleno a rebosar. Impresionaba ver una sala tan grande atestada de gente de todo tipo. Universitarios, tipos trajeados con pinta de funcionarios internacionales, algún que otro barbudo con aspecto de ecologista y, cómo no, un nutrido contingente de físicos del CERN.

De hecho, a falta de diez minutos para el inicio de la conferencia no quedaba una sola plaza libre. Irene empezaba a desesperar cuando distinguió unos largos brazos agitándose en una de las primeras filas. Era Héctor señalándole el asiento que le había guardado junto al suyo.

Había acudido después de todo. Irene no daba crédito a sus oídos cuando Héctor mencionó la conferencia de Helena durante el paseo.

—Tengo entendido que la directora del CERN da unas charlas estupendas. Igual me acerco.

—Yo también pensaba ir.

Luego la conversación había tomado otros derroteros. Su trabajo, el de él, la coincidencia de que ambos fueran físicos... El tema no había vuelto a salir, quizá porque ninguno de los dos se había decidido a formalizar una cita.

O eso creía ella hasta ese momento.

—¡Menos mal! —exclamo él cuando Irene se sentó a su lado—. Empezaba a pensar que me habías dado plantón.

Parecía otro. Llevaba un traje azul oscuro, muy formal, que le sentaba estupendamente y se había peinado las greñas. Definitivamente era un hombre atractivo, aunque lo que más le gustaba de él era lo primero, el hecho de que fuera un hombre, no un adolescente perpetuo como la mayoría de sus compañeros, como el propio Bob, como, sospechaba a veces, el gremio científico al completo.

Bob Cousins presumía de ser íntimo de Helena Le Guin. Presumía demasiado, de hecho. No perdía ocasión de explicar, siempre que se presentaba la ocasión y su mujer no estaba presente, cómo Helena y él habían pasado dos magníficas semanas en los Alpes quince años atrás, trabajando en uno de los seminales artículos que habían publicado juntos.

—Claro que no todo era trabajo. Dedicábamos tres horas diarias a esquiar. Helena es una gran esquiadora. Pero baila aun mejor que esquía. ¡Una delicia!

Dependiendo del interés del público y las copas que llevara encima, la narración se extendía hasta rozar tangencialmente los detalles escabrosos. Muy tangencialmente, por caballerosidad o por sentido común, Bob nunca cruzaba la línea roja. Pero se quedaba cerca.

—¡Qué gran mujer! ¡Si la hubiera conocido antes!

Dando por supuesto que Helena Le Guin hubiera estado encantada de aceptar las proposiciones de un pelma como él. Aunque lo cierto era que, más allá de su chabacanería, la admiraba encendidamente.

—¡Un talento prodigioso! No pierdas la ocasión de asistir a una de sus charlas. Ya verás qué espectáculo.

Por el momento, sin embargo, Helena no hacía otra cosa que aguardar pacientemente a que el presentador terminara su larga perorata, declamando el curriculum de su ilustre invitada. Pasó una eternidad hasta que aquel pesado se dio por satisfecho, le colocó el micrófono en la solapa y le cedió por fin la palabra.

Pero Helena se limitó a pasear hasta un extremo de la tarima, para regresar luego al centro con pasos lentos y casi provocativos, como una modelo exhibiendo su elegante combinación, una blusa de color violeta a juego con sus ojos y una falda que dejaba a la vista sus bonitas rodillas, enfundadas en medias de seda. Era una mujer hermosa. Debía de ser de la edad de Bob, bien pasados los cincuenta, pero apenas tenía arrugas y cualquier jovencita envidiaría sus firmes pantorrillas, las bien torneadas caderas, la fina cintura. Llevaba un toque de carmín en los labios y una sombra de rímel que resaltaba el inquietante color de sus ojos. La cabellera morena y lustrosa, que otras veces le había visto recogida en una gruesa trenza, caía libre sobre sus hombros.

Bruscamente la sala se quedó a oscuras. La voz de Helena, amplificada por los micrófonos, pareció llenar la sala.

—Hágase la luz.

Un colosal fogonazo estalló de repente, deslumbrando a Irene, obligándole a cerrar los ojos. Cuando volvió a abrirlos, una esfera tridimensional parecía flotar por encima de la cabeza de la conferenciante. Tardó un segundo en darse cuenta de que se trataba de una magnífica holografía. Curvándose sobre su superficie se dibujaba el símbolo , el aleph, la primera letra del alfabeto hebreo.

—La esfera que tienen ante sus ojos representa el universo un instante después de la gran explosión —dijo Helena—. Qué o quién lo ha hecho explotar es una pregunta a la que ni yo ni ningún científico podemos responder. ¿Dios? ¿Una fluctuación del vacío? Son ustedes libres de escoger la hipótesis que más les guste.

»Pero cualquiera que haya sido la causa, la gran explosión ha creado un infierno más candente que todos los que alcanzará a imaginar el hombre. Ese infierno con el que comienza el cosmos es el Aleph, el principio de todo.

»La materia, tal como la conocemos, no puede existir en semejante averno. Los núcleos atómicos serían vaporizados inmediatamente en protones y neutrones, y éstos a su vez en quarks, las partículas elementales que los componen. Miren.

Helena chasqueó los dedos con cierto retintín de duquesa llamando al servicio. A su gesto, una curiosa colección de figurillas comenzó a condensarse de la nada, flotando, impávidas, sobre la tarima. Se trataba de objetos geométricos, prismas, cubos, cilindros y diversos poliedros, cada uno de los cuales estaba formado por centenares de bolitas de hielo, pegadas entre sí. Un haz de luz las iluminaba, haciéndolas brillar como los objetos ideales de la cueva de Platón.

—Imaginen el universo —continuó, señalando las

figuras— mucho tiempo después de la gran explosión. Se ha enfriado tanto que podemos compararlo con una nevera cósmica, cuyo congelador contiene objetos variopintos. Las diminutas bolas de hielo que forman las figurillas representan los protones y los neutrones, y éstas, a su vez, simbolizan los diferentes núcleos atómicos.

Un nuevo chasquido de dedos y las figuras comenzaron a descomponerse, desintegrándose a medida que lo hacían en gotas de agua que se desvanecían en el aire.

—Si la temperatura empieza a subir, llega un momento en que las figuras se rompen y, finalmente, el hielo se funde, quedando en su lugar un líquido donde las moléculas de agua pueden moverse libremente. Siguiendo con nuestra metáfora, los quarks serían esas moléculas y el líquido resultante de la fusión de la materia sería el estado conocido como plasma de quarks.

La esfera luminosa apareció de nuevo, excepto que había aumentado tanto en tamaño que parecía llenar el enorme anfiteatro. El color de su superficie era azul pálido.

—Consideren el universo cuando estamos a punto de agotar la primera millonésima de segundo de su historia. La temperatura ha descendido mucho, hasta unos tres mil miserables billones de grados. El Aleph inicial se ha expandido hasta un radio gigantesco. Observen su color. Empieza a hacer tanto frío que es imposible mantener la sopa cósmica que llamamos plasma de quarks en estado líquido. Hace tanto frío que los quarks van a desaparecer para siempre, congelados en el interior de protones y neutrones.

Las holografías desaparecieron y la luz de la sala recuperó su intensidad normal. Helena paseaba de un lado al otro de la tarima con las manos a la espalda, como reflexionando.

—Justo antes de que el plasma se condensara —dijo— contenía dos tipos de quarks. Lo que podríamos llamar quarks ordinarios, componentes de la materia de la que ustedes y yo estamos hechos, y los quarks que llamamos extraños, precisamente porque no hay rastro de ellos en la materia corriente.

»Sin embargo, en las colisiones entre haces de alta energía que se estudian en el CERN se crean las partículas llamadas hiperones, idénticas a los protones y los neutrones, excepto por el hecho de que contienen uno o más quarks extraños sustituyendo a los quarks ordinarios de la materia nuclear.

«¿Podemos imaginar estados más complejos, formados por muchos de estos hiperones, al igual que los núcleos de los elementos pesados, como el hierro o el uranio, están formados por muchos protones y neutrones? ¿Podría darse el caso de que esos núcleos extraños fueran estables? Algunas teorías recientes sugieren que la materia extraña, a diferencia de la materia normal, es tanto más estable cuanto más pesados son los agregados que forma. Si estas teorías son ciertas, podría darse el caso de que el universo estuviera poblado de objetos compuestos exclusivamente de materia extraña. Estos objetos no serían sino núcleos gigantes con una masa varias veces superior a la del Sol, condensada en un radio de unos pocos kilómetros.

—Qué interesante, ¿verdad? —susurró Héctor a su oído—. Me gustaría leer más sobre esto.

—Te mandaré un par de artículos —dijo Irene, relamiéndose de placer anticipado.

—¿Cómo se forman estas estrellas extrañas? Muy posiblemente devorando una estrella de materia ordinaria, tan densa que los protones y los neutrones en su núcleo acaban por romperse debido a la presión enorme a la que están sometidos. Se forma entonces un plasma de quarks, donde pueden aparecer quarks extraños que a su vez comiencen a acumularse en agregados cada vez mayores.

»Puesto que la materia extraña es tanto más estable cuanto más masiva es, su apetito por la materia ordinaria no tiene límite. Una vez que se forma un conglomerado inicial, lo que podríamos llamar una burbuja extraña, ésta crece y crece, devorando la estrella hasta convertirla en un núcleo gigante de materia extraña.

»Por otra parte, si la materia extraña es más estable que la materia ordinaria, si tiende a devorarla al entrar en contacto con ésta, ¿por qué el universo parece compuesto casi exclusivamente de protones y neutrones, y no de hiperones? Si la pregunta les parece demasiado abstracta, puedo formularla de otra manera. ¿Por qué estamos aquí? La vida nunca se hubiera desarrollado en un universo dominado por la materia extraña. La vida necesita carbono, agua, oxígeno, elementos ligeros que sólo existen porque la materia ordinaria no es absolutamente estable.

»Una posibilidad sería la siguiente. Es posible que al enfriarse el plasma de quarks, tras el primer microsegundo del universo, se produjera un curioso fenómeno de destilación, que separó la materia extraña de la normal. Los detalles son un poco engorrosos, pero el efecto sería el siguiente. Imaginen el plasma de quarks como una sopa caliente, que al bajar la temperatura se va condensando en grumos. Esos grumos, en principio, deberían haber contenido iguales proporciones de los quarks ordinarios y extraños, pero el mecanismo de destilación los hace pasar por un tamiz que separa unos de otros. Mucho más tarde la materia ordinaria formará estrellas y galaxias, mientras que la materia extraña permanece inerte e invisible, llenando el cosmos. Si esta teoría es cierta, podría darse el caso de que la mayor parte del universo estuviera compuesta de esta materia oscura y sin vida.

Helena hizo una última pausa, suspiró teatralmente y sonrió. Irene se dio cuenta de que la había localizado entre el público y la miraba de frente.

—Quisiera concluir con la siguiente reflexión. Supongan que, de hecho, lo que llamamos materia extraña constituya la mayor parte del universo. Miren al cielo esta noche. Díganse a sí mismos que entre cada una de esas islas de luz se extiende un desierto inerte de astros muertos, formados por aglomerados de quarks extraños.

»¿Extraños? Si constituyen la mayor parte de la materia del universo, si son la terrible norma, entonces esos témpanos desolados merecerían el nombre de materia ordinaria, la que domina el cosmos.

»En cambio, quizá la auténtica materia extraña del universo, por su escasez, por su versatilidad, por su capacidad para crear vida e inteligencia, es aquella que nos anima, la materia de la que estamos formados.

ARROJAR LIBROS A LA HOGUERA

Helena Le Guin prueba un sorbo del excelente Castello di Radicioni que acaban de servirles mientras la muchacha habla y habla, charlatana y entusiasta como lo era ella a su edad. Puede que su primera cena en Ginebra, treinta años atrás, fuera también en esta pizzería. Sí, puede que cenaran también aquella noche en La Merynoise, donde la pasta sigue siendo excelente y la *signora* Gabriella atiende a sus clientes favoritos en persona, gritando órdenes al *pizzaiolo* para que se apresure con las *calzone degli signori*.

Luigi. Recuerda a Luigi, igual de flaco y de moreno que el amigo de Irene. Tenía los ojos negros, napolitanos, nada que ver con el verde marino de este Héctor delgado y varonil. Hay algo especial en él, una fuerza interior que le mueve y le atormenta. La misma fuerza, feroz como la marea, que arrastró a Luigi lejos de su lado. Es hermoso verlos juntos, aunque la actitud de ambos delata que apenas se conocen, aunque no hay más que mirarlos para saber que aún no se han tocado.

Irene devora la *calzone* sin dejar de hablar, contándole que ha conseguido el mismo piso de la rue de Lyon en el que vivió su familia, haciendo planes para amueblarlo, preguntándole si sabe dónde conseguir un piano de segunda mano en buenas condiciones.

—¿Tocas el piano? —pregunta Héctor. Cubano, ha dicho al presentarse. Cubano de Miami. Ella podría haberle contestado declarando ser española de París o acaso francesa de Madrid. También Irene es de más de un sitio y por tanto de ninguno. Es apropiado que se encuentren en Ginebra, donde hasta los nativos se sienten extranjeros.

—Tocaba bien de niña —contesta Irene—. Pero hace años que no practico.

Tienen ambos un apetito estupendo. Helena sorbe su *chianti*, servido muy frío, y picotea un poco de tomate y *mozzarella*, sin cansarse de contemplarlos.

—¡Has estado magnífica! Es la mejor charla que he escuchado en mi vida. Bob tenía razón... Bob Cousins, mi director de tesis.

El bueno de Bob, piensa Helena. Tan inteligente. Tan cariñoso. Tan cobarde.

—¡Estrellas extrañas! —exclama Héctor—. Es una idea fascinante.

—Más que una idea —responde Helena—. Tenemos pruebas de que existen al menos dos de ellas. Posiblemente son muy abundantes en el universo. Aunque deberías preguntarle a la experta.

Se diría que la chica ha mordido una guindilla, a juzgar por la manera en que se sonroja y la prisa que se da en atragantarse con el vino.

—Doctora —dice Héctor, llevándose la mano a la cabeza y quitándose un imaginario sombrero—, mis más rendidos respetos.

La muchacha sonríe, azorada y feliz. Qué extraño, piensa Helena, que haya luz en un departamento normalmente cerrado a piedra y lodo. Si fuera un hombre, se estaría muriendo por acariciar las llamas que crepitan en la cabellera de Irene, por besar esos labios ligeramente partidos por el centro, del color de las cerezas maduras.

¿Si fuera un hombre?

Las sirenas zumban en sus oídos, ensordeciéndola. En situaciones así, Autocontrol no duda en soltar a los perros. Helena se disculpa, corre hasta el baño, se remoja la cara y engulle dos aspirinas. Mientras, en el interior de la fábrica, los antidisturbios arrestan a los insurgentes que se han atrevido a manifestarse blandiendo pancartas con la palabra «deseo» pintada en ellas. Cuando regresa de nuevo a la mesa, todo está en orden, excepto por las octavillas, con líneas de poemas que prefiere no recordar, tiradas por las aceras.

—Me ha parecido entender que también se puede crear materia extraña en un experimento del CERN —dijo Héctor apenas se sentó de nuevo a la mesa.

—¡Aprovéchate! —escandalizaron los altavoces—. Ésta es la ocasión de sacar el tema.

—Es una pregunta muy importante para la que no tenemos una respuesta fiable. De eso, precisamente, quería hablar con Irene.

La mirada que le dedicó Héctor a la muchacha, pensó Helena, bien valía el precio de la cena.

—Es posible que no fuera insensato aplicar el mecanismo de destilación de extrañeza que funciona para estrellas de neutrones —dijo Irene—. Las condiciones son diferentes, pero quizá podrían encontrarse extrapolaciones razonables.

—¿Por qué no lo intentas? —pidió Helena—. Sería muy importante predecir si las burbujas extrañas se pueden formar en el LHC o no.

—¿Tú crees? —dijo Irene, abriendo mucho los ojos—. Me daba la impresión de que se trataba de un problema más bien académico, sin mucho interés.

Helena sacó su pitillera y la acarició disimuladamente unos instantes antes de alargarla hacia la pareja.

—¿Un cigarrillo?

Irene se apoderó de uno con un rápido y casi vergonzoso movimiento de su mano.

—Para celebrar la ocasión —dijo, como si fuera su primera cita. Lo peor es que posiblemente lo fuera y ella se la estaba gafando.

Helena recuperó la pitillera, sacó su Dupont de oro y le ofreció fuego a la muchacha.

—Quiero contaros una historia —dijo—. Hace casi diez años había un experimento en el CERN llamado ARPA, que operaba en el antiguo acelerador, el SPS. Su líder era el mismo que dirige Omega en la actualidad. Friedrich von Zhantier, uno de los mejores físicos del laboratorio. Lástima que sus cualidades humanas no estén a la altura de su talento.

Helena encendió, ignorando los avisos que le informaban de que se trataba del cuarto o quinto cigarrillo ilegal del día.

—En ARPA trabajaba un amigo mío, Corrado Gatto. Estudiamos juntos en la École Normale de París. Era un buen tipo. Callado, discreto, un poco apocado. Y un físico de primera clase. Cuando anunció que había encontrado evidencia de burbujas extrañas en ARPA, yo le creí. Por desgracia Friedrich von Zhantier movió cielo y tierra para evitar que su hallazgo se hiciera público.

—No entiendo —afirmó Héctor—. ¿Qué interés podía tener en boicotear un descubrimiento del experimento que él mismo dirigía?

—ARPA tenía una señal de la existencia del plasma de quarks, pero era bastante débil y para confirmarla era necesario que el experimento siguiera operando durante varios años más. La situación era muy delicada, porque los recursos que consumían debían sustraerse del presupuesto de construcción del LHC, que a su vez se había quedado corto. Por otra parte, un descubrimiento como el del plasma podía suponer un premio Nobel. Lo último que todo el mundo deseaba es que corriera la especulación de que se estaban formando burbujas extrañas.

—¿Pero por qué? —preguntó Héctor—. ¿No se trataría también de un descubrimiento importante?

—Claro que sí. Pero Friedrich temía, con razón, un ataque de los sectores catastrofistas que pusiera en entredicho la continuidad del experimento. ¿Habéis oído hablar de sir James Reeves?

—¿El filósofo de la ciencia? —dijo Irene sin poder ocultar un desdén que rayaba en el desprecio—. ¡Valiente cretino! Dio una charla en Harvard hace un par de años. No he visto en mi vida un tipo más pagado de sí mismo.

En ese momento la *signora* Gabriella apareció con el postre.

—Tiramisú casero —confirmó Helena—. *Bocatto di cardinale.*

—¿Por qué te preocupa Reeves? —preguntó Irene—. A mí me pareció un charlatán.

—Sin embargo, es una personalidad influyente, cuyos libros se venden por millones. Lleva años encabezando una cruzada en contra del CERN, probablemente financiada por algunos de los propios países miembros, que no lamentarían que la opinión pública les diera una excusa para cerrar el laboratorio. Hace décadas que vivimos de rentas. La energía atómica ya no está de moda, la física nuclear ha dejado de ser futurista y los ministerios de investigación prefieren invertir en biología molecular o nanotecnología. Por otra parte, el CERN es una organización muy grande y prestigiosa basada en acuerdos internacionales que no pueden cancelarse fácilmente..., excepto si resultara que la investigación que realizamos es percibida por el público como un gran riesgo.

—Un momento —pidió Irene—. Incluso si se produjeran burbujas extrañas en el LHC, para que existiera un riesgo se tendrían que verificar dos condiciones muy improbables. Primo, las burbujas extrañas deberían ser estables; secondo, su carga tendría que ser negativa.

Helena sonrió satisfecha. La chica era rápida como un rayo.

—No del todo —la contradijo—. Bastaría con que las burbujas fueran metaestables, esto es, con una vida media de una millonésima de segundo, para que les diera tiempo, moviéndose casi a la velocidad de la luz, a atravesar el tubo de vacío en el que se forman y entrar en contacto con el helio líquido que baña los imanes superconductores del LHC.

—En cuyo caso podría iniciar una reacción en cadena, imagino —intervino Héctor.

—Depende de la carga eléctrica de la burbuja —contestó Helena—. Los núcleos de helio están cargados positivamente. Si las burbujas extrañas también tienen carga positiva, son repelidas por éstos y no ocurre nada. Si por el contrario tienen carga negativa, los núcleos las atraen. Cuando la materia extraña entra en contacto con la ordinaria, se funde con ella y se forma una burbuja de mayor tamaño, que a su vez se funde con otro núcleo de helio y así sucesivamente, de forma que aumenta cada vez en peso y tamaño. Ese objeto no tarda en caer hacia el centro de la Tierra, por efecto de la gravedad y absorbe toda la materia normal que encuentra a su paso, por lo que crece a la velocidad de un cáncer terminal. Una vez que se ha formado es imposible de detener. En cuestión de meses el planeta entero se convertiría en una estrella extraña. La energía liberada en el proceso aniquilaría toda la vida en la Tierra.

—¡Santa Bárbara bendita! —exclamó Héctor—. No me extraña que el tal sir James convenza al público. Da un poco de miedo.

—Hasta que te haces las cuentas —dijo Irene—. Hay que multiplicar la probabilidad de que la burbuja sea metaestable por la probabilidad de que sea negativa. El producto es un número ridículamente pequeño.

—El problema es que el cálculo adolece de muchas incertidumbres —afirmó Helena—. Sir James alega que nuestros modelos son imprecisos y podrían ser del todo incorrectos. Su línea de argumento es muy difícil de rebatir con argumentos racionales, porque se aprovecha del miedo de la gente a lo desconocido. Viene a decir que si no es posible demostrar con absoluta certeza que la probabilidad de que se produzca una catástrofe en el LHC es cero, entonces no vale la pena arriesgar.

—Si puedo hacer de abogado del diablo —intervino Héctor—, lleva un poco de razón. Al ciudadano corriente el plasma de quarks le trae sin cuidado. En cambio, el riesgo que estamos invocando no puede ser mayor. ¡La destrucción del planeta nada menos!

Helena probó un minúsculo bocado de su tiramisú. Estaba bueno, pero un poco empalagoso. En realidad no tenía mucha hambre. Pero necesitaba una *grappa.* La *signora* pareció leerle el pensamiento. Un instante más tarde llegó con tres delgados vasos, recién sacados del congelador, todavía cubiertos por una fina capa de escarcha, que contenían el aguardiente siciliano, especialidad de la casa.

—*Grazie*, Gabriella.

—*Prego, signora* Le Guin.

Helena dio un sorbo, agradecida de que Megafonía no estuviera dando la lata. Irene y Héctor se echaban miradas de reojo, más preocupados por la existencia del otro que por toda la materia extraña del universo.

—Precisamente por eso sir James es tan popular. Claro que sus argumentos podrían aplicarse a muchos otros campos. Si dependiera de él, habría que detener la investigación en inteligencia artificial para evitar una raza de robots que nos destruyera, parar el desarrollo en biología genética, no sea que liberemos un virus letal, y someter todo resultado científico a una censura que decida si es peligroso o no publicarlo. Nada conjura más el miedo que arrojar libros a la hoguera.

—Es verdad —asintió Irene.

—Hace diez años Friedrich von Zhantier estaba en una situación parecida a la de ahora. A punto de realizar un descubrimiento que le supondría un premio Nobel. Si el resultado de Corrado Gatto se hubiera confirmado, el debate habría sido inevitable. Ergo, concluyó Friedrich, era necesario que se equivocara. Era el director del experimento y tenía la sartén por el mango. Corrado insistió en que sus resultados eran correctos y Von Zhantier lo acusó de incompetente al principio y más tarde de loco.

—¿Así sin más? —preguntó Irene.

—Cuando estalló el conflicto, estábamos a seis meses de las elecciones en el CERN —dijo Helena—. Jozef Linsen, el director de la época, no quería buscarse problemas con un futuro premio Nobel. Salió del paso nombrando a una comisión, que a su vez nombró unos árbitros, a los que Friedrich visitaría en privado, explicándoles lo poco que convenía a sus carreras llevarle la contraria. Gatto no tenía a nadie que le defendiera. Los árbitros emitieron un informe sesgado y la comisión lo utilizó para dictaminar que era necesario retirar la publicación hasta que la situación se aclarara.

—Vaya con la honestidad de la ciencia —murmuró Héctor.

—No quiero amargaros la velada con detalles escabrosos —dijo Helena—. El caso es que Von Zhantier tenía razón cuando argumentó que Corrado era un hombre inestable psicológicamente. Toda su vida estuvo marcada por un síndrome hereditario, una tendencia a la depresión y la psicosis que ya había arruinado a muchos miembros de su familia, entre ellos a su padre y a su hermano Mauricio. Corrado parecía haberse salvado de esa enfermedad, pero no era así. Tras varios meses de ataques públicos se desmoronó completamente.

Dolía, pensó. Seguía doliendo después de tanto tiempo.

—Una madrugada se despeñó en una curva, conduciendo a toda velocidad por un puerto de montaña que sube al Jura, el col de la Faucille. Mucha gente opina que se suicidó. Otros preferimos creer que fue un accidente. Quizá había decidido encararse con Friedrich von Zhantier, cuya casa está justo al final del puerto, quizá bebió una copa de más o tomó algún tranquilizante. Quién sabe. Dejó tras de sí a su mujer y dos niños pequeños, además de a su hermano Mauricio, al que el golpe acabó de volver loco. Gente sin suerte. Mauricio Gatto fue uno de los mejores físicos teóricos del CERN hasta que le destruyó la misma enfermedad que acabó con Corrado.

—¿Qué ocurrió después? —preguntó Héctor.

—La prensa empezó a husmear. No hubieran tardado en dar con el hilo de las burbujas extrañas. Entre tanto se resolvieron las elecciones. Gané yo. Detuve inmediatamente el experimento ARPA, alegando que no teníamos recursos para mantenerlo.

—¡Bien hecho! —exclamó Héctor.

—No, no estuvo bien. Fue un atajo que escogí en parte por resentimiento hacia Friedrich y en parte para evitarme quebraderos de cabeza. Lo correcto hubiera sido abrir una investigación en toda regla y averiguar si el resultado de Corrado era correcto. Pero tenía demasiados problemas. Había que construir el LHC. Estábamos en bancarrota... opté por la solución cobarde. La huida hacia delante.

—No digas eso —dijo Irene—. Cualquiera en tu lugar hubiera hecho lo mismo.

Helena sonrió, agradecida.

—Cuando arrancamos el LHC hace tres años —dijo—, nos llevamos el disgusto de que el acelerador no funcionaba a pleno rendimiento y los haces de protones no eran lo bastante intensos como para explorar la región de alta energía donde esperábamos encontrar nuevos fenómenos físicos. Después de dos años de frustraciones tomé la decisión de acelerar haces de núcleos de plomo. Friedrich había puesto a punto un nuevo experimento, llamado Omega, muy similar a ARPA. Pero el LHC es una máquina mucho más potente que el antiguo SPS e incluso operando a medio gas era factible confirmar la existencia del plasma que se nos había escapado una década antes. De hecho, en este momento Omega tiene una señal casi establecida.

«Entre tanto los físicos de aceleradores del CERN han dado con un truco para aumentar la intensidad de los haces de plomo por un factor de diez, lo que permitiría confirmar el descubrimiento en cuestión de meses. Pero para ello necesitamos que el Consejo del CERN apruebe un periodo de alta intensidad.

«Y volvemos a las andadas. El programa de alta intensidad es caro y hay muchos delegados reticentes a financiarlo. A finales de año hay elecciones y mi rival es nada menos que Jozef Linsen, quien se presenta de nuevo con una agenda en la que defiende ahorrar y limitar las ambiciones del CERN, lo cual a la larga arruinará el laboratorio, pero de momento le hace ganar votos. Y sir James sigue gritando que viene el lobo.

—No te preocupes —aseguró Irene—. Todo irá bien, ya verás.

—Entonces ¿me ayudarás? —preguntó Helena—. ¿Puedo contar contigo?

Irene vació de un trago la *grappa* que quedaba en su vaso y le tendió la mano, sonriendo.

—Claro que sí.

Helena se la estrechó, asombrándose mientras lo hacía de que la policía política no hubiera conseguido clausurar todavía los focos de rebelión que aún ardían en la fábrica.

EL GUSTO POR LA SANGRE

Héctor estudió su oponente con el rabillo del ojo mientras Marcel le ayudaba a ajustarse los guantes. Era un mozo casi imberbe, pero con la envergadura de un orangután. La cabeza, rapada al cero, parecía atornillada entre los fuertes trapecios, los brazos eran gruesos, peludos y no cesaban de lanzar rápidos y violentos mazazos al aire.

—Tres asaltos —dijo Marcel cuando Héctor se coló entre las cuerdas elásticas del cuadrilátero—. Sin calentarse. No quiero lesiones.

El grandullón le dedicó a Marcel una sonrisa estúpida. Héctor alzó los brazos, golpeando un guante contra el otro. Marcel le echó una mirada de interrogación, como preguntándole de nuevo si estaba seguro de querer batirse con semejante bestia.

—Oye, che, estoy necesitando un *sparring* para Bruce. ¿Te hacen tres asaltos? —Marcel se había acercado a él mientras aporreaba el saco, dejándole hacer hasta que estuvo bien sudado.

—Claro, boss. Pero ¿dónde andan los jóvenes?

—Acojonados —masculló Marcel—. Bruce pega muy duro, ya sabes.

—Creía que a eso veníamos al gimnasio —dijo Héctor, secándose con la toalla que el entrenador acababa de tenderle.

—A eso vienes tú. Esos de ahí vienen a presumir. —Marcel apuntó con la barbilla hacia los tres o cuatro chavales que repetían las rutinas un poco más allá—. En esta ciudad sobra plata y faltan agallas.

Cierto, pensó Héctor. Ninguno de ellos duraría un minuto delante de cualquiera de los morenos que frecuentaban lo del negro Príamo.

—¿Te animas o no?

—Claro, hombre.

Marcel le palmeó el hombro, satisfecho. Habían hecho buenas migas en el par de meses que llevaba en Ginebra, el púgil retirado, metido a manager del único gimnasio de boxeo que merecía tal nombre en toda la ciudad, y el físico ejerciendo de chupatintas en la ONU. Los dos se veían obligados a aparentar lo que no eran. Eso tenían en común. Marcel soportaba tan poco a los niñatos que entrenaba como él a sus trajeados colegas de oficina.

—Boxea lindo, *¿okay*? —dijo el entrenador, golpeándose la calva entrecana con los nudillos—. Tienes buenos sesos y las piernas ligeras. Cánsalo bien. Ojo con el primer asalto. Te va a saltar al cuello.

Eso fue exactamente lo que hizo, apenas Marcel hizo sonar la campana. Echársele encima, soltando guantazos, corriéndolo alrededor del ring. Héctor retrocedió ante la embestida, parando, esquivando, procurando que el orangután no le cercara con aquellos brazos largos que parecían estar en todas partes. Cada golpe que le caía encima era como una bola de demolición contra la fachada de un edificio viejo.

El primer minuto era siempre el peor. Eterno. La lengua hinchándose. La garganta como si hubiera tragado arena. El protector molestándole en las encías. Los hombros como mantequilla, las piernas flojas. La respiración. Tenía que controlar la respiración antes de que el flato le doblara. Bruce era muy rápido. Se movía a saltos por la lona, como un simio. Mantener la guardia alta. No parar de moverse, cerrar la boca, levantar los guantes. El orangután le perseguía por todo el cuadrilátero, babeando, lanzándole una puñada detrás de la otra.

Marcel tenía la jeta avinagrada al final del primer asalto.

—¿Quieres dejarlo? Casi te ha reventado.

Héctor hizo un esfuerzo por dejar de jadear.

—Estoy bien, Marcel —dijo cuando consiguió controlar la respiración—. Me las he visto con tipos peores.

Era verdad. Pero entonces tenía veinte años y mucha rabia encima. La misma que parecía estar sudando el gorila en el otro rincón del cuadrilátero.

—Bruce te tiene ganas, che —aseguró Marcel—. Debí haberme dado cuenta de que se picaría. Llevas poco tiempo aquí, pero te has ganado fama de tener pelotas. Y ese de ahí quiere que te las comas.

Vaya que si quería. Apenas sonó la campana del segundo asalto lo tenía de nuevo encima, buscándole los morros.

Pero ahora estaba más tranquilo. Bruce había descuidado la guardia, confiando en que el único que pegaba allí era él. Repetía una y otra vez la misma combinación, gancho de izquierda, directo de derecha. Cada vez más cerca, más fuerte, más descuidado. Izquierda, derecha, izquierda, derecha. Héctor empezó a bailar, obligándose a relajar las rodillas, centrando el peso en el estómago. El orangután se limitaba a perseguirle, abriendo la boca, mostrándole el protector, torciendo los labios en una mueca idiota, lanzando una trompada detrás de la otra. Pero estaban empezando a caerle al aire.

Izquierda, derecha, izquierda, derecha. Héctor esperó al segundo directo, esquivándolo a la vez que lanzaba el guante y conectaba en plena cara. Enseguida retrocedió, cubriéndose, dándole tiempo a Bruce para que retomara su rutina. Como había previsto, no se molestó en cambiarla. Héctor fintó, lanzó la izquierda, volvió a conectar. Su rival se abalanzó sobre él, furioso. Le mantuvo a distancia con golpes medidos, esperando el momento oportuno. El gancho llegó justo por donde lo esperaba. Se encogió sobre sí mismo, dejándolo pasar por encima de la cabeza y sin estirarse, metiendo toda la cadera para reforzar el golpe, lanzó un directo al esófago y un croché hacia arriba que se estrelló contra la mandíbula de su oponente. El orangután se tambaleó, pillado por sorpresa, los brazos colgándole inertes al costado. Héctor lanzó la izquierda, tres veces, golpes cortos, secos, que llovían sobre mojado en la cara amoratada de Bruce, mientras el brazo derecho retrocedía, preparando un gancho devastador que diera con su enemigo en la lona.

¿Su enemigo? Era un crío, un mocoso, que todavía tenía la cara llena de granos.

El puño de Héctor llegó sin fuerza. Aun así su adversario estuvo a punto de irse abajo. Marcel saltó al ring, parando el combate.

—Ya vale por hoy. A la ducha.

Héctor juntó los puños, ofreciéndoselos a Bruce, que hizo lo propio a regañadientes. Chocaron guantes.

—Otro día no vas a tener tanta suerte, abuelo —dijo, como de broma, pero levantando la voz para que le oyera todo el mundo. Sus ojillos de mono, hinchados por los golpes, eran un pozo de resentimiento—. La próxima vez te voy a dejar K.O.

—Antes tendrás que aprender a boxear —cortó Marcel secamente.

Se le veía preocupado una hora más tarde mientras tomaban una cerveza en el bistró de Alí, pero no soltó lo que pensaba hasta la tercera jarra.

—Deberías haberlo tumbado —dijo después de dar un largo trago, limpiándose la espuma que le blanqueaba el espeso bigote con el dorso de la mano—. No se merecía otra cosa.

—Es un crío, Marcel.

—Un crío que te hubiera mandado al hospital de haber podido. Deberías haberlo tumbado.

—¡Bah! —sonrió Héctor—. Ya ha tenido lo suyo. A qué exagerar.

—Sin bromas, amigo. Otra vez que lleves la ventaja aprovéchala. Déjate la compasión para cuando tengas a tu enemigo en el suelo.

—Lo tendré en cuenta, *boss*.

—No, no lo tendrás —negó Marcel, sacudiendo la cabeza, pesimista—. Menos mal que te dio por estudiar. No hubieras sido un buen boxeador. Tienes buena técnica y mucho valor, pero te falta el gusto.

—¿El gusto? —preguntó Héctor sin saber a qué se refería el viejo púgil.

—El gusto por la sangre —concluyó Marcel, pasándose la lengua por los labios, como recordando un sabor largo tiempo olvidado.

Jozef Linsen tiene buenas razones para sentirse satisfecho esta mañana, mientras cruza el aparcamiento, camino de su automóvil. La entrevista con el delegado inglés no podía haber tenido más éxito, y los de Bélgica y Polonia están ya en el saco. No cabe duda de que la suerte viene de cara. Tira un poco de las mangas de su chaqueta, examina con aire crítico sus impolutos zapatos. Tiene una cita para almorzar con el delegado italiano, un tipo casi tan fastidioso y elegante como él y no ha escatimado detalles para causarle buena impresión. Luce un imponente Armani, cuya formalidad suaviza con el exquisito pañuelo de seda de Estambul, que hoy sustituye a la corbata.

Con los italianos, se dice, no es difícil hacer negocios. Calcula que bastará con un sillón directivo para el preboste y unos cuantos puestos menores para sus subalternos a cambio de su voto en las inminentes elecciones. Muy razonable, aunque, por supuesto, tiene toda la intención de regatear cada detalle del acuerdo durante el almuerzo. Jozef Linsen se considera un buen negociador, y la prueba de ello es que ya ha ganado ocho de los veinte votos del Consejo para su causa. Sólo necesita recabar otros tres en los seis meses que faltan para las elecciones y tendrá garantizado el cargo.

Silbando una tonadilla, llega al aparcamiento reservado donde le espera su nuevo Mercedes deportivo. Entre las numerosas prebendas de los altos funcionarios del CERN se cuenta el derecho al uso de matrículas diplomáticas en sus vehículos, lo que permite adquirirlos casi a mitad de precio. Cierto es que, comparado con los salarios de los directivos de la banca suiza o de los ejecutivos de compañías como Merrill Lynch y Dupont, los ciento cincuenta mil euros libres de impuestos que Linsen ingresa al año suponen un sueldo modesto, pero, realmente, no se queja. Con ese módico salario puede pagarse un ático en el centro de Ginebra, costearse su exquisito guardarropa y comprar buenos vehículos con seguro a todo riesgo, como ahora que acaba de sustituir su antiguo coche por un nuevo y reluciente descapotable.

Saca el mando automático del bolsillo de su chaqueta y aprieta un botón. El Mercedes responde iluminando los cuatro faros y emitiendo un agradable pitido de bienvenida. Bien pensado, se dice, el pequeño altercado de un par de meses atrás fue para bien. El anterior modelo, abollado por culpa del gordito imbécil, carecía de algunas de las virguerías de última generación y, en todo caso, nunca viene mal estrenar juguete nuevo.

Franquea la puerta principal del CERN sin dignarse responder al saludo de Pablo Furtado, que a su vez apenas registra el agravio, acostumbrado como está a los desplantes después de tres meses trabajando en el CERN. Además, Pablo ha encontrado un antídoto que le inmuniza contra el desprecio. Cada mañana, cuando llega a las siete en punto, la señora detiene su auto un instante frente a su garita. Un día le pregunta por su familia, otro por sus estudios; las más de las veces no hay tiempo para otra cosa que una frase amable y una sonrisa.

Si está de guardia cuando la señora se marcha a casa, hacia la medianoche, la conversación es más larga, e incluso algunas veces llegan a fumar un cigarrillo juntos. La señora le tiende su encendedor de oro, él le da fuego y luego enciende el suyo antes de devolvérselo. Algunas veces da la impresión de que le cuesta aceptarlo de vuelta y a Pablo ha llegado a ocurrírsele la peregrina idea de que quizá se lo regale algún día. Sabe que son chifladuras suyas, igual que cuando imagina que la invita a cenar a algunos de los restaurantes portugueses de su barrio. Pero soñar es gratis y hace más llevaderas las interminables noches en la garita.

Linsen acelera a la salida del CERN. El delegado italiano, célebre gourmet, ha propuesto una cita en el Château de Divonne, cuyo selecto restaurante combina las delicias de la nouvelle cuisine con un servicio exquisito y una terraza con vistas al lago Lemán. Divonne, famoso por sus baños termales, está a unos veinte kilómetros de Ginebra. Linsen se apresura al volante de su Mercedes, satisfecho de su pericia como conductor.

Es falso. Pisa el acelerador en las rectas, aprovechando los trescientos y pico caballos de su deportivo, pero frena melindrosamente en cada curva comprometida, donde, sistemáticamente, se pega a su trasera la Kawasaki amarilla y negra que le viene siguiendo, como una peligrosa avispa, desde hace un rato.

Aunque Linsen tiene la cabeza en otras cosas, está empezando a inquietarse por la tenacidad con que le persigue la motocicleta; por fin ésta le adelanta en una curva particularmente cerrada, aprovechando un mínimo hueco en el espeso tráfico que viene de frente y arrancando chispas al asfalto con los avisadores de los reposapiés. Apenas le ha rebasado, la motocicleta se planta delante de su morro con una violenta tumbada que parece contradecir la ley de la gravedad. Linsen frena para darle tiempo a alejarse, pero la motocicleta frena a su vez, obligándole a reducir la velocidad. Intenta adelantar, pero la carretera es muy estrecha y no se decide. Cuando, un poco más adelante, aparece una carretera secundaria, Linsen no duda en tomarla.

La carretera es estrecha y está mal asfaltada. Apenas ha recorrido cien metros, se ve obligado a detenerse. Hay una furgoneta blanca bloqueándole el paso. El Mercedes profiere un frenético bocinazo. Dos tipos grandes, vestidos con monos azules, uno calvo y con la cara como un tomate y el otro con el pelo grasiento recogido en una coleta, salen de la furgoneta. No tienen un aspecto muy amistoso y Linsen decide que es mejor darse la vuelta y regresar por donde ha venido. Pero cuando mira por el retrovisor ve tras él la motocicleta negra y amarilla.

El motociclista desmonta y se acerca a la ventanilla del conductor. Llama con un nudillo enguantado. Lleva el casco puesto y Jozef empieza a sospechar que se trata de un atraco. Rápidamente bloquea las cerraduras. El motociclista levanta las manos al cielo, como protestando. Entre tanto sus compinches han sacado de la furgoneta dos martillos pilones y se dirigen hacia él.

Tres minutos más tarde el Mercedes de Jozef Linsen es una ruina y el subdirector se ha orinado en sus impecables pantalones. Los mazazos han destrozado el morro, el motor, las puertas, abollado el techo y reventado los faros. El motociclista vuelve a llamar educadamente. Linsen, paralizado por el miedo, no se mueve. Un martillazo brutal cae sobre el parabrisas irrompible del automóvil, que se fragmenta sin llegar a quebrarse. De nuevo los golpecitos en su ventanilla. Linsen aprieta un mando y los seguros del coche saltan. La puerta se abre bruscamente. El motociclista le agarra por el cabello, le saca del vehículo de un tirón y golpea su cabeza contra la carrocería del destrozado deportivo. Linsen tiene la sensación de que el golpe le ha abierto el cráneo, pero en realidad ha sido un coscorrón relativamente delicado, aplicado con la fuerza justa para atontarle. La mano que le sujeta del cabello tira hacia arriba y uno de los gorilas vestidos de mono le mete un trapo en la boca y sella sus labios con cinta adhesiva. Linsen lleva unas carísimas gafas de sol, Raiban Senator, que el segundo gorila se prueba, satisfecho, antes de atarle un pañuelo alrededor de los ojos.

MUTACIONES

Avanzan por el sendero que lleva a un claro discreto y de difícil acceso en el espeso bosque de la región de Mijoux. Son las cinco de la tarde, piensa Misha, y pronto oscurecerá, pero quedan apenas quince minutos de caminata e Igor no necesitará más de diez para despachar al tipo del Mercedes, que avanza a trompicones, emparedado entre Klaus y él, con los pantalones meados y la expresión de quien espera ser degollado de un momento a otro.

Pero no, nadie va a degollarlo. El marica trajeado, al que Klaus arrastra del pañuelo que lleva al cuello, como a un asno camino del matadero, tiene suerte de que Carpenter no sea muy rencoroso. Misha conoce a Igor desde que éste no era más que un chaval y sabe que le ha tomado aprecio a su cliente, lo cual es muy poco habitual en él. Aunque, cuando lo piensa bien, hay una explicación. Tiene que ver con el don de la palabra. El mundo se divide en dos tipos de gente: la silenciosa, como Igor, como él mismo, y los charlatanes, como Klaus. Casi todos los que callan lo hacen porque tienen poco que decir o la cabeza vacía. Sobre todo cuando se sufre demasiado, o se bebe mucho, es como si los sesos dejaran de funcionar. Misha lo sabe por experiencia; el vodka suele dejarle la mente tan vacía y silenciosa como la tundra nevada. Pero los charlatanes son peores, tampoco tienen nada que decir, pero meten un ruido enorme. En cambio, Carpenter es uno de esos raros tipos callados, que cuando habla —y puede hacerlo durante horas cuando Igor le tira de la lengua— consigue el efecto contrario al vodka: hace que la cabeza se llene de imágenes y colores, de sentido, aunque sea por un rato. Por eso Igor le aprecia, y, ahora que lo piensa, también le aprecia él. El Mercedes es mucho más afortunado de lo que se imagina. Si Carpenter se lo hubiera pedido, Igor no habría dudado en partirle el cuello.

Pero Carpenter se conforma con un susto. Para alguien tan flojo no haría falta más que el paseo que le están dando, atado, amordazado y con los ojos vendados para quitarle las ganas de chulearle a nadie para toda la vida. Pero tanta suerte no va a tener. Para su desgracia se ha cruzado en el camino de Igor Boiko, y Misha nunca ha conocido a nadie que saliera indemne de esa experiencia.

Ni siquiera él. Involuntariamente se lleva la mano al cuello y la siguiente bocanada de aire la da con ansiedad, como si fuera la última. Automáticamente evoca la cara de querubín, la expresión calmada en los ojos oscuros y las enormes manos apretando su garganta.

Los recuerdos se superponen desordenadamente en su mente. El frío y el desánimo mordiéndoles las tripas mientras la artillería pesada destrozaba cada barrio de Grozni. Las largas semanas aguardando la orden de ataque, desmoralizados como sólo un soldado al que obligan a disparar contra su propia gente puede estarlo. Todo el mundo sabía que los obuses estaban cayendo sobre gente decente, rusos como ellos, retenidos a la fuerza por los rebeldes chechenos en los inmuebles que las bombas destrozaban, y nadie podía hacer otra cosa que blasfemar y emborracharse, tratando de olvidar el horror que les rodeaba.

Cuando por fin entraron en la ciudad devastada, la Nochevieja de mil novecientos noventa y cinco, fue para descubrir que semanas de bombardeos sólo habían servido para matar mujeres y niños. Los rebeldes apenas habían sufrido pérdidas, estaban bien armados, conocían cada barrio al dedillo y combatían como demonios. En menos de dos días les habían pulverizado.

Misha se estremece, recordando la larga Nochevieja, la última para casi todos sus compañeros. Al amanecer los escasos supervivientes de su brigada se habían refugiado en lo que quedaba de un edificio de apartamentos y esperaban refuerzos que les sacaran de aquel infierno.

El capitán le había enviado a reconocer un área semiderruida cuando Igor le cayó encima. No le oyó aproximarse, lo cual después de quince años juntos no le sorprende, pero hasta entonces no había conocido a nadie capaz de moverse tan silenciosamente en la oscuridad. Estaba casi desnudo a pesar del frío glacial. Su cuerpo aún no se había desarrollado en toda su plenitud y todavía no se había hecho tatuar la gran serpiente. Iba desarmado. Boiko no soporta las armas de fuego, nunca las ha soportado, ni siquiera entonces. Tenía catorce años, a pesar de lo cual su fuerza física doblaba a la de un hombre fornido.

Misha se rasca la calva sin dejar de recordar. En el último segundo había conseguido sacar su cuchillo y lanzarle un tajo que le hizo un profundo corte bajo el ojo.

Aun así, su agresor apenas aflojó la presa. Pero el mínimo respiro le sirvió para girar sobre sí mismo y conseguir, a duras penas, zafarse de él.

¡A duras penas! Misha pesa ciento cinco kilos. En los últimos tiempos ha ganado algo de grasa y perdido reflejos, pero en Grozni tenía veinticinco años y el entrenamiento de una unidad de élite del Ejército Rojo. ¡Y aun así, considera que fue un milagro haber escapado de la presa de un adolescente, casi un niño!

No ha conocido nunca a nadie como él. Apenas se lo quitó de encima, Misha sacó su pistola y le encañonó con ella. Igor ni siquiera pestañeó, como un tigre incapaz de asimilar que el objeto que blande el cazador pueda matarle a distancia. Todavía no comprende por qué no disparó. Qué impulso le llevó a gritar su nombre, sargento Mihail Vasiliev de la Brigada Maikop. El chico sangraba abundantemente por la herida bajo el ojo y su piel estaba azul por el frío, pero le estudió un largo rato, sin asomo de miedo, hasta convencerse de que no era un *boyeviki* checheno. Finalmente se sentó en el suelo, abrazándose las rodillas, como un chaval que espera a su madre a la salida del colegio. Misha le cubrió con su chambergo de campaña antes de correr a buscar ayuda para coserle la herida.

Cuando llegan al claro, Igor se quita la camiseta mientras Klaus le arranca el traje al Mercedes, a la vez que se burla de él y le propina cachetes y empujones. Klaus es un cerdo. Le retorcería el pescuezo de buena gana, pero su presencia en el grupo viene dictada desde arriba. Es una orden del comandante, que además le ha dado a entender que el seboso melenudo es pariente de alguien muy importante, al que se le ha ocurrido la peregrina idea de entrenarle en el oficio incorporándolo al grupo que Misha dirige. Lo de menos es que él ya no esté en condiciones de dirigir nada; por fortuna son mejores tiempos que antes de que cayera el muro y casi nunca son necesarios los servicios de un agente libre. Las pocas veces que tienen trabajo Igor se ocupa, y lo hace tan bien que los jefes están encantados con él. A lo mejor por eso les han encasquetado a Klaus. Por eso o porque su pariente quiera quitárselo de encima.

Eso sí, la nariz le ha quedado bien rota después de su encontronazo con el larguirucho de la estación de Cornavin. Quizá era el guardaespaldas de la pelirroja. O un poli de paisano. Difícil de decir. No han vuelto a verles el pelo a ninguno de los dos, a pesar de que Igor ha batido Ginebra de arriba abajo desde entonces. Por supuesto no ha dado explicaciones, Igor nunca las da. Pero Misha sabe que está registrando la ciudad palmo a palmo, buscándolos. A ambos. Conociéndolo, está seguro de que desea a la pelirroja, pero puede que desee todavía más enfrentarse al tipo que se la arrebató en un descuido.

Más les vale que estuvieran de paso en Ginebra, piensa. Nadie se cruza con Igor Boiko y sale indemne de ello. Nadie presume de agallas delante de él y queda ileso.

Klaus ha dejado al Mercedes en calzoncillos y a un gesto de Igor le quita la mordaza y la venda que le tapa los ojos. El tipo se pone a lloriquear inmediatamente. Da asco oírlo, aunque las risotadas de Klaus dan más asco todavía. La cantidad de gente que Misha ha visto morir sin rechistar, calladamente. Los pobres, ésos son siempre de los que hablan poco. No hablan ni cuando les matan. Igor apenas sabía articular cuando lo encontró en Grozni. Fue más fácil convencer a su capitán para llevarse al muchacho de vuelta a Moscú que sacarle, a trompicones, algunos retazos de su vida.

A veces Misha se pregunta qué habría sido de Igor si el reactor nuclear de Chernóbil no hubiera estallado, cómo habría sido su vida si toda su familia no hubiera sucumbido a la radiación. Mucho tiempo más tarde encontró periódicos de la época en los que se mencionaba el misterioso caso del niño de seis años que había resistido una dosis letal, uno de los pocos supervivientes del barrio de Pripyat más cercano a la central nuclear.

Misha no sabe mucho de física, pero está convencido de que la radiactividad ha provocado mutaciones en Igor, transformándolo en un ser sobrehumano, como los héroes de la serie de cómics, famosa en Moscú, que solía leer de pequeño. Excepto que ninguno de los X-men sería rival para él.

También la cabeza de Igor es la de un mutante. Se nota en su manera de hablar, en tercera persona, como si se refiriera a otro. Se nota en las extrañas reglas por las que se rige. Se nota en su pasión por los números, en la memoria fotográfica que puede memorizar un mapa de un vistazo, que jamás olvida una cara. En su inmunidad al alcohol y la coca. En su perenne silencio. Y por si no quedara claro, ahí está el colgante que lleva al cuello desde que le conoce, las tres aspas que le recuerdan quién es.

No ha conseguido averiguar, quizá porque el propio Igor no lo sabe, cómo acabó en Grozni. A veces se imagina que fue el propio gobierno el que le quitó de en medio, junto a otros incómodos testigos de la catástrofe. Haría falta ser inhumano para vender al pobre chico a los boyeviki chechenos entre los que creció, maltratado como un perro, pero a estas alturas de su vida la maldad humana ya no sorprende a Misha. La serpiente tatuada en la piel de Igor esconde cicatrices y quemaduras horribles. De una cosa está seguro. Si el chico no hubiera sido un mutante, no habría sobrevivido.

Igor se acerca al Mercedes, que abre la boca como para decir algo. El Mercedes, como Klaus, es uno de esos tipos que siempre están hablando. Mala idea en esta ocasión. Boiko se la cierra de un bofetón. Pero le da con la mano abierta y casi sin fuerza.

El marica se tira al suelo y se cubre la cabeza con las manos. Igor se arrodilla a su lado.

—¿Tú sabes por qué esto?

—No..., por favor..., no me hagas más daño... —lloriquea el otro.

—Tú escucha bien —dice Igor, dejándole caer en el hombro una de sus enormes manazas tatuadas—. Esto te pasa a ti por maleducado. ¿Tú lo entiendes?

—No..., no sé de qué me habla... Yo...

Misha observa cómo la mano que sostiene el hombro del Mercedes aprieta con la fuerza justa para dislocarlo. Al mismo tiempo Igor le tapona la nariz y la boca con la otra, evitando el inminente alarido. Cuando lo suelta, el merengue cae hacia atrás, semiasfixiado.

—Venga, hombre —dice Boiko, abofeteándole suavemente—, no dormirse ahora.

Pero el otro está casi ido. Para evitar que se desmaye, Igor lo iza en vilo, tirándole del cabello.

—¿No lo haces más, verdad?

El Mercedes niega con la cabeza. Boiko asiente satisfecho y relaja el tirón de pelo. El otro alza una mano hacia él, suplicante. La otra cuelga inerte en su costado. El hombro necesitará una temporada para sanar. Y le seguirá doliendo durante mucho tiempo.

En todos los años que llevan juntos Misha nunca ha conseguido decidir si Igor disfruta haciendo daño o simplemente no entiende del todo lo que significa eso. Quizá sea cosa de la radiación o de las palizas de los boyeviki, pero si de algo está seguro es de que él no siente el dolor como los demás, si es que lo siente en absoluto.

Tiene suerte. Los sentimientos matan más que las balas, aunque más despacio. En tres lustros Misha ha pasado de protector a protegido. Bebe demasiado, no ha dejado de beber desde Chechenia. No podría dejar de beber aunque se lo propusiera; el vodka es lo único que mantiene a raya a las legiones de muertos que le rondan. Pero Igor nunca le ha abandonado a su suerte. Le ha acompañado desde Moscú a Berlín y luego a Viena, Praga y Ginebra, siguiendo las órdenes de los patrones de la KGB o la FSB o como demonio se llame ahora. A Misha una ciudad u otra le trae sin cuidado. Le basta con que no se parezcan a Grozni.

Jozef Linsen, entre tanto, agita el brazo que no tiene inutilizado frente a la cara, tratando de protegerse.

—Por favor..., por favor... —gime.

—¿No lo haces más? —pregunta Boiko, tomándole una mano entre las suyas. A pesar del pánico que siente, o quizá por eso mismo, Linsen no puede evitar sentirse confortado por esa inesperada caricia.

—No, no...

Boiko gira bruscamente la muñeca y Jozef escucha el crujido de las falanges de su meñique al fracturarse. Un revés en plena boca aborta el grito que estaba a punto de escapársele.

—Shhh..., no escandalizar, hombre.

Jozef se queda mudo, mitad por terror y mitad porque su intuición le dice que aguantar en silencio puede ahorrarle dolor. Y es cierto. Callándose ha evitado que Boiko le rompa uno o dos dedos más.

Y así, por primera vez en su vida, el subdirector evalúa su situación correctamente. Se ve a sí mismo, desnudo, apestando a sudor y orines, con el sabor de la sangre en los labios y el miedo mordiéndole las tripas. A la vez experimenta una envidiable lucidez que le lleva a relacionar lo que le está pasando con el accidente casi olvidado en el CERN y a establecer una conexión entre el gigante con el rostro de querubín que le está torturando y el rencor en los ojos mansos de John Carpenter.

SI TODAS LAS ESTRELLAS SE APAGARAN

—Has hecho los deberes, ¿verdad, socio? —preguntó Héctor, mirando a la cámara web.

—Claro que sí —contestaron los labios de Trischuk una fracción de segundo antes que su voz. Al menos, pensó Héctor, el retraso entre gesto y palabra era casi imperceptible esa noche. Las cosas ya eran los bastante complicadas sin efectos especiales.

Examinó el gráfico que el teniente acababa de enviar y lo superpuso a sus propios datos. Los errores en las medidas de neutrinos habían disminuido enormemente al aumentar la exposición y mejorar las calibraciones. Los resultados eran clarísimos. Todos los puntos rojos se situaban un tercio por encima de la curva teórica. Velasco señaló con el índice al gráfico, alzando las cejas en una expresión interrogante. Héctor asintió con la cabeza. Las sospechas de Pullman eran ciertas. Había al menos un treinta por ciento más de barras de uranio de lo que los rusos declaraban.

—¿Ves lo mismo que yo?

—Están sobrealimentando a la mascota —contestó Trischuk.

—¿Qué hay de receta? ¿Te cuadran las proporciones? —preguntó Héctor, aunque su propio análisis ya le había confirmado que la cantidad de plutonio en el reactor se correspondía con la esperada una vez que se corregía por el exceso de uranio. Había cien kilos más de la cuenta, pero al menos nadie los había sacado todavía de allí.

—Sí —contestó Trischuk—. Bastante bien.

—A mí también. Por lo menos los chicos no han dilapidado la herencia.

—Lo harán —dijo Velasco a su lado—. No le quepa duda de ello.

—¿Por qué no descansas un rato? Estás dando cabezadas.

Irene parpadeó, confundida. Frente a ella, una pantalla, con un editor matemático abierto, mostrando las fórmulas que estaba programando cuando se le había ido el santo al cielo hacía... ¿cuánto? Héctor estaba a su lado de punta en blanco. No le había oído entrar en el despacho ni acercarse a su mesa de trabajo. ¿Le había rozado el hombro para despertarla? Posiblemente, a juzgar por la piel de gallina que se le había puesto.

—Te has quedado helada —Héctor se quitó su americana deportiva y se la puso sobre los hombros. Irene se arrebujó en ella, agradecida.

—¿Qué hora es? —preguntó.

—Casi las siete. ¿Vamos a tomar algo?

Lo dijo con el aire casual de quien se deja caer por el despacho de un conocido a falta de mejor plan, aunque para «dejarse caer» por su oficina hubiera tenido que atravesar Ginebra de punta a punta. También, como sin querer, habría seleccionado algún magnífico restaurante e inventaría alguna coartada para invitarla a pasear después de la cena. Y, por supuesto, la llevaría de vuelta al laboratorio o a su casa cuando se percatara de que empezaba a echar miradas ansiosas a su reloj de pulsera, sin insistir para que se quedara, sin dar muestras de impaciencia ante las calabazas de la monja boba.

—La verdad es que no debería salir hoy —dijo desvergonzadamente—. Voy muy atrasada con el cálculo.

—No digas tonterías. Estás agotada. Te hace falta un poco de aire.

—Bueno. Sólo un rato.

—No sé cómo tienes valor para pasarte la noche sola en este calabozo inhóspito.

—No estoy sola. Mauricio me hace compañía.

—Valiente compañía... ¿No te da un poco de miedo?

—Al contrario. Me gusta tenerlo cerca. Ni te imaginas lo gentil que es.

—Cuesta creerlo con el aspecto tan horrible que tiene.

Cierto, pensó Irene. Cualquiera que se lo cruzara por los pasillos de la División de Teoría a altas horas de la madrugada, renqueando, doblado bajo el peso de su joroba, con las manos cubiertas por aquellos horribles mitones y su melena grasienta tapándole a medias el rostro violáceo, pensaría haberse tropezado con un alma en pena.

El fantasma del CERN, así lo apodaban, desde los estudiantes de verano hasta los guardias jurados.

Mauricio Gatto, el genio de la física, malogrado en lo mejor de su carrera por una enfermedad mental hereditaria e incurable. Los rumores decían que había provocado una avería en el LHC al boicotear los imanes. Los rumores decían que seguía en el CERN porque

Helena Le Guin había decretado que, loco o no, era intocable. Los rumores aseguraban haberle oído discutir con Dios de madrugada.

Se le vino a la cabeza la imagen de un cuartucho, el último del pasillo. La puerta estaba siempre entreabierta, asegurada por una silla metálica sobre la que se apilaba una montaña de metro y medio de papel amarillento. Las primeras ocasiones, cada vez que pasaba por allí, no podía contener la tentación de echar un vistazo al interior. En una de las esquinas, iluminada por la luz de un flexo, se situaba una mesa metálica de la cual sólo eran visibles las patas, pintadas de color gris. El resto del mueble desaparecía bajo una hiedra de papel que extendía sus ramas a toda la estancia. Pilas de fotocopias de artículos científicos, como columnas de una demente catedral del saber, se alzaban en precario equilibrio hasta el cielo, apoyadas en pedestales formados por manuales de todos los tipos y colores, apuntaladas por libros de tapas manoseadas, sirviendo a su vez de apoyo a las bóvedas construidas a bases de grandes carpetas de plástico. La construcción desbordaba la mesa y se extendía por el suelo en sucesivas oleadas de cajas de cartón despanzurradas, de las que sobresalían restos en diferentes estados de putrefacción como urnas funerarias rebosantes de huesos calcinados. En las paredes se superponían varios estratos de carátulas de artículos, fijados entre sí y a las capas inferiores que los sostenían con cinta adhesiva. El mecanismo por el cual toda aquella masa de celulosa se mantenía en equilibrio era un auténtico misterio. Desparramadas por doquier, una multitud de tazas blancas tomadas de la cantina. Decenas de ellas, quizá treinta, cuarenta, cincuenta..., flotando en su interior un mar de restos de café y colillas deshechas. Para rematar la escena, envoltorios de chocolatinas, bolígrafos rotos, cajetillas de tabaco vacías. No menos de una docena de naranjas, algunas todavía intactas, otras a medio pelar, o a medio consumir, rodaban por la habitación.

El fantasma del CERN.

Recordó la madrugada sin cigarrillos en la que la necesidad de fumar pudo más que la aprensión. Serían más de las tres cuando se aventuró hasta el colosal basurero con el corazón batiéndole inquieto en el pecho. Mauricio dormitaba encima de una pila de papel, rodeado de mondaduras de naranja, tarros vacíos de yogur y paquetes arrugados de Marlboro. Había alzado la enorme cabeza apenas la oyó llegar y la contemplaba, sorprendido como un gorila albino frente a un cazador furtivo.

—Hola —ella había sonreído, menos afectada por la fealdad del rostro de lo que había temido, cautivada por los ojos curiosos, límpidos y sin malicia que la escudriñaban—. Me preguntaba si tendrías un cigarrillo.

Mauricio se puso a rebuscar entre los montones de basura hasta dar con un paquete semivacío y se lo alargó, sonriendo y murmurando algo. Irene tomó un cigarrillo e intentó devolverle la cajetilla, pero él le hizo gestos para que se lo llevara.

La noche siguiente, cuando Héctor la dejó de vuelta en el despacho, había un paquete de Marlboro nuevo encima de su mesa. Y así desde entonces.

—La gente no es lo que parece, Héctor —dijo Irene—. Mauricio es un buen hombre.

La Vía Láctea refulgía allá en lo alto, la luz tenue de millones de estrellas llegaba a sus ojos con un retraso que aumentaba con la distancia que las separaba de la Tierra. Extraño pensar que aquel cielo bellísimo no era sino una fotografía del pasado. Extraño pensar que si todas las estrellas excepto el Sol se apagaran de golpe, nadie se daría cuenta durante décadas... Cuatro años necesitaba la luz para llegar desde Alpha del Centauro, la vecina más cercana; cien mil para atravesar la distancia que separaba la Tierra del centro de la galaxia. Cuando los fotones que en ese momento golpeaban sus pupilas empezaron su viaje, el Homo sapiens acababa de aparecer sobre un planeta cubierto por glaciares. El hielo invadía el valle del Ródano, el Jura, el paso montañoso de la Faucille y el promontorio al pie de las pistas de esquí donde se encontraba el restaurante, con su terraza acristalada casi desierta y sus mesas en penumbra, alumbradas tan sólo por una tímida vela.

—De niño solía preguntarme cuántas estrellas había en el cielo —dijo Héctor como telépata. Llevaban un rato callados, sorbiendo las margaritas que habían pedido para rematar la cena, contemplando aquel espectáculo inconcebible de luces lejanas. Su voz parecía haber viajado tanto como la propia claridad de los astros que titilaban sobre sus cabezas. Llegaba atenuada, melodiosa, con ese acento dulzón que tanto le gustaba oír.

»Luego, en la carrera, estudié que había unos cien mil millones sólo en nuestra galaxia —continuó él—. ¿Eres capaz de imaginarte un número así?

—Claro. Es el número aproximado de granos de arena en todas las playas de la Tierra.

Héctor dejó escapar un largo silbido.

—No me estás tomando el pelo, ¿verdad?

—No, es un cálculo muy fácil.

—Lo será para la hija de un matemático.

—Es verdad. En casa nos pasábamos la vida con juegos así. A Raúl le encantan las magias numéricas.

—Conociéndote, seguro que tu padre es un genio.

¿Lo era? Eso había creído ella toda su niñez, cuando cada mañana encontraba una pila fresca de cuartillas con nuevos y misteriosos cálculos. Eso había creído viéndole brillar en las tertulias, maravillándose de la velocidad a la que era capaz de resolver cualquier problema matemático, constatando la procesión de colegas que aparecían por el veintinueve de la rue de Lyon para consultarle. Eso había creído cuando también pensaba que su padre ocupaba una cátedra en la Universidad de Ginebra y no un mero puesto de sustituto. Eso había creído hasta que averiguó que los cálculos de Raúl nunca veían la luz, hasta que se dio cuenta de que los mismos colegas que se aprovechaban de su talento le compadecían por su inconstancia, su incapacidad para centrarse, su terca negativa a entender que en el mundo académico la única alternativa a publicar era perecer.

¿Un genio? Quizá lo fuera. O quizá todo su talento era estéril, simple fuego de artificio. ¿Qué había en aquellas carpetas de anillas, cada una de las cuales contenía centenares de folios repletos de apretados símbolos matemáticos? ¿Por qué nunca había publicado aunque fuera una mínima parte de aquel trabajo ingente? ¿O es que nada de todo aquello merecía la pena? Quizá Raúl no era más que un pobre infeliz como Mauricio Gatto, atrapado en un mundo imaginario, dedicando toda su enorme energía, toda su extraordinaria inteligencia a elaborar un mensaje sin significado.

—¿He dicho algo inconveniente? —preguntó Héctor, mirándola con aquella expresión seria que tanto le gustaba.

—No..., estaba pensando en mi padre. ¿Sabes? También calculó que el número de estrellas de la Vía Láctea se corresponde con el de hombres que han vivido desde el principio de nuestra especie. Ya ves. Un alma inmortal por cada astro del cielo. Me pregunto cuál será la mía.

No serían más de las diez de la noche cuando salieron del restaurante, pero apenas quedaban coches en el aparcamiento. Enfilaron por un pequeño sendero que llevaba hasta el pie de las pistas de esquí. Era difícil imaginar el hervidero de esquiadores durante el día, embotellándose en aquellas colinas desiertas uniformadas por la nieve. Se diría que eran los únicos seres vivos en el desierto congelado que las rodeaba. Un detector de infrarrojos los vería como dos fuegos fatuos, evolucionando lentamente en la planicie helada. Héctor señaló un banco de piedra, desde el que podían contemplarse las luces del valle, brillantes y tan remotas como las de la Vía Láctea.

—¿Nos sentamos un rato?

—Sólo un momento. Tengo que volver enseguida al CERN.

—Qué devoción —suspiró él—. Me recuerdas mis

tiempos de juventud.

—Habíame de ellos.

—No hay mucho que decir. Tuve una beca del ejército para estudiar y...

—¡El ejército! ¿Fuiste militar?

—Todavía lo soy..., en teoría. Pasé a la reserva activa hace unos años.

—Extraño. No te imagino de uniforme.

Héctor se encogió de hombros, girando el cuello a izquierda y derecha con un gesto que le recordó el de un boxeador a punto de entrar al cuadrilátero.

—Pues me viene de familia. Mi agüelo fue uno de los capitanes que se atrevió a enfrentarse al tirano Batista. Pagó con su vida por ello. Mi agüela huyó de Cuba. Tenía veinte años y estaba embarazada cuando llegó en una balsa a las costas de Florida. Siempre creyó que volvería a su patria querida. Pero después de Batista vino Fidel. Nunca regresó.

—¿Sabes? Mi madre también es una fugitiva de su tierra. Llegó a Ginebra con la misma edad de tu abuela, huyendo de Irán. Tampoco ha regresado nunca.

—Eso nos da algo en común —dijo Héctor.

—¿No tener patria?

La mano que descansaba en su hombro empezó a moverse en pequeños círculos, acercándose hasta la base del cuello, deslizándose a lo largo de sus brazos, remontando hasta las mejillas. Irene se apretó más contra él.

—Cuéntame más.

—Mi viejo también optó por la carrera militar. Cuando estalló la crisis de los misiles, en mil novecientos sesenta y dos, desempeñó un papel esencial como contacto con el gobierno de Fidel. Fue uno de los hombres que evitó la catástrofe.

—¿Y tú quieres imitarle?

—El viejo siempre fue mi héroe, es cierto —dijo Héctor—. Pero era un héroe lejano. Siempre estaba fuera de casa por su trabajo en el Estado Mayor. De muchacho los estudios no me interesaban gran cosa. En lugar de ello me dediqué al deporte, sobre todo al boxeo. Fui campeón nacional de los pesos ligeros en la categoría juvenil con quince años recién cumplidos y sin una sola derrota. Incluso llegué a plantearme pasar al circuito profesional, pero el negro Príamo me lo quitó de la cabeza.

—Príamo —repitió Irene—. Curioso nombre.

—Era mi entrenador. Un gran boxeador y un hombre de bien. Fue él quien me hizo ver el futuro que me esperaba si optaba por el ring. Mi viejo en cambio no dijo nunca una palabra, ni tampoco opinó durante los años siguientes, cuando me dediqué a todo tipo de actividades, a cual más peregrina. Llegué incluso a trabajar de domador de caballos en un rodeo para turistas en Miami. Imagino lo que debió de sufrir viéndome a la deriva, pero él era un hombre que se había hecho a sí mismo y supongo que pensaba que también yo debía encontrar mi propio camino. Nunca hablamos demasiado del tema. La comunicación no era nuestro fuerte, excepto al final, cuando enfermó de leucemia. Al menos murió con la satisfacción de verme ingresar en la escuela de oficiales.

—Fue un largo rodeo para seguir sus pasos, ¿no?

—Muy largo. Recuperar el tiempo perdido en los

estudios me costó más esfuerzos que todos los combates de mi vida juntos. Pero cuando te quedas huérfano a los veinte años te viene bien un reto, mejor cuanto más difícil. Mi madre murió siendo yo muy niño, nunca la conocí. Prácticamente me crió mi agüela. No sabes lo afortunada que eres por seguir teniendo a tus padres cerca.

—Es verdad —confirmó Irene—. Lo soy.

Afortunada e ingrata. Sólo pasó con ellos un año en Nueva York antes de salir huyendo a Boston. No faltaban universidades en la Gran Manzana en las que hubiera podido matricularse, pero a los diecisiete años los silencios de Leila y la ineptitud de Raúl para adaptarse a la realidad se le habían subido a la cabeza.

Y el rencor, para qué negárselo.

El rencor por la precipitada fuga de Ginebra. El rencor hacia su padre, incapaz de obtener un puesto permanente, y hacia Leila, que había renunciado a una rutilante carrera artística, conformándose con ser una vulgar profesora particular que se ganaba la vida dando clases a niñas bien como Corinne. El rencor hacia ambos, por ser pobres, por carecer de los recursos que le hubieran permitido seguir viviendo en la ciudad donde había nacido, que le hubieran permitido no abandonar a André.

El rencor que la había alejado de ellos demasiado pronto. Quizá fuera lo normal en el país al que habían emigrado, pero nunca se adaptó del todo a la vida de los dormitorios universitarios, a las alegres juergas con las que las adolescentes norteamericanas inauguraban su recién estrenada libertad, al sexo y las borracheras ilegales al por mayor. Quizá por eso no había hecho otra cosa que estudiar, vistiendo los hábitos de la monja boba que todavía no había sido capaz de quitarse.

Y, sin embargo, sólo recientemente había comenzado a preguntarse de dónde había salido el dinero que pagó las carísimas matrículas y la pensión completa de sus años en Harvard. Sus padres habían vivido modestamente en Ginebra y seguían haciéndolo en Nueva York. Pero los ingresos familiares jamás hubieran dado para costear sus estudios. Leila había zanjado la cuestión mencionando vagamente ciertos «ahorros», negándose, como era habitual en ella, a dar más explicaciones.

—Por mi parte —dijo Héctor—, le cogí el gusto a estudiar y obtuve una serie de becas del ejército para estudiar Física Nuclear en la Universidad de Stanford, en California. Trabajé muy duro, mi preparación era inferior a la de mis compañeros... Además daba muchas clases en la Escuela de Formación de Suboficiales. Pero conseguí acabar mi tesis en física de neutrinos.

—¿Y a qué te dedicas en Ginebra? Cuesta imaginarse un físico de neutrinos en la ONU.

—Participo en un proyecto para controlar la proliferación de armas nucleares —dijo Héctor como con desgana—. Soy algo así como un asesor técnico.

—¿Y qué tienen que ver tus neutrinos con la proliferación nuclear?

—Otro día te lo cuento —prometió Héctor—. Si nos enredamos, se te va a hacer tarde para trabajar.

—Bien pensado, hoy puedo hacer novillos —insistió ella—. Anda, me tienes en ascuas.

—No vale la pena, de veras.

—Venga, no te hagas de rogar.

—No, Irene. Lo siento.

Fue como si el cielo se abriera de repente para dejar caer el diluvio sobre su cabeza. Se irguió, zafándose del brazo de Héctor, y encendió un cigarrillo para darse a sí misma algo que hacer mientras digería el desplante.

—No te enfades, por favor —rogó él—. Mi trabajo no tiene interés alguno. Es pura burocracia.

—Mira, si no quieres contarme lo que haces, estás en tu derecho. Pero no me vengas con excusas.

—¿Qué hago? —la voz de Héctor sonó ronca, como si sus cuerdas vocales se hubieran averiado de repente—. Diseñar protocolos que no se cumplen, preparar regulaciones que se ignoran, decidir directivas que nadie respeta. Rellenar papeles inútiles. Participar en reuniones interminables donde nunca se decide nada. Eso es lo que hago. ¿Contenta?

—¿Qué pasó con tus propuestas, Héctor? ¿Por qué cambiaste tus detectores por todo ese papeleo?

—Porque pensé que era mi obligación. Porque es necesario hacer algo. El mundo no va a mejorar por sí solo. No va a mejorar si todos los científicos eligen quedarse en su torre de marfil, como, como... —Héctor se golpeó rabiosamente la palma de la mano con el puño.

—¿Como yo, quieres decir? ¿Como los físicos del CERN?

Héctor sacudió la cabeza. No había visto nunca su rostro así de crispado.

—Yo no soy quién para juzgar a nadie. Cada uno...

—¿Pierde el tiempo como quiere?

No pudo reprimirse. Estaba tan furiosa como él

y ni siquiera se había dado cuenta del todo hasta ese momento.

—Yo no he dicho eso —mascculló Héctor.

—Pero lo piensas.

—¡No me digas lo que pienso, hermana! ¡No tienes ni idea!

—Tienes razón. Perdona.

—No hay nada que perdonar. Yo...

—Oye, se está haciendo tarde. Es mejor que volvamos.

La media hora de regreso al CERN se le hizo eterna. Quería llegar a su oficina cuanto antes, refugiarse en su cálculo, olvidar el rosario de malentendidos, olvidar las estrellas sobre el Jura, olvidar el brazo de Héctor sobre sus hombros.

MONTAÑAS DEL PERDÓN

L'usine estaba más lejos de lo que recordaba. Después del altercado con Héctor, Irene había decidido acercarse al garito de sus tiempos adolescentes. La casa se le caía encima y el tugurio, con su fauna variopinta y su permanente barullo, era un sitio como otro cualquiera para distraerse.

Necesitó casi veinte minutos a buen paso para llegar y casi otros tantos para subir las escaleras, sorteando a los numerosos clientes que se sentaban en los escalones a falta de mejor sitio. En el segundo piso sonaban los Sex Pistols. Casi un clásico y tirando a suave, comparado con el espanto que emitían los altavoces de la planta baja. L'usine no había cambiado gran cosa. Las mismas paredes, tiznadas de humo y espesas de pintadas. Los antiguos bancos de matarife, pintados de colores chillones, alrededor de los cuales se hacinaban los parroquianos, defendiendo a codazos un centímetro cuadrado donde depositar su cerveza. Unas pocas mesas de hierro oxidado, desparramadas al azar por la pieza, alrededor de las cuales se sentaban los pocos privilegiados que habían tenido la fortuna de hacerse con ellas.

Una de ellas, la mejor situada, cerca de una ventana donde los cristales habían sido reemplazados por tablones de madera clavados contra el marco, estaba vacía. a pesar de la batalla que se libraba a su alrededor por cada metro disponible de espacio, nadie se acercaba a ella.

Entendió por qué cuando reparó en el hombre que se dirigía hacia allí, con un vaso en la mano. Lo primero que registró al verlo fueron sus manos tatuadas. Luego el rostro de *boy scout*, enmarcado por bucles rubios y la cicatriz, corriendo por su pómulo.

Era el jinete de la esfinge. Y también él la había visto.

—¡Irene! ¡Ven con Boiko!

Extraño, pensó Irene, observándose a sí misma en uno de sus habituales desdoblamientos de personalidad. Un tipo así no podía traerle otra cosa que problemas. Lo lógico era salir por piernas inmediatamente. Y, sin embargo, no se movía. Estaba tan excitada como una novicia que acudiera a una cita clandestina con el arzobispo.

¿Por qué no? Boiko no parecía agresivo, al contrario. Costaba sustraerse al encanto de su sonrisa llena de candor. No arriesgaba nada, la policía pasaba la noche acampada en torno al garito, asegurando que a nadie se le ocurriera desmadrarse fuera del redil. Con toda su bravuconería *underground*, L'usine era tan segura como un convento de carmelitas.

—¿Tú tomas algo? —preguntó Boiko cuando llegó a su altura. Su francés era torpe y fuertemente acentuado, pero sus modales no carecían de una cierta elegancia—. ¿Una cerveza?

—Una pequeña. Tengo que irme enseguida.

—¿Te espera tu novio? ¿Mi *tovarich* americano?

—No es asunto tuyo.

Boiko sonrió, encantado con el desplante.

—Me gusta. Mujer brava. ¿Amigos?

La mano que le tendió podría aplastarle la cabeza como un higo maduro y, sin embargo, la había retenido, semanas atrás, sin apretar, sin hacerle daño, sin que ella se rebelara, como no se rebeló esta vez, cuando volvió a retenerla. Fue sólo un instante antes de tomar su cerveza y ofrecerle un brindis.

—*Daj Bog nev poslednij raz* —dijo Boiko—. Porque no última vez que bebemos juntos.

Irene hizo chocar su vaso contra el suyo y dio un sorbo. La cerveza sabía a aguarrás, pero le sentó bien.

—¿A qué te dedicas cuando no andas dando sustos a los transeúntes?

—Boiko es soldado. Soldado de fortuna.

—Ya veo. Un mercenario.

—No, no mercenario. Mercenario obedece al patrón. Boiko no tiene patrón. Patrón paga, negocio acaba. No sueldo. No amo. ¿Entiendes?

—No sé si quiero entenderte.

—Tú trabajas en el laboratorio grande. ¿Qué cosas haces allí?

—¿Cómo sabes dónde trabajo? —preguntó Irene entre halagada e inquieta.

—Boiko sabe muchas cosas —contestó él con aquella extraña manera de referirse a sí mismo en tercera persona—. ¿Tú me explicas?

—Soy física teórica. Mi trabajo consiste en... —Irene se detuvo indecisa. Si ya era difícil entenderse con Boiko hablando de fruslerías, ¿cómo explicarle a lo que se dedicaba?

—¿Armas? —preguntó él; sus ojos negros chispeaban

curiosos—. ¿Neutrones? ¿Antimateria?

—¡No, no! —exclamó Irene, riéndose de buena gana—. ¡Nada de armas! ¡Somos inofensivos, hombre!

Boiko negó con la cabeza. La viva imagen de un negociante avispado sin intención de dejarse colocar gato por liebre.

—¿Entonces los aceleradores para qué sirven?

Era un diálogo de sordos, pero la cerveza y aquella conversación de chiflados habían conseguido mejorar su humor.

—Otro día te lo explico, ¿de acuerdo?

—¿Mañana?

—No puedo salir todas las noches. Estoy muy ocupada.

—¿Haciendo bombas?

Así que además de ser una colección ambulante de músculos, su extraño amigo tenía sentido del humor.

—Eso mismo. Una bomba tan grande como para destruir el planeta.

—Bueno —asintió Boiko, ecuánime—. ¿Pero antes nos vemos?

—Quizá —dijo Irene, ignorando las protestas de la monja boba—. Pero ahora me voy a casa. Estoy muy cansada.

—Boiko te acompaña.

—Es muy tarde. Me parece que voy a tomar un taxi.

Afortunadamente había una parada en la misma puerta de L'usine. Justo al lado del coche de policía, de guardia permanente toda la noche.

Hicieron falta casi diez minutos para alcanzar la barra del segundo piso. Bajaron hasta la calle en sólo treinta segundos. Había un campo de fuerza rodeando a Boiko que hacía que el mar de gente se apartara a su paso. También el grupo de adolescentes que se agolpaban en la parada, disputándose los escasos taxis, pareció diluirse apenas llegaron.

Boiko le abrió la puerta del coche. Llevaba una camisa de seda de color rojo, bonita, a pesar de su color chillón, que podía pasar, con mucha imaginación, por uno de esos jubones medievales que vestirían otros hombres como él en una época en que alquilar la espada sería un negocio habitual, casi respetable.

—Hasta la vista —dijo, tendiéndole la mano.

Boiko la atrajo hacia sí sin esfuerzo alguno y la besó en los labios.

Después de tres meses de reuniones diarias, casi siempre a deshoras, la sala de operaciones empezaba a resultarle a Héctor un lugar familiar, casi agradable, a pesar de los marines montando guardia al final del pasillo, la iluminación demasiado intensa que emanaba de los anticuados tubos fluorescentes y el tufillo a sótano flotando en el aire, mezclándose con el del café que provenía de la jarra panzuda, colocada sobre el hornillo eléctrico situado en una esquina de la habitación. Junto a la cafetera, un pequeño refrigerador, por cuyo ínfimo volumen competían las latas de cerveza de Popov, las Coca-Colas que solían beber Velasco y Dijstra y las botellas de té frío de las que parecía alimentarse Geldman. Encima de la nevera había un microondas, en cuyo interior parecía estar librándose una batalla campal en ese momento, debido a las explosiones de las palomitas de maíz que el ruso había puesto a calentar. Un equipo de VCR permitía celebrar videoconferencias, a las que a menudo se conectaba Mister PESC o el propio Pullman cuando se hallaba en Nueva York, San Francisco o Washington. Finalmente el sistema informático que aseguraba la conexión ultrasegura con el barco nodriza frente a las costas de Irán.

Por supuesto Velasco sabía lo que se decía cuando le aseguró que las reuniones en la ONU, con burócratas, secretarios y taquígrafos, no eran más que una charada. Todas las discusiones importantes tenían lugar en aquella sala, todas las decisiones relevantes se tomaban allí.

Héctor se acomodó en una de las butacas desperdigadas por la sala. Dijstra, Pullman, Popov, Geldman y Mister PESC se habían instalado ya, mientras Velasco conectaba su anticuado ordenador portátil al proyector.

Velasco. Desde que los datos de RAN habían confirmado un exceso de combustible en el reactor, el coronel se había transformado en una presencia constante en su vida, una sombra pegajosa que cada vez se inmiscuía más en sus asuntos.

—Tenemos que hablar, mayor.

—Usted dirá, coronel.

—Su amiga... Irene de Ávila.

—¿Qué pasa con ella? —No le había sorprendido que Velasco estuviera al tanto de su relación con Irene. A esas alturas ya sabía cómo se las gastaba.

—Da la impresión de que se la está tomando muy en serio, ¿no?

—¿Permiso para hablar francamente, señor?

—¿Desde cuándo lo necesita?

—Creo que mis relaciones personales son asunto mío.

—Se equivoca. Todo lo que atañe a la seguridad de esta operación me concierne.

—¿Puedo preguntar qué tiene que ver Irene con la seguridad, señor?

—Nada, siempre que sus conversaciones con ella no aborden, ni remotamente, el tema de RAN.

—Descuide.

Velasco le miró de frente, algo que rara vez hacía. Sus ojos eran pequeños, acerados y tristes.

—De hecho —dijo—, sería mejor que pospusiera sus relaciones con la chica hasta que la operación haya concluido.

—¿Es una orden?

Velasco meneó la cabeza, pesimista.

—Lo sería si el senador hubiera seguido mi consejo.

Lo peor de todo era que no le faltaba razón. Su relación con Irene no podría dejar de ser una mascarada mientras la operación siguiera en marcha y lo único que conseguía cortejándola era complicarse la vida y complicársela a ella. De hecho, si el coronel adivinara hasta qué punto le importaba la muchacha, ni siquiera la tolerancia de Pullman conseguiría convencerle para que le permitiera seguir viéndola.

Afortunadamente, Velasco estaba demasiado ocupado con el parte del día para preocuparse de leerle el pensamiento.

—Creemos que los conspiradores tienen la intención de desviar el exceso de combustible en el reactor hacia un depósito clandestino durante la parada prevista a finales de año. No pueden dejarlo en el depósito de la central, porque serían descubiertos por los detectores de neutrones de los técnicos de la AIEA en la próxima inspección obligatoria.

—Neutrones, neutrinos —murmuró Geldman con su voz grave de rezador profesional de letanías—. ¡Todo me suena a lo mismo!

Una carcajada recorrió la sala de reuniones, aliviando en algo la tensión.

—No se parecen en nada, señor Geldman —dijo Héctor—. Los neutrinos son partículas muy ligeras, que apenas reaccionan con la materia. En cambio los neutrones son uno de los ingredientes fundamentales del núcleo atómico, idénticos a los protones excepto por el hecho de carecer de carga. Las barras de combustible quemado son extremadamente radiactivas y los emiten en grandes cantidades.

—Amén —rezongó el rabino.

—De hecho, nuestro primer intento, cuando concebimos RAN, fue detectar esos neutrones —continuó Héctor—. Sin embargo, los muros de contención del reactor son tan espesos que pueden absorber la mayoría de ellos, mientras que nada puede detener a los neutrinos.

—Es esencial que el plutonio no salga de la central de Bushehr —aseguró Velasco—. Si el depósito clandestino se encuentra donde pensamos, es casi inexpugnable. Miren esto.

Una serie de fotografías se sucedieron en el proyector. Las más antiguas, datadas unos cinco años atrás, mostraban una serie de campos de cultivo corriendo paralelos a un risco montañoso. Una segunda fotografía, un año más tarde, mostraba una zona en la que los sembrados habían sido sustituidos por maquinaria pesada. Había un boquete de considerables dimensiones, claramente visible en la pared rocosa. En la última, fechada hace unas pocas semanas, toda evidencia de excavaciones había desaparecido y un campamento militar, fuertemente armado, ocupaba los antiguos terrenos de labranza.

—El enclave se encuentra en la cara oeste de una cadena montañosa llamada las Montañas del Perdón —dijo Velasco—. Persépolis se encuentra a unos veinte kilómetros al oeste, al otro lado del macizo. Como pueden ver, la localización es ideal. Las Montañas del Perdón proporcionan una defensa natural contra un posible ataque. El campamento está muy bien equipado, incluyendo misiles antiaéreos y un perímetro de seguridad minado de unos dos kilómetros de radio. Sería muy difícil destruir el depósito con armas convencionales.

—Creo que es el momento de poner a Razavi sobre aviso y pedirle de nuevo que permita la inspección extraordinaria —sugirió Pullman—. La evidencia proporcionada por RAN es incontestable. No tendrá más remedio que acceder.

—No estoy de acuerdo —murmuró Geldman, retorciéndose las manos—. Eso nos obligaría a descubrir nuestras cartas y no tenemos pruebas de que podamos fiarnos de él.

—¿No es usted demasiado cauto, señor Geldman? —preguntó Mister PESC.

—Estoy obligado a serlo —respondió el rabino—. Israel sería el primer blanco de los terroristas persas si consiguieran el plutonio.

—El ministro Razavi representa el sector más moderado de la República Islámica, señor Geldman —dijo Mister PESC —. No creo que sea razonable considerarlo un terrorista.

—La República Islámica es un enemigo declarado de mi país —replicó Geldman—. Moderado o no, el señor Razavi milita en el bando contrario al nuestro.

—¿Qué sugiere entonces? —preguntó Mister PESC, claramente exasperado.

—Aumentar la presión sobre el ministro para que acceda a la inspección de la AIEA. Lo mejor sería desenmascarar la conspiración públicamente.

—¿A qué presiones te refieres, Simón? —preguntó Pullman—. ¿Qué más podemos hacer que no hayamos probado ya?

—Quizá ayudaría la amenaza de que Rusia rescinda todos sus contratos con Irán —dijo Popov—. No creo que le interese, dado que han pagado diez años de combustible por adelantado.

—Es una pena —suspiró Pullman—. Hubiera preferido confiar en Razavi.

—Te haces viejo, Henry —dijo Geldman mientras estrangulaba su sombrero.

BURBUJAS EXTRAÑAS

Héctor llevaba caminando un trecho, tras dejar a Irene en su casa, cuando reparó en el Volvo gris. Podría haberle pasado desapercibido de no ser por la sensación de inminencia que aumentaba a medida que las negociaciones con Razavi parecían rendir fruto. Pullman tenía la certeza de que estaba a punto de ceder.

—La presión de Rusia ha sido fundamental, muchacho. Razavi no se puede permitir el lujo de quedarse sin un combustible por el que ya ha pagado. Nos ha prometido su firma autorizando la revisión extraordinaria que le exigimos en cuanto vuelva de su visita oficial a Afganistán, dentro de una semana. Está furioso con nosotros, pero ya se le pasará cuando comprenda que lo hacemos por su bien.

¡Una semana! Apenas Razavi firmara, la operación Alerta se daría por concluida y podría pasar página. Con suerte aún tendría su oportunidad con Irene.

El Volvo era un modelo antiguo, todo aristas rectangulares, con una pesada carrocería de carro de combate y grandes faros cuadrados en el morro. Le llamó la atención que el vehículo circulara tan lentamente por una vía rápida como la rue de Lyon, pero no le dio mayor importancia, absorto como estaba en sus pensamientos.

Cinco minutos más tarde, al cruzar la Servette, lo

vio de nuevo, aparcado en zona prohibida, frente a los cines de Les Grottes. Aun así, no se había alarmado. Pero cuando le rebasó por tercera vez, supo que estaba en un aprieto.

Acababa de tomar un atajo hasta su apartamento, cortando por el barrio residencial que se extendía al noreste de la place des Nations. La calle estaba desierta a esas horas. El Volvo le adelantó, rodando casi a su paso, y se detuvo a unos veinte metros de él con las luces de freno destellando como los ojos de un depredador nocturno.

Héctor reaccionó llevándose la mano a los riñones, buscando su pistola, un segundo antes de darse cuenta de que no la llevaba encima. Las puertas del auto se abrieron. Héctor murmuró una maldición y apretó los puños, indeciso entre echar a correr o enfrentarse con las manos desnudas a los dos individuos que salían del auto.

—Estamos en guerra, mayor —dijo una voz seca y despectiva—. ¿Cuándo piensa darse por enterado?

Le acompañaba Dijstra, cuyo aspecto de granjero simpático y algo simplón contrastaba marcadamente con el porte de cobrador de seguros de Velasco.

—Yo también me alegro de verle, coronel —contestó Héctor, aliviado.

—Le encuentro caminando a deshoras y desarmado por una calle solitaria. Si hubiéramos sido terroristas a sueldo de la República Islámica, ya estaría muerto. ¿Dónde está su pistola?

—No creí necesario llevarla esta noche... —aventuró Héctor. Lo cierto es que llevaba semanas haciendo caso omiso de la orden de ir armado. No había necesitado el hierro para enfrentarse a la pandilla el día que conoció a Irene y no soportaba la idea de llevarlo pegado a los riñones cuando salía con ella.

—Quizá no he sido lo bastante claro, mayor —interrumpió Velasco—. Se lo repetiré una vez más. Lleve su arma encima siempre. Es una orden.

Héctor sintió los trapecios a punto de reventar, pero consiguió mantener la adrenalina bajo control.

—Sí, señor.

—Venga, vamos al coche. Tenemos una comunicación urgente con el teniente Trischuk.

—¿A estas horas? ¿Hay noticias? —preguntó Héctor, notando que su estómago se encogía como si acabara de encajar un directo al hígado.

—Sí —dijo Velasco—. Y no son buenas.

Pullman, Geldman y Popov estaban esperándoles en la sala de operaciones. Formaban un extraño trío: el aristócrata, el rabino y el bolchevique. La edad y el cansancio asomaban a sus rostros. Tenían algo de anacrónico, de espías viejos cuyo tiempo ya había pasado. El rostro barbilampiño de Trischuk flotaba en la pantalla de cuarzo líquido, impasible como siempre.

—Qué hay de nuevo, socio —dijo Héctor, sentándose frente al monitor.

—Le envío los datos —contestó Trischuk—. Que el teniente no estuviera de humor para charadas ni Velasco para protestar por violar el protocolo daba cuenta de que la cosa iba en serio.

Un gráfico apareció en el ángulo superior derecho de su pantalla. Eran dos líneas más o menos paralelas:

una continua de color gris y otra formada por una secuencia de puntos rojos. Mostraban la cantidad total de combustible en el interior del reactor de Bushehr. Los puntos, correspondientes a las medidas de RAN, corrían por encima de la línea gris, obtenida a partir de la potencia térmica del reactor, lo que demostraba el exceso de uranio albergado en éste.

De repente ambas líneas se precipitaban al cero.

—¡Mierda! —masculló Héctor—. Han detenido el reactor.

—¡Sin avisar a nadie! —exclamó Popov, pasándose la mano por la calva sudorosa—. ¡Los muy cabrones!

—Hay que hacer algo —dijo Pullman. Su rostro no expresaba emoción alguna, pero su voz rezumaba una rabia gélida que le erizó el vello de la nuca—. ¿Cada cuánto tiempo se actualiza la medida de RAN?

—Cada veinticuatro horas —confirmó Héctor.

—¡Un día! —exclamó Velasco—. Han tenido todo un día para sacar el jodido plutonio delante de nuestras narices.

—¿Quién iba a preverlo? —dijo Popov, alzando los brazos al cielo y enviándoles de paso una bocanada de olor agrio proveniente de sus axilas.

—¿Podría tratarse de un imprevisto? —preguntó Héctor—. ¿Una emergencia, algún error de operación que les haya obligado a parar?

—No —replicó Popov—. Nos hubieran avisado inmediatamente, y no han rechistado.

—Hemos sido unos estúpidos —intervino Geldman—. Tenía que haberlo previsto.

—¿Qué quieres decir? —preguntó Popov.

—¿Pero es que no os dais cuenta? —exclamó el rabino, quitándose las gafas y tirándolas con rabia sobre la mesa—. No pude ser más obvio. Sabían que les estábamos espiando y se han adelantado a nosotros. ¡Tenemos un topo!

—Un traidor —murmuró Pullman—. Tienes razón, Simón. No le veo otra explicación.

—Pero ¿quién? —preguntó Héctor.

—No estoy seguro todavía, muchacho —dijo Pullman, con la rabia congelada en la voz—. Pero te aseguro que voy a averiguarlo.

Irene estudió reconcentradamente la pantalla de su Sony portátil. Era la tercera vez que repetía el cálculo y la tercera vez que obtenía el mismo resultado.

Una vez más, se dijo.

Abrió la gruesa libreta y comenzó a repasar ecuaciones, pasando la punta del lápiz sobre ellas mientras murmuraba por lo bajo. Al llegar al final de la hoja pasó página y repitió la misma operación, recorriendo un segundo folio y un tercero hasta alcanzar una ecuación encuadrada por cuatro fuertes trazos en tinta roja. Comprobó cuidadosamente que el resultado parcial que se leía en ese recuadro era idéntico al que le ofrecía el ordenador y continuó leyendo hasta alcanzar un segundo recuadro, un tercero...

Cuatro horas y treinta páginas más tarde había terminado.

Obtenía lo mismo que antes.

Uno entre un millón.

¡Tenía un resultado! ¡Y qué resultado! La probabilidad que obtenía de formar burbujas extrañas en el LHC era muchos órdenes de magnitud más alta de lo que había esperado.

Irene se levantó de la silla y se puso a dar vueltas alrededor de la mesa, murmurando para sí entre dientes. Quizá había cometido algún error, quizá sus hipótesis eran incorrectas, quizá debería consultar con alguien...

Ni hablar, se dijo. Era su cálculo. Su trabajo.

—Podrías mandárselo a Bob Cousins —pareció susurrarle al oído la monja boba—. Ha sido tu director de tesis. Te tiene aprecio. Puede ayudarte.

—Claro. A cambio de publicar juntos. ¿Cousins y De Ávila otra vez? Nada de eso.

El caso es que debía su resultado a la bendita teoría que había desarrollado coco con codo con su mentor durante sus años en Harvard. Cousins y De Ávila eran una herramienta mucho más poderosa de lo que se había imaginado al principio. Las extrapolaciones parecían sólidas, y el error que estimaba en el resultado, razonablemente pequeño.

—Pero discrepas de los demás en demasiados órdenes de magnitud —insistió la monja.

—¿Y qué? —contestó ella, agitando los brazos como si se estuviera dirigiendo a toda una audiencia de escépticos—. No hay un solo modelo teórico en la literatura que merezca ese nombre. Son meras aproximaciones.

Necesitó casi media hora, recorriendo el cuarto a la carrera, para cansarse de discutir consigo misma y sentarse de nuevo a la mesa.

Garabateó unas cifras en su cuaderno. Cada segundo los haces de núcleos de plomo que circulaban por el interior del LHC chocaban unas mil veces entre sí. En un año, teniendo en cuenta que el acelerador sólo funcionaba a pleno rendimiento un treinta por ciento del tiempo, se producían diez mil millones de colisiones.

¡Y la probabilidad de formar una burbuja extraña era de una entre un millón! Por tanto, podían producirse hasta diez mil de esos objetos en un año.

No era de extrañar que Corrado Gatto hubiera encontrado una señal en ARPA. Lo que no tenía sentido era que Omega no las hubiera detectado ya. Debían de estar produciéndose a razón de varios centenares al día.

Tenía que hablar con Helena inmediatamente.

No, se dijo, todavía no. Faltaba calcular la carga y la estabilidad de las burbujas.

Revolvió entre la pila de artículos que tenía sobre su mesa hasta dar con uno de ellos. Era el mejor trabajo entre las docenas que había estudiado. Lo había escrito un oscuro físico japonés, Hitoshi Nakamura, y obtenía un resultado sorprendente. De acuerdo con sus cálculos, los agregados de materia extraña que se producían a alta temperatura eran siempre metaestables y, por tanto, peligrosísimos, ya que tenían tiempo de reaccionar con el helio de los imanes superconductores antes de desintegrarse, de no ser por el detalle de que también eran siempre positivos y, por ello, repelidos por los núcleos de helio. Si su modelo y el del japonés eran correctos, explicaban simultáneamente el hecho de que se produjeran burbujas copiosamente en el LHC y que éstas no supusieran peligro alguno.

Helena estaría encantada.

Pero antes de hablar con ella quería rehacer los cálculos de Nakamura.

Y escribir su artículo. Debía tenerlo preparado para mandarlo a *Science* o a *Nature*, las revistas científicas más prestigiosas, lo antes posible. Otros podían estar sobre la pista. Quizá el mismo Bob.

Se estaba poniendo paranoica. Posiblemente no era para tanto.

O sí lo era. Había dado con algo importante.

Y quería el crédito para ella sola.

DIOS DEL FUEGO

Helena Le Guin le había dado cita en la cafetería del CERN. Irene se acercó de puntillas con su artículo recién escrito en la mano y la sorprendió besando a Mauricio Gatto. El jorobado se levantó de un salto y salió huyendo despavorido.

—¿Lo has traído? —preguntó Helena.

Irene le tendió los folios. Las luces de la cafetería se atenuaron y un camarero se paseó por la terraza, agitando una campanilla.

—Dos minutos para la medianoche —gritaba por encima del repiqueteo de la campana—. Última copa.

—¿Quién más lo sabe? —preguntó la directora. Parecía triste, pero no asustada.

—¡El fin del mundo! —empezó a gritar Mauricio Gatto desde la penumbra—. ¡El fin del mundo!

—Dos minutos para medianoche —canturreaba el camarero—. Última copa.

La campanilla emitía un sonido estridente, largos y urgentes timbrazos, atronándole en los oídos.

Se despertó maldiciéndose por haber olvidado desconectar el teléfono antes de acostarse. A tientas estiró el brazo hasta alcanzar el aparato, situado en el suelo, al lado del colchón donde dormía, y descolgó el auricular.

—Dígame.

—¿Todavía sobando, reina? —la voz de Corinne al otro lado del hilo con su sabor a pastel de crema y sus ganas de coña—. Confiesa. Anoche estuviste de juerga hasta las tantas con tu novio.

—¿Qué hora es? —preguntó Irene, todavía adormilada.

—¡Casi mediodía, guapa! Hemos quedado a la una en el yate. ¿Es que no te acuerdas?

—Oye, me he acostado hace menos de tres horas...

—¡No me digas! ¿Haciendo lo que me imagino? ¡Porque ya va siendo hora!

—Trabajando.

—¡Trabajando! ¿Para eso te sirve tu novio?

—¡Corinne! —gritó Irene exasperada—. Héctor no es más que un amigo. Déjate de bobadas, ¿quieres?

La risa estridente al otro lado del auricular. No mucho tiempo atrás Irene se hubiera contagiado de inmediato. Sin embargo, ahora se le antojaba algo tonta, como las continuas bromas en las que se cimentaba su famosa amistad.

—No te preocupes. Te juro que seré modosita. Anda, corre a empolvarte la nariz.

Irene colgó y se dirigió a la cocina para prepararse un café que la resucitara. No valía la pena hacerse mala sangre con Corinne. Al final todo se reducía a lo mismo, eran muy diferentes, siempre lo habían sido, pertenecían a dos mundos completamente dispares. De niñas no era importante. Pero la niñez se iba quedando atrás.

El pitido socarrón del microondas le anunció que había vuelto a recalentar demasiado el café. Se quemó la lengua con el primer sorbo y lo tiró por el desagüe de la cocina, malhumorada. La ducha de agua fría que se obligó a tomar la espabiló pero acentuó todavía más su humor de perros.

Llevaba semanas durmiendo poquísimo. El esfuerzo enorme que el cálculo había requerido la tenía completamente desquiciada.

Un timbrazo en la puerta indicaba que alguien llamaba desde abajo. No podía ser otro que Héctor y ni siquiera había tenido tiempo de peinarse. A toda prisa echó mano del bañador, se enfundó en sus vaqueros y se puso una camiseta con el logo del CERN. Era de un horrible color rosa y exhibía una manida frase de Einstein, pero mejorar su guardarropa era otra de las tantas cosas que se iban quedando pospuestas en su vida.

Héctor se escurrió hasta un rincón cercano a la proa del yate, se caló la gorra azul marino que el tal Matthieu le había prestado y se recostó en la cubierta, fingiendo dormir.

No le vendría mal, pensó. Apenas había pegado ojo en las últimas horas desde que RAN detectara la parada imprevista del reactor.

¿Qué iba a suceder?

—No lo sé, muchacho —le había respondido Pullman a esa misma pregunta la noche anterior—. El general nos ha ganado esta mano. ¡Detener la central, aprovechando el viaje a Afganistán de Razavi, literalmente horas antes de que autorizara una inspección! No hay nada que hacer hasta la reunión del lunes. Descansa lo que puedas. La semana que viene va a ser dura.

—Tu novio se ha quedado frito —dijo la amiga de Irene, pretendiendo cuchichear, pero en un tono de voz lo bastante alto como para que Héctor la oyera perfectamente—. ¿Seguro que no os habéis pasado la noche haciendo deporte?

—¡Corinne! —protestó Irene en voz baja.

La niñata soltó una ruidosa carcajada.

—Anda, mona. No seas estrecha y vete a hacerle arrumacos.

¡Pobre Irene! Corinne llevaba intratable desde que habían puesto el pie en el barco. Parecía incapaz de respirar si no era el centro de la atención de todo el que la rodeaba. Protegido por la visera de su gorra de marino se la imaginó como un faisán paseándose por el corral con la cola desplegada. Primero había presumido hasta el agotamiento del yate de papá, que venía con patrón y todo para que los pasajeros sólo tuvieran que preocuparse de freírse al sol y ponerse hasta arriba de vodka con limón. Luego se había pavoneado un rato por la cubierta con un diminuto tanga, mostrando unas nalgas un poco esmirriadas y sus estupendas tetas, bajo las cuales todavía se distinguía la marca del bisturí del cirujano plástico. Después se había restregado un rato contra Matthieu, hasta que éste se la quitó de encima con malos modales. Finalmente, entre copa y copa, no había dejado de provocar con sus bromas.

Irene, por su parte, le reía las gracias y se dejaba sacar los colores. Era como si no pudiera evitarlo, como si en presencia de Corinne su fuerte personalidad se eclipsara y transformara a la mujer decidida y ambiciosa en una adolescente insegura, la hija de unos emigrantes deslumbrada por los oropeles de su amiga rica.

Pero, al final, parecía haberla cansado incluso a ella, a juzgar por el malhumorado resoplido con que se sentó a su lado. Héctor alzó un poco la visera. Irene llevaba un bañador de una pieza bastante ajustado a su tipo generoso. Estaba guapísima. Su cabello cobrizo refulgía como un baúl de monedas al sol. Lo llevaba suelto, cayéndole sobre los hombros, rebelde, arrogante. No era habitual el espectáculo de sus hombros desnudos. Los deltoides eran anchos y un poco estriados, continuaban en unos brazos robustos y bien torneados. La agüela aprobaría a aquella chica. Una mujer de verdad, fuerte, hermosa, con pechos que no necesitaban implantes y un trasero rotundo y respingón, tanto más sugerente cuanto más celosamente oculto.

La súbita erección estuvo a punto de pillarle por sorpresa. Por fortuna el vodka no había atontado sus reflejos del todo. Se alzó rápidamente, con la fluidez que daba el trabajo diario de abdominales en el gimnasio y se quitó la gorra, dejándola caer encima de su bañador.

—¿Te he despertado? —preguntó Irene. Héctor reparó en la piel, muy pálida, y en las profundas ojeras alrededor de los ojos. Posiblemente no se habría acostado, trabajando en sus cálculos. Con lo cual ya eran dos sonámbulos en el yate.

—No, no —dijo Héctor—. Estaba... Me acordaba de mi agüela. Tiene casi noventa años y todavía sigue fuerte como un roble.

—¿Hay alguien que la cuide? —preguntó Irene.

—Changó la cuida —contestó Héctor, sonriendo.

—¿Quién?

—Ah, es una larga historia. Si empiezo a hablar de la santería, no paro hasta mañana.

—Empieza —pidió Irene—. Ahora que tenemos a Corinne ocupada.

En efecto, Corinne había desaparecido bajo la cubierta con Matthieu y, de vez en cuando, se escuchaba algún que otro maullido procedente de los camarotes bajo la proa.

—Cierto. Y bien que se preocupa de que nos enteremos de a qué se dedica.

—Estábamos hablando de Changó, ¿no?

—Es un *orisha*. Una deidad mayor de la santería cubana. Es el dios del fuego, del rayo, del trueno, de la guerra, del baile, de la música y la belleza viril.

—¡Nada menos!

Héctor canturreó, moviendo las manos rítmicamente frente a su rostro:

—Changó tiene un hacha de rayos
y multiplica la furia de vivir,
que muerde los fantasmas de los días rotos.

—Es bonito —dijo Irene.

—Changó es trabajador, muy valiente, amigo digno de apreciar. También es algo mentiroso y muy mujeriego. Tiene tres esposas: Oyá, Obba Yurú y Ochún. Pero no le llega con ellas y se pasa la vida engañándolas con infinidad de amantes.

—¿Y tú, Héctor? ¿Te pareces al dios de tu abuela?

Héctor la miró de frente, seriamente.

—Cobarde no soy —dijo—. Mujeriego, tampoco.

Irene desvió la mirada, concentrándose en el azul oscuro del lago. ¿Por qué Héctor no hacía algo? ¿Por qué se contentaba con mirarla? Los jadeos de Corinne, cada vez más ruidosos, la estaban sacando de quicio.

—Changó es mentiroso... —afirmó.

—Yo procuro decir la verdad —contestó Héctor. Había un deje de resentimiento en su voz—. Pero hay cosas de las que no puedo hablar.

—Y a mí no me gustan los secretos.

—¿Sabes, Irene? A mi agüela le encantaría conocerte.

Irene miró al lago, cuajado de velas blancas. ¿Por qué no se limitaba a besarla en lugar de andarse con tantos rodeos?

—¿Vive sola entonces? ¿No tenéis más familia?

—Mi agüela nunca volvió a casarse. Ha vivido sola toda su vida, y sola sacó adelante a mi padre primero y después a mí.

Corinne interrumpió con un último gemido histérico, anunciando a los cuatro vientos su orgasmo. A falta de otra deidad, Irene suplicó a Changó para que la feliz pareja necesitara una siesta después del ejercicio.

—Ya te conté que mi madre murió siendo yo un bebé. Era hija de españoles. —Sin previo aviso, Héctor tomó su mano y empezó a acariciársela suavemente—. Supongo que eso nos convierte casi en compatriotas. Me crié en Cayo Hueso en la casa de mi agüela, que da al mar del Caribe. Fue un buen sitio para crecer. Yo era un niño enfermizo, con principio de raquitismo. Lo hubiera pasado mal en una gran ciudad como Washington, donde trabajaba mi padre.

¿Raquítico? El físico de Héctor era firme y elegante,

la piel color aceituna exageraba la definición de los músculos, largos y bien formados. Las piernas eran fibrosas y potentes, sus abdominales parecían esculpidos a cincel. Los brazos eran nervudos y surcados de venas caudalosas.

—Has mejorado bastante desde entonces. Supongo que tu agüela negociaría un milagro con Changó.

—Hizo algo mejor —dijo Héctor—. Me llevó al gimnasio del negro Príamo.

ESCALERA AL CIELO

Era agradable pisar de nuevo tierra firme después de cinco horas balanceándose en las aguas un poco picadas del lago. Agradable, recorrer los parterres del parque de la Grange con el sol del crepúsculo en los ojos. Sentarse en un banco de piedra frente a una explosión de rosas rojas y amarillas, sintiendo el tacto áspero del granito en las yemas de los dedos.

Aquel aroma a rosas, aquella gloriosa puesta de sol, la cascada de oro viejo derramándose sobre los hombros de Irene. Quizá si se concentraba lo suficiente, los otros dos desaparecerían, dejándole a solas con ella. Por si acaso cerró los ojos y formuló el deseo a Changó. Pero el *orisha* no estaba por la labor; cuando los abrió, ambos seguían allí. Corinne parecía cansada después de un largo día de exhibir su plumaje. O quizá simplemente aburrida porque nadie le hacía ningún caso. Matthieu tiraba de la lengua a Irene.

—... la probabilidad que obtengo de que se forme una burbuja extraña en el LHC es de una entre un millón de colisiones —decía ella—. Anoche terminé por fin el cálculo. Creo que es un resultado importante. Si estoy en lo cierto, el detector Omega puede percibir miles de esos objetos. Si no lo han hecho ya es porque deben de estar buscando en la esquina equivocada. Mi cálculo predice la distribución angular y dependencia energética de..., en fin, predice dónde buscar esa señal.

—¿Y se trataría de un descubrimiento importante? —preguntó Matthieu.

—¡Y tanto! —exclamó Irene—. Sería la primera evidencia directa de que pueden formarse objetos similares a un núcleo atómico, pero compuestos de materia extraña en lugar de materia ordinaria.

—Ahora sí que vas a tener que concederme una entrevista —dijo Matthieu—. No sea que te den el premio Nobel.

—No, hombre —rió Irene—. Se lo darán a Friedrich von Zhantier.

—Si no se carga el mundo antes con ese horrible experimento —terció Corinne.

—Tranquila, mujer. No hay riesgo alguno.

—Espera, espera —pidió Matthieu—. ¿No anda por ahí el libro de ese filósofo, Reeves, diciendo que las burbujas extrañas son un gran peligro para el planeta?

¡No!, pensó Héctor, recordando la conversación con Helena. El novio de Corinne era periodista y no le daba buena espina. Aquél no era un tema para tratar con él.

—¿Qué tal si nos vamos? —sugirió.

—Sólo un minuto —dijo Matthieu—. Irene, supongo que Reeves no tendrá razón, ¿verdad?

—¡Pum! —gritó Corinne, alzando los brazos al cielo—. Todos por el aire.

—¿Quieres callarte y dejarnos hablar? —rugió el periodista. Héctor apretó las mandíbulas, haciendo rechinar los dientes. Por muy boba que fuera Corinne, no se merecía el desprecio que envenenaba la voz de

Matthieu.

—Se está haciendo tarde —insistió—. No tardarán en cerrar.

—Un momento, un momento —Matthieu les regaló una de sus sonrisas de galán a la vez que hacía una carantoña a la ofendida Corinne—. ¡Anda, Irene, no nos dejes en ascuas!

—Las burbujas extrañas sólo serían peligrosas si estuvieran cargadas negativamente. Si son positivas como la materia ordinaria, la repulsión eléctrica les impide acercarse a los núcleos de helio y, por tanto, no pueden reaccionar con éstos.

—¿De helio? ¿Por qué de helio?

—El tubo de vacío donde circulan los núcleos de plomo está rodeado de helio líquido, necesario para refrigerar los imanes superconductores del LHC. El escenario catastrofista de sir James es que un grumo de materia extraña sea lo bastante estable como para escapar de ese tubo e iniciar una cadena de fusiones en el helio, hasta que se forme un hipernúcleo de materia extraña, que a la larga acabaría por devorar el planeta. Pero eso es imposible si las burbujas están cargadas positivamente. Un núcleo de helio está formado por dos protones cuya carga es también positiva y, por tanto, la repulsión eléctrica impide que ambas partículas se acerquen lo suficiente para iniciar una fusión.

—Ya veo... —dijo Matthieu—. ¿Y las burbujas extrañas son siempre positivas?

—Yo creo que sí —contestó Irene—. Pero aún me queda bastante trabajo para demostrarlo.

—O sea que no estás segura.

—Todavía no. Pero no tardaré en estarlo.

—¿Nos vamos? —insistió Héctor.

—El celador nos está haciendo señas —dijo Corinne—. Van a cerrar el parque.

Tuvieron que apresurarse mientras el guarda les jaleaba con impacientes ademanes del brazo.

—¿Qué os apetece hacer? —preguntó Corinne—. ¿Tomamos un martini?

Irene sacudió la cabeza para alivio de Héctor.

—No, yo debo volver a casa. Tengo mucho trabajo.

—Te acompaño —se ofreció él.

—Vale, tortolitos —dijo Corinne, pegándose a Matthieu—. Sed buenos... Ya sabéis lo que quiero decir...

Echaron a andar casi a la carrera. Héctor se sentía de un humor pésimo después de llevar todo el día aguantando a la parejita. También Irene parecía preocupada e incomunicativa. Caminaron un rato en silencio. Había un buen trecho desde el parque de la Grange hasta casa de Irene, pero a la velocidad que iban no tardarían más de media hora en llegar. Comenzaba a oscurecer y se había levantado un poco de relente fresco. Irene se frotó los brazos desnudos sin dejar de andar, como si tuviera frío. Héctor se quitó la americana y se la puso sobre los hombros, satisfecho de su astucia. Después de todo no era tan complicado llevar el arma sin delatarse. Bastaba hacerse con una de esas carteras de mano, parecidas a un bolso de señora, que los españoles llamaban, tan gráficamente, una mariconera.

—Gracias —dijo Irene, arrebujándose en la chaqueta—. Me había quedado helada. Creo que tengo un poco de insolación.

—Demasiado yate.

—Me parece que no te caen muy bien mis amigos.

—Corinne me parece una nena malcriada. En cuanto a Matthieu, es un tiburón.

—A mí en cambio me ha parecido que estaba más encantador de lo habitual en él. Se nota que le interesa la física.

—¿Le interesa la física? ¿O chuparte información que le pueda ser útil?

—No seas susceptible. Es normal que le preocupe lo que hacemos en el CERN. De hecho, es bueno que así sea. Uno de los graves problemas del laboratorio es que conectamos muy mal con el público. Matts es un tipo listo. Personas como él pueden ser de gran utilidad para acercarnos a la gente.

—Lo que tú digas, hermana. Pero yo no me fío de él.

—¿Sabes? —dijo ella—. El otro día Corinne me mandó un recorte de prensa en el que aparece tu nombre. Mira, lo tengo aquí. —Irene rebuscó en su bolso y sacó una cartera, en cuyo interior había un recorte doblado varias veces sobre sí mismo de *The United Nations Journal*.

Habían alcanzado ya el jardín inglés. Irene se sentó en uno de los bancos que daban al lago, desplegó el trozo de papel y empezó a leer.

Una nueva iniciativa de la AIEA se ocupará de elaborar propuestas que permitan controlar, a escala mundial, la producción de uranio y plutonio, así como la seguridad de las instalaciones que los manipulen, en cumplimiento del tratado para la no proliferación de armas nucleares...

—Es un artículo horroroso —rezongó Héctor—. Pura cháchara.

—¿Te refieres a que no dan ningún detalle concreto? ¿No es lo mismo que haces tú?

—No hay mucho que contar. La mayor parte de los estudios que hacemos...

—¿Son demasiado complejos para que los entienda una pobre física teórica? Héctor, ¿somos amigos? Entonces no me tomes por tonta.

—Lo siento, Irene. Me gustaría contarte más. Pero no puedo.

Irene se levantó bruscamente del banco, arrugó el recorte de periódico, haciendo con él una bola, y lo tiró a una papelera vecina.

—Nadie te lo ha pedido —dijo.

Mister PESC carraspeó y se sirvió un vaso de agua, preparándose a oficiar la ceremonia. Una charada más. En torno a la mesa oval de la sala de reuniones de la ONU se agrupaba el Comité Ejecutivo al completo de la operación Alerta.

—Señores —empezó Mister PESC —, nos encontramos frente a una situación imprevista que exige una respuesta inmediata por nuestra parte. Coronel Velasco, por favor.

Vestido con un traje gris demasiado ancho y una corbata negra mal anudada, Velasco parecía el empleado modelo de una funeraria. Hubiera sido imposible encontrar a alguien más apropiado para transmitir las malas noticias.

— RAN detectó el viernes una parada imprevista de la central de Bushehr. El reactor arrancó de nuevo anoche.

La cantidad de combustible en su interior ha disminuido en casi un treinta por ciento, correspondiente al exceso que habíamos descubierto. La cantidad de plutonio que contendrían las barras faltantes es de unos cien kilos aproximadamente.

—Podría solicitarse una inspección extraordinaria de las instalaciones —intervino Gregoire— a fin de comprobar si ese plutonio se encuentra en el depósito de residuos radiactivos de la central. Si el secretario general lo autoriza, yo mismo estaría encantado de servir como mediador.

—Excelente idea, señor Gregoire —dijo Pullman—. Si todo el mundo está de acuerdo, por mi parte me complacería sobremanera contar con su ayuda.

Hubo un murmullo general de asentimiento. Héctor observó que Velasco y Dijstra intercambiaban una rápida mirada. El momento de dar el espectáculo se acercaba.

—¿Me permite una pregunta, mayor Espinosa? —pidió Dijstra.

Allá vamos, pensó Héctor.

—Naturalmente, señor.

—Es posible que el plutonio robado no se encuentre ya en la central nuclear, sino en algún depósito clandestino, probablemente en sus alrededores. ¿No podría RAN detectar su localización?

—Hemos estudiado esa posibilidad —contestó Héctor—. He preparado un informe.

—Adelante, mayor —dijo Pullman—. No nos tenga en ascuas.

Héctor conectó su Macintosh al proyector. Un instante después la pantalla mostraba un mapa aéreo de la zona con un círculo rodeando la central y una cruz marcando la localización de RAN.

Una localización falsa, claro estaba.

—¿Cuál es el mejor señuelo para cazar patos, mayor? —Velasco se había divertido de lo lindo haciéndole sentirse ingenuo como un monaguillo.

—¿Un pato de goma?

—Ni hablar. Ven el engaño a la legua. En cambio, un pato que no puede volar los engatusa siempre. Un pato cojo, eso es lo que vamos a utilizar.

Un pato cojo. No una simple imitación de un módulo RAN, sino un módulo en toda regla. Se trataba de uno de los primeros prototipos con los que habían experimentado en San Onofre, todavía operativo, aunque inútil en la práctica.

—Claro que eso da igual —había dicho Velasco tan satisfecho de sí mismo como cuando vestía su uniforme de gala—. El detector está activo, la alta tensión funciona, la electrónica está en marcha y el programa de adquisición muestra datos que parecen reales.

—Pero ¿cómo se transportó todo eso hasta Irán? ¿Cuándo?

—Pieza a pieza, a lo largo de los últimos tres años, empezando al mes siguiente de que se me asignara a este proyecto. Estaba instalado mucho antes de empezar la operación. Nos permitió comprobar que la infraestructura local funcionaba bien y tener preparado un señuelo que, como ve, ha resultado útil.

—¿Y por qué razón no se me informó? —preguntó Héctor, sintiéndose, para su sorpresa, más maravillado por el truco sibilino que ofendido de que nadie le hubiera puesto al corriente.

—Porque no era necesario —dijo Velasco. Héctor creyó leerle el pensamiento.

—Quien no sabe, no delata.

—Vamos a necesitar una presentación convincente para el lunes, muchacho —dijo Pullman—. Es imprescindible que el topo se trague el anzuelo.

Y estaba sucediendo, pensó Héctor, a juzgar por la atención con que todo el mundo le escuchaba.

—RAN está instalado en una nave industrial en las afueras de Shiraz, propiedad de una compañía francesa. El detector puede registrar los neutrinos procedentes del plutonio hasta un radio de unos doscientos kilómetros, lo cual nos permite monitorizar el reactor de Bushehr, por un lado, y la región de las Montañas del Perdón, donde podría situarse un depósito clandestino. De acuerdo con mis cálculos podríamos localizar ese depósito en cuestión de un mes.

La mentira no podía ser más burda siempre que se tuvieran algunas nociones elementales de física. Para empezar, la cantidad de neutrinos que emitían las barras de combustible robadas, una vez extraídas del reactor nuclear, era ridícula, puesto que las reacciones de fisión que los producían en cantidades astronómicas se amortiguaban rápidamente. Para seguir, incluso si los cien kilos de plutonio estuvieran en plena reacción en cadena, el número de neutrinos disminuía con el cuadrado de la distancia entre la fuente y el detector. A doscientos kilómetros de la central haría falta un aparato cuarenta mil veces mayor que RAN para detectar neutrinos.

Velasco se había reído a gusto de sus preocupaciones.

—¿Todavía no lo entiende? Para casi todos los que van a escucharle el lunes, RAN funciona por arte de magia.

—Pero es tan obvio... —protestó Héctor.

—Qué ingenuo llega a ser a veces, mayor —dijo el coronel, dándole una palmada, por una vez amistosa, en el hombro.

—Señor Gregoire, nos encontramos de nuevo —dijo Rostam Sistani, sacudiéndole el brazo con tanta energía como si pretendiera arrancárselo de cuajo—. Venga, vamos a pasear. ¡Hace un día estupendo!

El general echó a andar con el vigor de un boy scout. Gregoire se precipitó tras él. La subida a la Dole, uno de los puntos elevados del Jura, era muy empinada y se encontró jadeando al cabo de diez minutos. Su larga zancada, muy eficiente en terreno llano, no le valía de nada en aquella cuesta abrupta. Además, aunque había tenido la precaución de calzarse botas de montaña cuando el intermediario le había informado de que su excelencia le invitaba a dar un «paseo por el campo», el remedio resultaba peor que la enfermedad. Las botas le apretaban los pulgares, rozaban contra los talones y se los laceraban malamente. Los guardaespaldas de Sistani, vestidos de paisano y con zapatos de domingo, lo estaban pasando igual de mal que él.

Era muy temprano y no se cruzaron con nadie durante la hora larga que les costó alcanzar la cresta. Gregoire se dejó caer, reventado, sobre un parche de hierba todavía húmedo de escarcha.

—Mire qué paisaje tan bello —dijo Sistani, inspirando de una sola bocanada la mitad del oxígeno de la montaña.

Tenía razón. A pesar de lo temprano de la hora, las nieblas matutinas se habían ya disipado y la vista del valle era soberbia. El lago Lemán formaba un largo huso, en cuyo extremo crecía la ciudad de Ginebra. Había ya algunos veleros surcándolo y el delgado penacho del Jet d'Eau se alzaba hacia lo alto como aquella escalera hacia el cielo de la canción de Led Zeppelin, la preferida de Adele.

Pero Adele había desertado a mitad de camino al paraíso, dejándole perdido entre dos pisos sin número, sin más opciones que reventar o esforzase hacia arriba, echando el bofe, persiguiendo a un hombre que más bien se le antojaba un semidiós con aquel rostro extraído de las piedras de Persépolis, la concentrada energía que parecía rodearle, la seguridad en sí mismo propia de quien posee la certeza de no equivocarse. La duda, después de todo, era la triste herencia de los desposeídos como él, sin otro faro que el de su propio instinto. Sistani era un creyente, al igual que lo era Shirin. La fe era su arma.

—¿Le ha cansado la subida? —preguntó el general, sentándose a su lado y propinándole unas palmadas consoladoras en los hombros—. Tiene que perdonarme. Crecí en las montañas de Alborz, mucho más altas que éstas. El paseo de esta mañana me ha recordado mi juventud y no me he dado cuenta de que subíamos demasiado rápido.

—No se preocupe —dijo Gregoire—. Me viene bien el ejercicio.

—También a éstos —aseguró Sistani, señalando a los guardaespaldas, que, un poco rezagados, parecían tan asfixiados como él—. Los jóvenes de hoy en día no valen para nada. ¿Sabe? Las montañas me salvaron la vida una vez. Durante la guerra con Irak. El enemigo atacó con gas venenoso y la única forma de ponerse a salvo era subir cuanto antes a un punto elevado. Había unas colinas en la vecindad. Unos pocos de mis hombres y yo mismo conseguimos llegar hasta lo alto, pero los iraquíes habían previsto esa vía de escape y dos de sus cazas nos ametrallaron. Sólo sobrevivimos mi ayudante y yo. Una bala le destrozó el pie y no podía caminar, pero Dios me dio fuerzas para llevarlo a cuestas hasta nuestras líneas. ¿Cree en Dios, señor Gregoire?

—No... —titubeó Gregoire—, no lo sé.

—Ningún hombre puede acarrear a otro durante cincuenta kilómetros con sus propias fuerzas. Hace falta un milagro. Cuando se es testigo de un milagro, se tiene fe.

—También salvó a una niña —dijo Gregoire—. Sacándola de las llamas.

—Fue otro milagro. Y si existen los milagros existe Dios, no lo olvide.

—Tengo novedades muy importantes que comunicarle —anunció Gregoire—. El monitor del que le informé en nuestra anterior entrevista..., RAN... —titubeó, indeciso. Quizá, se dijo, había cruzado la línea de no retorno tiempo atrás, pero en el instante en que delatara la localización del artefacto, su suerte, para bien o para mal, quedaba definitivamente echada.

—¿Sabe?—interrumpió Sistani—. He estado leyendo

sobre esas partículas tan misteriosas, los neutrinos. Un tema apasionante. ¡Quién podía imaginarse que unos objetos tan diminutos contuvieran tanta información! Me dije a mí mismo que hay una lección que aprender de ello. Es un error despreciar lo que nos parece insignificante, ¿no le parece? El Corán enseña que la arrogancia nos lleva a la perdición.

Gregoire contempló la ciudad lejana. Desde aquella altura no se distinguía movimiento, tan sólo una fotografía estática carente de emociones. La arrogancia de los poderosos. Se preguntó si Sistani le había leído el pensamiento.

—Perdone por interrumpir —dijo éste—. Hoy estoy muy charlatán. Demasiado aire fresco.

Gregoire le observó de reojo, sentado a su lado, abrazándose las rodillas con una sonrisa de felicidad en el rostro cuyas facciones se confundían en su imaginación con las del héroe del grabado persa.

—RAN ha detectado la parada imprevista de la central de Bushehr y la sustracción del exceso de barras de combustible. El secretario general de la ONU convocará al primer ministro en breve a una reunión para solicitar una inspección de la AIEA.

—¿Y qué razones alegará el secretario? —preguntó Sistani con una sonrisa guasona en los labios—. ¿Confesará la existencia de un artefacto espiando ilegalmente nuestro territorio nacional? ¿Dará cuenta de otra conspiración más de las potencias occidentales en contra de la República Islámica? ¡Estoy seguro de que el doctor Razavi tendrá un gran placer en charlar con él!

—Hay algo más —aseguró Gregoire—.

Aparentemente RAN puede detectar la localización de la barras sustraídas en un rango de doscientos kilómetros o más, aunque por lo visto necesitará algún tiempo para ello.

—¡Ah! —exclamó Sistani sin hacer ningún esfuerzo por ocultar la expresión de contrariedad en su rostro—. Eso no son buenas noticias.

—Tengo otra que sí lo es —dijo Gregoire, sintiéndose exultante de gozo, como un niño que presenta los deberes bien hechos a su maestro—. Puedo proporcionarle las coordenadas exactas del escondite de ese detector de neutrinos.

GOLPE PREVENTIVO

Cualquier otro día no hubieran tirado por los callejones mal iluminados que atajaban hacia la rue de Lyon, cruzando bajo el puente del tren de alta velocidad. Pero Irene tenía prisa y posiblemente estaba deseando librarse de él. Caminaba con la cabeza gacha, a paso vivo, perdida en su mundo. Parecía tan reconcentrada que no se había atrevido a proponerle el camino más largo, pero mejor iluminado, a lo largo de la rue de la Servette.

Tampoco él estaba de muy buen humor. Dos semanas antes tenía la esperanza de que todo se resolviera de inmediato. Ahora parecían atrapados en un callejón sin salida.

—Paciencia, mayor —decía Velasco—. Ya verá cómo pican.

Paciencia. Toda su vida parecía detenida esperando a que se resolviera el impasse. Su trabajo en la ONU no sería más que una charada mientras RAN fuera material clasificado. Una charada como su relación con la muchacha que caminaba a su lado casi rozándole y, sin embargo, distante, cada vez más distante a medida que pasaban los días, repitiendo un ritual que empezaba a oler a rancio. Así no podía seguir. Pero ¿qué podía hacer?

Alzó la cabeza con rabia, harto de mirar las puntas de sus zapatos. Fue entonces cuando los vio.

Quizá los habían seguido, quizá era pura mala suerte.

No deberían haber tomado ese camino.

Eran cinco o seis, como la otra vez. Héctor reconoció de inmediato al rubio de los brazos tatuados. Estaba apoyado contra una farola, rodeado por su gente.

Perra fortuna. No valía la pena retroceder, eran muchos y podían cortarles el paso a poco que se lo propusieran.

Antes de coger a Irene por el brazo se colgó la mariconera de un hombro, soltó el cierre, quitó el seguro a su automática y tiró del puente hacia atrás, dejándola montada.

Irene dio un respingo al sentir el contacto de su mano.

—No te asustes —dijo Héctor, señalando con la cabeza a la pandilla.

—No creo que quieran hacernos daño —contestó ella.

Eso era tener agallas. Pero no compartía su optimismo, mucho menos cuando se apercibió de que el grupo se abría a medida que se iban acercando, rodeándoles, apenas llegaron a su altura.

El gordo de la coleta, al que había roto la nariz hacía unos meses, fue el primero en acercarse a ellos, escupiendo hacia un lado como una mala imitación de un gánster.

—Ahora te vas a enterar —amenazó, propinándole un empujón en el hombro.

El gordo, pensó, debía de estar necesitado de ganar puntos con su jefe o no se le hubiera acercado. Había visto tipos como él a docenas en el gimnasio.

—Donde más abundan los cobardes es en el ring, chico —solía decir el negro Príamo—. Y en las bandas.

De hecho, el gordo tenía tanto miedo que sus acciones eran tan predecibles como las de un autómata. El empujón, totalmente inútil en una pelea callejera, no demostraba otra cosa que atolondramiento. Lo siguiente sería intentar golpearle apenas le diera la espalda.

No tuvo más que fintar, apartándose a un lado, y alargar la pierna para que el seboso tropezara y su propio impulso diera con él en el suelo, lo que arrancó una carcajada a la pandilla al completo. Al que más gracia pareció hacerle fue al rubio, que le guiñó un ojo, como felicitándole por quitarse de encima a aquel inútil.

El gordo se levantó como pudo del suelo e hizo ademán de encararle de nuevo, pero el rubio ladró una orden que le dejó clavado en el sitio, como un perro bien amaestrado. Luego se giró hacia ellos.

—¿De paseo, Irene? —dijo, alargando una manaza tatuada hacia su cabello.

Héctor reaccionó sin pensar.

—¡Aparta esa mano! —gritó, propinándole un empujón a la altura del bíceps. Igualmente podía haber empujado una pared. Pero una pared no hubiera reaccionado tan rápido. La mano que se extendía hacia Irene se retorció con la velocidad de la serpiente que llevaba tatuada y le asió la muñeca derecha. La otra, todavía más rápida, le atrapó del cuello. La fuerza de aquellos dedos era enorme. Héctor tuvo el tiempo justo para reaccionar. Empuño la pistola con la mano izquierda, plantándosela a Boiko debajo de la mandíbula. Por un momento los dedos de él se crisparon más todavía asfixiándole. Héctor buscó sus ojos. Si no entendía el mensaje en su mirada, estaría muerto en el siguiente instante.

Los dedos soltaron presa. Boiko dio un paso atrás. Tranquilo, sin mostrar miedo alguno, frío como un profesional del póquer que sabe que la banca está jugando con cartas marcadas.

—¡Atrás! —gritó Héctor—. Todo el mundo atrás.

Por fortuna ninguno de los pandilleros parecía llevar un arma de fuego. Se revolvían inquietos, pero todos retrocedieron. El rubio le miró de arriba abajo sin perder la sonrisa, como midiéndole. Excepto por el profundo tajo que bajaba desde su párpado, el suyo podía ser el rostro de un franciscano.

A continuación echó a andar de espaldas sin quitarle la vista de encima, seguido de su gente. Un instante antes de doblar la esquina se llevó el índice y el corazón a los ojos, hasta tocarse los párpados, antes de estirar el enorme brazo en su dirección apuntándole con ambos dedos.

—Ya nos veremos por ahí —dijo jovialmente.

Irene tenía la mirada fija en su pistola. Héctor la desmontó, echó el seguro y se la metió en el bolsillo.

—No sabía que necesitaras llevar un arma —dijo Irene—. Parte de tu trabajo, supongo.

—No sé tú qué opinas —replicó Héctor, masajeándose la garganta, dolorida allá donde los dedos de Boiko habían apretado salvajemente—. Pero a mí me parece que nos ha sacado de un buen lío.

—¿Te ha hecho daño? —Irene se acercó a él hasta casi abrazarle, rozándole el cuello con sus dedos de uñas romas que jamás había visto pintadas.

—Ese tipo tiene fijación contigo. Deberíamos ir a la policía mañana.

—Yo... —Héctor notó cómo las manos de Irene

abandonaban su cuello, cómo sus cuerpos volvían a separarse—. No creo que sea peligroso.

Héctor reprimió la maldición que pugnaba por escaparse de sus labios. Aquella bestia con cara de ángel se lo había pensado antes de soltarle, incluso con la punta de una pistola bajo su barbilla. El cuello le dolía horriblemente, daba la impresión de que hubiera podido retorcérselo con una sola mano de no haber ido armado... ¿Que no era peligroso? ¿En qué estaba pensando Irene?

—Hermana, llevo cinco lustros boxeando en gimnasios de mala muerte —dijo—. He visto pasar de todo por el ring. Marines, matones a sueldo, psicópatas y la mitad de las bandas juveniles de Miami. Y no me había tropezado nunca con alguien tan salvaje como ese Boiko.

Irene sacudió la cabeza. Héctor se preguntó qué o a quién estaba negando.

—Vámonos, anda —dijo, tomándole de la mano—. Estoy rendida.

No tardaron en llegar al portal de su casa. Héctor conocía la rutina. Ella no tardaría en poner los pies en polvorosa, escurriéndose entre sus dedos como una anguila. Y él la dejaría escapar, inmovilizado en aquella especie de tablas en la que ambos se habían enrocado.

—¿Quieres subir? —Irene miraba al suelo, tímida como una colegiala en su primera cita, pero no había soltado su mano.

—¿Estás segura?

—No. Sí..., no quiero estar sola esta noche.

El cuerpo de Irene se apretó contra el suyo. Héctor la tomó por la barbilla y se inclinó sobre ella para besarla.

El zumbido del teléfono móvil. El tono imperativo que anunciaba que se trataba de una llamada de Velasco. Una llamada que era imposible no aceptar. Inmediatamente.

—Espinosa al aparato.

—Misa del gallo —dijo la voz cortante del coronel—. En media hora en el seminario.

—Pero...

La línea abierta. Los ojos de Irene en los suyos. La rabia asfixiándole.

—Era mi jefe. Tengo que irme. Una reunión imprevista.

—¿A estas horas? —quiso saber Irene. Pero ya había retrocedido, liberándose de su abrazo.

—Lo siento. Nada me gustaría más...

De nuevo aquel gesto, aquella moneda inservible que Irene parecía arrojar al vacío.

—No tienes que darme explicaciones.

—¡Pero quiero dártelas! Te aseguro que...

—Vas a llegar tarde a tu reunión —Irene se había dado la vuelta y huía, subiendo las escaleras de dos en dos.

Héctor esperó a oír el portazo antes de mentar en alto a la madre del coronel.

Pero Velasco no había llamado por capricho. Estaba demacrado, pálido, con profundas ojeras que delataban las muchas noches en blanco. Lo único que se mantenía intacto en aquel rostro agotado era su sardónica sonrisa.

—Se han tragado el anzuelo —dijo, a modo de saludo, mientras lo empujaba, pasillo adelante, hacia la sala de operaciones, donde ya aguardaban Geldman, Dijstra y Popov. El rostro de Pullman se asomaba a la pantalla de VCR, extrañamente remoto.

Geldman empezó a hablar apenas se hubieron acomodado.

—Los agentes del servicio secreto iraní han entrado hace un par de horas en Pato Cojo —afirmó—. Tal como era de esperar.

—¿Gregoire? —preguntó Velasco.

Geldman asintió, inclinando su cabecita de gorrión.

—Hemos averiguado que sale desde hace un año con una tal Shirin Takeyh —dijo—. Creemos que se trata de una agente de Sistani. No me explico cómo no lo hemos averiguado antes.

—¡Gregoire! —exclamó Pullman, cuyos rasgos se movían lentamente en el VCR—. ¡El hombre de confianza del secretario general! ¡Quién lo iba a decir!

—En todo caso se han dado prisa en actuar —dijo Popov con la boca llena de palomitas.

—Te lo dije, Henry —rezongó Geldman—. Demasiada gente.

Hubo un silencio espeso y prolongado. «Ha pasado un ángel, m'hijo», diría la agüela.

No, ningún ángel asomaría una pluma por allí. Si acaso un demonio familiar. Ninguno de los rostros que le rodeaban ocultaba el desaliento. Era extraño. El oficio de aquella gente, en el que él no era más que un novato, implicaba un continuo traficar con la mentira, la simulación, las pistas falsas, la compraventa de información. Y, sin embargo, allí estaban, desencantados como seminaristas cuyo director espiritual se hubiera ido de putas.

No duró mucho. Dijstra rompió el impasse. Sus modales eran tan bruscos como los de Velasco, pero ni mucho menos tan resabiados. Era una simple cuestión de envergadura física. Si Velasco midiera uno noventa y pesara cien robustos kilos, el ácido sulfúrico que corría por sus venas estaría más diluido.

—¿Qué hay de la intervención en Pato Cojo?

—Dos automóviles, ocho agentes, una operación muy rápida y discreta —respondió Geldman.

—Eso quiere decir que el general prefiere mantener la partida en secreto —dijo Pullman desde la pantalla de vídeo—. En otro caso hubiéramos tenido una visita de los Guardianes de la Revolución con toda la cobertura mediática para mostrar a las masas las maquinaciones del Gran Satán Americano y de paso pedir la cabeza de Razavi. Si no lo ha hecho es que todavía se está reservando un margen para negociar.

—¿Para negociar qué? —resopló Popov—. Ha conseguido lo que se proponían. Tiene cien kilos de plutonio en un lugar seguro.

El ruso vestía un chándal de algodón blanco y tenía junto a su silla una bolsa de deporte y una raqueta enfundada, como si la reunión le hubiera sorprendido practicando tenis o squash. Parecía inconcebible que una mole sudorosa como él pudiera dar dos pasos en la cancha sin colapsarse. Pero más le valía recordar que nadie en aquel negocio era lo que parecía.

—Estoy seguro de que el plutonio está en el depósito de las Montañas del Perdón —afirmó Geldman. En lugar de su infortunado sombrero llevaba entre las manos una especie de rosario de cuentas de azabache, que recorría rápidamente con el pulgar, como un atribulado jesuita.

—También a mí me parece probable —asintió Pullman—. Pero el caso es que no podemos demostrarlo.

—Tampoco ellos pueden moverlo de allí fácilmente sin que los satélites lo detecten —dijo Dijstra.

—No inmediatamente —intervino Héctor—. En este momento la radiactividad de las barras de combustible es demasiado elevada. Pero más adelante, cuando los niveles hayan bajado, pueden separar el plutonio de los materiales de desecho, empaquetarlo en bloques de masa subcrítica y sacarlos del depósito uno a uno, aprovechando el tráfico normal de vehículos militares en la zona.

—Gracias, mayor —dijo Pullman, dedicándole una sonrisa que en un rostro menos hierático hubiera sido casi paternal—. Creo que el escenario que describe es muy real y exige acciones inmediatas.

—¿No deberíamos poner a Razavi al corriente? —preguntó Héctor.

—Quizá deberíamos haberlo hecho antes —contestó Pullman—. Pero en este momento no creo que valga la pena. Las cosas están ya lo bastante complicadas y no veo en qué podría ayudar el ministro. Está atado de pies y manos.

—¿Y denunciar el complot al Consejo de Seguridad con la evidencia acumulada por RAN? —insistió Héctor—. Después de todo tenemos pruebas de que ha robado una gran cantidad de plutonio.

—Sería una posibilidad —dijo Pullman—. Pero podría no funcionar. Es posible que Sistani esté aguardando exactamente ese movimiento por nuestra parte para lanzar la fanfarria habitual, acusándonos de espiarles. ¿Qué tenemos para acusarles? ¿Cuántos de los delegados en el Consejo de Seguridad entenderían lo que es un radar de neutrinos? Es significativo que Sistani haya optado por no hacer ruido con Pato Cojo. Sin duda prefiere negar que RAN existe y acusarnos de inventar pruebas falsas.

La mueca de Geldman recordaba a la de un sacristán en tarde de misa.

—Israel no puede aceptar el riego de que un enemigo declarado ensamble una o más armas nucleares a corto plazo. A no ser que exista una solución inmediata y segura, mi propuesta es que consideremos la posibilidad de un golpe preventivo.

—No creo que sea posible discutir esa posibilidad sin la presencia de Mister PESC, señor —saltó Dijstra.

¿Era casualidad que Mister PESC no estuviera presente? Pullman se había conectado por VCR desde Nueva York y lo mismo podía haber hecho el ministro europeo. Por otra parte, su ausencia garantizaba un cortafuegos, quizá totalmente intencionado.

—Vamos, vamos—intervino Pullman, conciliador—. Aún no hemos agotado todas las posibilidades.

Popov había sacado su raqueta de tenis de la funda y parecía absorto comprobando la tensión de la malla.

—El caso es que nos llevan un set de ventaja —dijo—. ¿Qué tipo de acción propone, señor Geldman? Una instalación subterránea puede resistir muy bien un bombardeo.

—Quizá no me he explicado bien —puntualizó

Geldman—. Si es necesario, estamos dispuestos a usar armas nucleares contra ese depósito.

—Señor Geldman —dijo Popov—. Israel no puede lanzar un misil nuclear sobre un supuesto depósito de plutonio. No hay pruebas. Es mejor no continuar esa línea de razonamiento que les llevaría a una confrontación directa con Rusia. No vamos a permitir otro Irak.

Otro silencio, otro demonio pasando por la sala.

—¡Qué enternecedor altruismo! —exclamó Geldman—. Es una pena que la madre Rusia no considerara las consecuencias de su rapacidad antes de vender un reactor nuclear a los persas.

—Caballeros, por favor —terció Pullman—. Estamos aquí para encontrar una solución al problema, no para pelearnos. Popov tiene razón: debemos demostrar la existencia de plutonio en ese depósito para conseguir el apoyo del Consejo de Seguridad. Creo que es la única manera viable de proceder.

—Pero ¿cómo? —exclamó Velasco—. Es imposible meter las narices allí.

Héctor llevaba un rato notando los síntomas. La sensación de desapego, como si nada de aquello le concerniera, el fluctuar errático de sus pensamientos, la obsesión por detalles irrelevantes, el rosario de Geldman, la raqueta de Popov, las marcas en las mejillas de Velasco. Pero sobre todo la opresión en el pecho, la sensación de que algo se le escapaba, como una sombra perseguida en un sueño.

Los neutrones, los neutrones. Los malditos neutrones. Dos años de trabajo malgastados justo cuando por fin entendían los prototipos.

El fogonazo de lucidez le pilló de improviso, como siempre. ¿Cuánto tiempo llevaría mirando al infinito con la boca abierta y expresión de acémila en el rostro cuando Velasco le sacudió, tomándole por el hombro?

—¡Mayor! Despierte, hombre.

—Sé cómo hacerlo —fue lo único que acertó a responder.

Todo el mundo mirándole. Esperanzados. Curiosos. Incrédulos. Sobre todo incrédulos, con la excepción de Velasco, que parecía más bien impaciente, como si diera por sentado que la idea funcionaría siempre que se apresuraran en llevarla a la práctica.

—Podemos usar un detector de neutrones —dijo Héctor—. El mismo principio que usan los aparatos que manejan los inspectores de la AIEA. Con dos diferencias a fin de conseguir mayor alcance. Debe ser mucho más grande y ha de ser mucho más eficiente capturando neutrones.

—¿Cuánto tiempo necesita para construir algo así? —preguntó Velasco.

—Un año o más si tuviera que partir de cero —dijo Héctor—. Se trata de una cámara de proyección temporal a alta presión, que funciona con Xenón de muy alta pureza dopado con...

—Por lo que a mí respecta, mayor, podría funcionar con kriptonita —cortó Velasco—. No disponemos de un año.

—Afortunadamente lo invertimos de antemano, coronel.

—¿Le importaría dejarse de acertijos, Espinosa? —Era el Velasco de siempre, pensó Héctor. Irascible, despectivo y malencarado. Casi enternecía aquella fidelidad a sí mismo.

—Los primeros prototipos de RAN pretendían detectar los neutrones que emite el plutonio. Llegamos a construir un detector de buen tamaño que todavía debe de andar arrumbado por algún sito en Livermore. No costaría demasiado ponerlo a punto.

—¿Cuánto? —la pregunta cortante, restallando como un latigazo al aire, no provenía de Velasco, sino de Pullman.

—De tres a seis meses —dijo Héctor.

—Demasiado. ¿Puede hacerse en menos tiempo?

—Con suficiente equipo y mano de obra, posiblemente.

—Habría que considerar los problemas logísticos —apuntó Dijstra—. ¿Qué tamaño tendría ese objeto?

—La carcasa exterior es un cilindro de dos metros de diámetro y tres metros de largo. La electrónica va incorporada al detector y apenas ocupa espacio. Se requiere también un sistema de recirculación y purificación del gas Xenón, pero puede construirse uno que no sea demasiado voluminoso. Y las baterías, claro está.

—Ya veo. Entonces cabría todo en un cuatro por cuatro de buen tamaño.

—Esa era la idea inicial. Un aparato móvil que pudiera detectar los neutrones del plutonio a una cierta distancia..., del orden de varios kilómetros.

—¿Qué hay de la operación de ese detector, mayor? —

Dijstra y Velasco parecían dos armas gemelas, pensando al unísono, alternando preguntas como se repartirían ciclos los dos procesadores de un Pentium dual—. ¿Se requiere un experto para manejarlo?

—Desde luego —dijo Héctor—. De hecho, el único que puede manejar ese detector en un plazo de tiempo tan corto soy yo.

—¿Se está ofreciendo voluntario, mayor? —Velasco rara vez miraba directamente a los ojos, como una gorgona que temiera convertir a su interlocutor en piedra. Pero esta vez parecía querer taladrarle las pupilas.

Héctor le sostuvo la mirada. Pero no estaba viéndole a él, sino a Diego Espinosa. Finalmente el viejo no se había muerto sin pisar las calles de La Habana. La hazaña no fue comentada por la prensa ni se le concedió medalla alguna por ella. Las negociaciones no avanzaban. No estaba garantizado que una entrevista clandestina con Fidel sirviera de nada. Los halcones del Pentágono no estaban a favor. Los espías rusos que infestaban la isla, tampoco. Pero el presidente dio el visto bueno. Más tarde se supo que el avión en que volaba su padre llegó a aterrizar gracias a un mecanismo de disparo defectuoso que abortó un misil tierra-aire destinado a derribarle.

«Algunas veces en la vida hay que jugársela, hijo. Para eso somos hombres».

Estaba amaneciendo cuando salieron del sótano. Popov y Geldman montaron en un Mercedes negro con placas diplomáticas que arrancó casi sin ruido y desapareció en un instante tras las puertas blindadas. Velasco, Héctor y

Dijstra se dirigieron hacia el anticuado Volvo del coronel.

—Suba, mayor —dijo Velasco—. Le llevo a casa.

—Gracias, coronel. Creo que preferiría ir dando un paseo.

—Se acabaron los paseos por ahora.

—¿Y eso?

—Teníamos un topo —dijo Velasco—. Todavía no sabemos cuánto les ha contado. Posiblemente habrá dado nombres. En ese caso se ha convertido en una pieza sabrosa para el servicio secreto iraní.

—¿Voy a tener que llevar escolta a todas horas?

—No va a hacer falta. Volamos esta noche a San Francisco. Pasado mañana tiene que estar trabajando en Livermore.

—¡Esta noche! —Héctor retrocedió un paso, como si Velasco acabara de propinarle un empujón—. Creí que dispondría de unos cuantos días.

—El tiempo apremia y aquí no está seguro. Dijstra pasará a buscarle hacia el mediodía. Procure dormir algo y prepárese una maleta ligera. No se moleste en recoger la casa.

—¿Qué hay de mi oficina? No puedo desaparecer así por las buenas.

—Ya nos ocuparemos. Anímese. En un par de meses toda esta mierda será historia.

—¿Puedo al menos... despedirme?

Supo la respuesta antes de que el coronel hablara. Bastó con observar la manera en que estudiaba las bien lustradas punteras de sus zapatos.

—Lo siento, Espinosa.

Tenía razón. ¿Qué iba a decirle a Irene, que apenas

soportaba sus silencios? ¿Cómo iba a justificarle su desaparición sin explicarle adónde iba, qué iba a hacer, cuándo volvería?

La había perdido. De la peor manera posible. Desapareciendo de su vida a hurtadillas, como un ladrón.

CIUDAD SIN SUEÑO

Las cuatro de la madrugada. No existe una hora más inhóspita en el mundo. A las tres aún hay corrillos que apuran la última copa, llamada la espuela, por ser la que se bebe para el camino. Aún hay quien se aferra a las páginas de un libro. Hay parejas haciendo el amor en la trasera de un coche aparcado en una esquina del arrabal. Viejos insomnes que miran por la ventana a la noche, niños que lloran, madres que acuden, poetas ahogándose en un verso.

Luego, a las cinco, suenan las sirenas que llaman al turno de la mañana, amanecen los taxistas y los panaderos, se levanta el opositor a notarías, el ejecutivo que no dispone de otra hora para el gimnasio, el optimista madrugador, los viajeros cuyo avión sale a primera hora.

Pero a las cuatro de la madrugada, todo el mundo duerme en Ginebra.

Todo el mundo excepto los habitantes de una ciudad sin sueño, todavía más invisible a esta hora inhóspita que todas esas otras invisibles ciudades con las que se superpone.

Helena Le Guin se ha levantado de la cama y anota unas cansadas reflexiones en su cuaderno, escribiendo con letra cada vez más diminuta para ahorrar el espacio que se le agota y haciendo girar de vez en cuando su pluma entre los dedos. Mauricio Gatto ronda por los pasillos del CERN, recorre una y otra vez el trayecto entre su despacho y el cuarto de baño, se lava las manos cada vez, frotándoselas vigorosamente con jabón, antes de retornar a sus paseos, a sus elucubraciones, a la búsqueda de la teoría sobre el todo, a los cálculos que demuestran que el universo tiene los días contados. En algún momento se escurre hasta el despacho de Irene de Ávila y deja sobre la mesa un paquete de cigarrillos que hoy, como cada día, ha comprado para ella.

Irene también vela. Está sentada frente a su ordenador, tratando de escribir un artículo, del cual, por ahora, sólo ha conseguido anotar el título: *Materia extraña.* Está cansada. El día ha sido largo y repleto de emociones que aún no ha digerido. No consigue concentrarse, asediada por sentimientos superpuestos que no sabe interpretar. Debería irse a dormir, refugiar su atribulado corazón en el sueño. Pero ¿quién sueña o duerme?

Duerme el coronel Velasco, roncando un poco, indiferente a las aristas del incómodo asiento de segunda en el avión de línea que le lleva desde Ginebra a Los Ángeles en vuelo directo. Duerme el senador Pullman con un sueño más inquieto y endeble a pesar de su asiento en primera clase. Duerme Corinne en brazos de Matthieu, soñando con iguanas.

Héctor Espinosa no duerme. Como el Minotauro en su laberinto, da vueltas y vueltas a todo lo que le ha pasado en menos de cuarenta y ocho horas, tratando en vano de cambiar la realidad. Antes de embarcar ha enviado una nota de despedida a Irene, en la que hasta las comas suenan a falso.

El sueño le parece inconcebible. Quizá, piensa, no duerma nadie por el mundo. Nadie, nadie.

No duerme nadie.

TERCERA PARTE
MAYO

EL ARTE DE LO POSIBLE

Irene se tumbó en el suelo, apoyando la cabeza en uno de los cojines que constituían, aparte de la mesa de trabajo y un par de sillas, su único mobiliario.

Le dolía la espalda. Demasiadas horas encorvada frente al ordenador. Le dolía la cabeza. Demasiadas noches en blanco. Le dolía el estómago. Imposible alimentarse sólo de café.

En cambio, pensó, el corazón no le dolía. El corazón era una víscera cuya única misión es bombear sangre al organismo. Una bomba que aspira y expele, sístole y diástole, contracción y expansión, pura hidráulica. Una y otra vez.

Hasta el día en que reventaba.

Se sentó en el suelo, cruzó las piernas en la postura del loto, estiró los brazos por encima de la cabeza, arqueando la espalda para relajar las vértebras lumbares. En el balance positivo: su artículo, casi listo para enviar a *Science*. También había reproducido el cálculo de Nakamura y había obtenido los mismos resultados que él. Helena estaría contenta. Tenía que hablar con ella cuanto antes.

En cuanto tuviera ánimos para hablar con alguien.

Siguió repasando: carta de Raúl, siete folios repletos de nuevos juegos *matemágicos*, como le gustaba llamarlos, recién inventados para ella por su padre. Leila adjuntaba unos rápidos renglones y una partitura.

Cuidadosamente soltó las manos y las bajó hasta la altura de las lumbares, describiendo un semicírculo. Las enlazó de nuevo, tras la espalda, estirando hacia arriba hasta sentir la tensión en los hombros y los tríceps.

En el balance negativo: el correo de Héctor. Conciso y al grano, como era de esperar en él. Un me marcho. Un lo siento.

Se levantó, apoyó las palmas de las manos en la pared y empujó contra ella; así propagó la tensión a lo largo de la espalda. Luego, con un movimiento circular, se recogió sobre sí misma y se llevó las manos a los tobillos, manteniendo las piernas casi estiradas y aguantando la airada protesta de su femoral.

Ya estaba. Se sentía mucho mejor. Con el corazón roto pero en forma.

Shiraz olía a jazmines.

El aroma le asaltó apenas bajó del taxi y le persiguió mientras cruzaba el vestíbulo del hotel. El recepcionista sería de su edad, aunque el orgulloso bigote, espeso y negro como piel de nutria, le daba un aire severo, acentuado por sus modales ceremoniosos, no exentos de altivez. Bastó con que echara un vistazo a su pasaporte, sin embargo, para que sus rasgos se distendieran en una sonrisa de bienvenida.

—*Salam*, Robles *aga* —saludó, llevándose una mano al corazón.

—*Salam aleikum* —contestó Héctor, imitando su gesto.

—Es un placer recibirle —dijo el recepcionista en un castellano tentativo pero correcto—. ¿De qué parte de España viene?

—De Ciudad Real —contestó Héctor, asegurándose de pronunciar con la falta de entonación típica de los españoles. Le salía casi natural después de seis semanas de practicar a diario.

—No está mal, Robles. Otra vez.

Velasco parecía encontrarse a sus anchas de vuelta en Livermore, con uniforme de faena y trabajando bajo presión. Se había dirigido a él desde el primer día utilizando su nombre falso, recriminándole si no reaccionaba inmediatamente, bufándole si alguna vez respondía o incluso movía un músculo cuando le llamaba, siempre de improviso, Espinosa, o Héctor, o mayor.

Incluso de repente se dirigía a él en español. No era algo inconcebible, el coronel era otro mestizo, uno de tantos portorriqueños de Nueva York nietos de los derrotados republicanos, exiliados en San Juan al finalizar la guerra civil española. El hecho de que jamás le hubiera oído hablar otra cosa que inglés en los años que le conocía nunca le sorprendió, dado que la jerga del Harlem latino donde Velasco se había criado era el spanglish. Simplemente había asumido que no se encontraba a gusto expresándose en una lengua que no dominaba con soltura.

Y, sin embargo, el castellano de Velasco era rápido y seco, con erres explosivas y jotas como papel de lija. Por comparación, su propio acento era zumo de papaya.

—Demasiado azúcar. Cualquier tonto sabría que viene de Miami. Vamos a empezar de nuevo.

En cierto sentido había sido una fortuna verse obligado a dedicarle al imaginario Rafael Robles, profesor universitario de literatura, residente en una ciudad de provincias, empedernido turista, internauta y gran aficionado a la cultura persa, todo el tiempo libre que le dejaban sus maratonianas jornadas de trabajo, poniendo a punto el detector de neutrones. Era como haberse dejado abandonado en Ginebra a Héctor Espinosa con sus confusos ideales, su mala conciencia, su arruinada historia de amor.

—¿Dónde está la librería Litec?

—Cerca de la catedral de la Virgen del Prado.

—¿Cuánto cuesta el plato del día en la cafetería Goya?

—Seis euros sin café —contestaba Rafael Robles, procurando no comerse las eses.

Velasco se echaba las manos a la cabeza, desesperado con su pobre imitación. Él, por su parte, memorizaba datos sobre Irán, como uno de esos sabelotodos que pululaban por los concursos televisivos.

—¿Qué tamaño tiene el país?

—Algo menos que Alemania, Inglaterra, Francia y España combinadas.

—¿Cuántos habitantes?

—Más de setenta millones.

—¿Su sistema político?

—Irán es una teocracia. La religión oficial es el chiismo.

—¿Cuál es la autoridad máxima del Estado?

—El supremo líder, elegido entre los ayatolás o clérigos de mayor rango.

—¿Y el presidente?

—Es elegido por sufragio universal, pero los candidatos deben ser aprobados por el Consejo de Guardianes, integrado por la élite clerical.

—Hábleme de Shiraz.

—Es una de las ciudades persas más antiguas y también una de las más prósperas. Alrededor de dos millones de habitantes. Clima moderado, una de las mejores universidades del país, centro cultural e histórico. Próxima a Persépolis.

El interrogatorio podía continuar durante horas. Pero por mucho que estudiara, por bien que se supiera la lección, el coronel no estaba nunca satisfecho.

—Es para echarse a llorar —se lamentaba—. No engañaría ni a un becario del servicio secreto en su primer día de prácticas.

Sin embargo, hasta el momento todo había resultado sencillo. El funcionario que había revisado sus papeles en la aduana del aeropuerto de Teherán se limitó a darle unas pocas vueltas a su pasaporte, examinando los visados que aseguraban el interés de Rafael Robles por el turismo —India, Malasia, Japón, Nueva Zelanda— y despachándole con un par de preguntas rituales cuyas respuestas había ensayado innumerables veces. La conexión con Shiraz había sido rápida y mucho más agradable de lo normal —nada de largas colas frente a los detectores de metales ni gorilas de uniforme a la caza de líquidos y cortaúñas, como en el aeropuerto Charles de Gaulle, en París—. El breve vuelo había transcurrido sin darse cuenta, conversando animadamente sobre fútbol con su compañero de asiento, un parlanchín comerciante de sedas, que conocía de memoria los nombres de cada jugador del Real Madrid. Afortunadamente, Velasco también había previsto el interés de los persas por el balompié.

—Digiéralo lo antes posible —le había dicho al poco de llegar a Livermore, alargándole un dossier enorme—. Si no entiende de fútbol, nadie va a creer que sea español.

A medida que se aproximaba la fecha de partida el rostro de Velasco iba acusando una tensión que él no sentía, quizá porque las doce horas diarias asimilando a un hombre imaginario surtían el efecto de hacerle vivir una realidad distorsionada en la que lo único tangible era el detector de neutrones, cuya puesta a punto progresaba más rápidamente que su capacidad de absorber las interminables listas de datos con que el coronel le castigaba.

—¿Cómo se llama el líder de la oposición en España?

—¿En qué año murió Federico García Lorca?

—¿Qué moneda se utilizaba antes del euro?

En cambio Velasco parecía no darle importancia a aspectos que a él se le antojaban dificilísimos. El transporte del detector —no había conseguido sacarle si el plan era utilizar uno de los rápidos helicópteros espías de la OTAN o un submarino Nautilus— y la puesta en marcha de la compleja infraestructura local eran cosas que, en apariencia, no le preocupaban demasiado.

—¿Por qué habría de preocuparme, señor Robles? —Velasco pronunciaba su falso nombre con retintín, la habitual mueca amarga pasando por sonrisa en un rostro cubierto de diminutos cráteres—. Esa parte de la operación corre a cargo de profesionales.

En cambio el rabino Simón Geldman no había cesado de retorcerse las manos y acariciar nerviosamente las cuentas de su rosario en la reunión en la que había repasado todos los pormenores de la operación.

—Esto es una chapuza —murmuraba como para sí, pero en voz lo bastante alta como para que todo el mundo le oyera.

—Saldrá bien, Simón —aseguraba Pullman—. Si todo funciona, bastará con un par de semanas para hacernos con la evidencia que necesitamos.

—Es una insensatez mandar a un novato —rezongaba Geldman.

—Espino..., el señor Robles es el único que puede manejar el detector de neutrones en tan corto plazo. Su ayuda es imprescindible.

Sin embargo, incluso Pullman estaba nervioso.

—Sigue en todo momento las instrucciones de Ebrahim. Tiene mucha experiencia y conoce muy bien el terreno.

Habían salido a cenar a Sausalito, su única escapada del recinto de Livermore durante seis semanas. Pullman repasaba consignas y consejos sin probar bocado mientras él se concentraba en dar cuenta de una buena ración de salmón a la plancha. Ebrahim era el nombre en clave de su contacto en Shiraz.

—No tenemos una idea clara de cuánto es posible acercarse al depósito sin levantar sospechas. Posiblemente tendréis que improvisar. Pero no corras riesgos innecesarios, ¿de acuerdo, muchacho?

Más tarde, durante los postres, Pullman había recuperado su tono distendido, casi bromista.

—Si fuera veinte años más joven, nadie me impediría acompañarte en tus vacaciones. ¡Lo que daría por volver a Persépolis!

—¿Conoce Persépolis?

—Oh, hace treinta años viajé bastante por ese hermoso país. Fui agregado cultural en Teherán a finales de los setenta. Regresé un par de semanas antes de la toma de la embajada de Estados Unidos por las turbas de Jomeini.

Pullman jugueteó, como ausente, con el diminuto continente de merengue flotando en el mar de natillas de la Isla flotante que había pedido como postre.

—Por cierto —dijo—, Sayed Sohrab Razavi era uno de los líderes estudiantiles que dirigieron el asalto a la embajada. Hay que decir en su favor que ha cambiado mucho desde entonces. Quizá fue la guerra con Irak. Sufrió una herida de bala muy grave en un pie que estuvo a punto de perder. Puede que esa experiencia le transformara.

Pullman se quedó un instante pensativo, contemplando el iceberg inmaculado que flotaba en la superficie de color dorado en el interior de su copa.

—La guerra siempre nos transforma —dijo como para sí—. Si es que sobrevivimos a ella.

—¿Lo dice por experiencia, señor?

Pullman le miró, como desde muy lejos.

—Te decía de Razavi... Realmente es una de las pocas oportunidades con que cuenta Irán para salir del callejón sin salida en que se encuentra.

Otra puerta cerrada, pensó Héctor. Otro más de los misterios a los que ya se había acostumbrado en los últimos tiempos.

—Sin embargo, hasta ahora le estamos manteniendo al margen —dijo.

—Simón no se fía —suspiró Pullman.

—El señor Geldman no se fía de nadie. ¿Por qué le da tanto peso a su opinión?

—Porque su olfato me ha salvado la vida más de una vez.

La cucharilla del senador provocó un cataclismo al partir por la mitad el blanco Atlantis de merengue que flotaba en su copa y sumergir concienzudamente uno de los pedazos en el océano de natillas antes de llevárselo a la boca.

—¿Y si demostramos que el plutonio se esconde en el depósito de Persépolis? —dijo Héctor—. ¿Seguiremos operando a espaldas del ministro?

—Al contrario. En ese momento Razavi puede acusar al general de haber colocado a la República en una situación insostenible. El éxito del complot depende de que Occidente no sepa, o no pueda demostrar, que Irán ha obtenido clandestinamente suficiente plutonio como para manufacturar veinte bombas atómicas. La política es el arte de lo posible, muchacho. Si Sistani consigue fabricar esas bombas, será proclamado héroe nacional y su ascenso a la presidencia de la República sería inevitable. Una vez que un país posee la capacidad de responder a un posible ataque con armas nucleares, hasta sus peores enemigos se lo piensan dos veces antes de tirar la primera piedra. Rostam lo sabe bien y, como es su costumbre, juega duro para salirse con la suya.

»En cambio si Razavi le pone en evidencia, con

pruebas en la mano, delante del Congreso y la Asamblea Nacional antes de que disponga de esas bombas, tanto el presidente como el líder supremo no tendrán más remedio que pararle los pies. En otro caso se arriesgan a que el Consejo de Seguridad apruebe un ataque preventivo con armas nucleares si fuera preciso.

—¿Lo haríamos realmente? —preguntó Héctor a bocajarro—. ¿Empezaríamos otra guerra?

Pullman acabó con la segunda mitad del infortunado continente, sorbió las natillas de un trago, sacó una cajita de cedro con sus sempiternos puritos y escogió uno.

—Si no lo hacemos nosotros, lo hará Israel —afirmó—. Sistani no ha dudado en repetir una y otra vez que el único mal del mundo peor que el Gran Satán Americano es el sionismo. No hay un solo discurso suyo en el que no aproveche para declarar que el Estado judío debe ser borrado de la faz de la Tierra. Para Israel la idea de que el general pueda hacerse con una bomba atómica es intolerable. Si perciben que la situación se les escapa de las manos, serán los primeros en atacar.

—No lo harían sin consultar antes con sus aliados, ¿verdad? —preguntó Héctor.

—No lo harán mientras piensen que hay otra solución.

—La hay —aseguró Héctor—. Encontraré ese plutonio.

EFECTO TÚNEL

—Huevos a la plancha, *crêpes*, café, yogur y ensalada de fruta para dos —dijo Corinne—. ¡Y champán! Una botella de Moët. ¿Sí, cielo?

Irene se fijó en el camarero. Era un chico joven, delgado como un lápiz, con una naricilla insolente y un pelo negro y lustroso como el frac del cuervo de Central Park. Tendría dieciocho o diecinueve años y sonreía embobado a la rubia cañón con apetito pantagruélico.

—Oui, madame —dijo, haciéndole una especie de reverencia mientras se alejaba andando hacia atrás, como si darle la espalda a su alteza fuera una intolerable violación del protocolo—. Tout de suite, madame.

—¿A que es un encanto? —dijo Corinne, girándose hacia ella, enviándole el efluvio de su nuevo perfume, administrado con tan poca sensatez como el anterior—. ¿Te imaginas ese cuerpecito tan mono sin ropa?

—Cariño, son las diez y media de la mañana y me acosté pasadas las cuatro. Mi única fantasía en este momento es dormir catorce horas seguidas.

—Bueno, reina. Pero dormir acompañada no hace daño.

La esquina en la que se sentaban daba a un amplio ventanal. Fuera llovía. Era una lluvia tenaz, que se estrellaba con saña contra la cristalera armando el escándalo de un borracho que ha perdido las llaves de casa y aporrea en vano la puerta.

—Te has fijado en que he escogido nuestra mesa, ¿no? —dijo Corinne.

—Claro, mujer.

—¿No te da la impresión de que madame Labastide va a salir por esas puertas de un momento a otro?

Irene miró por la ventana hacia la fachada del Voltaire desdibujada por la lluvia. Lo que hacía de Ginebra un lugar especial, pensó, no era ni el Jet d'Eau, ni el reloj de flores, ni las joyerías de la Rue de la Confédération, ni siquiera las arcas repletas de oro de la banca privada. Era el hecho de que la hija de un emigrante hubiera estudiado en el mismo instituto de enseñanza media que la heredera de una de las mayores fortunas de la ciudad.

Cada uno de los siete cursos del bachillerato, subiendo de la mano las escalinatas que daban acceso al instituto, pasando a diario junto al busto de piedra de Voltaire, camino de clase.

Excepto el último año. El último año era André quien subía a su lado.

A los diecisiete Corinne era ya una belleza despampanante, sus largas piernas quitaban el hipo y aún no se había desgraciado el busto poniéndose pechos falsos. Los chicos la rodeaban como una nube de electrones zumbando en torno a un núcleo excesivamente ionizado.

Todos excepto André.

—¿Qué habrá sido de él?

—¿De quién, reina?

—De André. Me pregunto cómo le irá.

Nunca volvió a escribir después de aquella carta de despedida. Tampoco podía culparlo. Llevaban sólo unos pocos meses juntos cuando ella se trasladó a Nueva York. El proverbial primer amor del último año del bachillerato proverbialmente truncado por los caprichos del destino.

—Ah, pues no sé, la verdad. ¿Cómo quieres que lo sepa? No tengo tiempo para seguirle la pista a todo el mundo.

Corinne parecía incómoda. ¿Era posible que aún estuviera picada? De todos los adolescentes de Ginebra tan sólo uno se le había resistido. Tan sólo uno la había preferido a ella. Por pura casualidad, además. Porque era demasiado tímido para relacionarse con otras. Porque adoraba el piano. Porque era miope. ¿Qué más daba? También en mecánica cuántica existía el efecto túnel, la rara partícula que escapa del núcleo, perforando la barrera de energía que se lo impide, como una moneda caída en lo hondo de un pozo que mágicamente volviera a las manos del que la arrojó.

—¡La comida, por fin! —exclamó Corinne, batiendo palmas—. Me moría de hambre.

El taponazo le hizo dar un respingo. Corinne apuntó hacia ella el champán que salía a borbotones, mojándola un poco.

—¡Bruja! —exclamó Irene.

—A ver si te espabilas, mona. Pareces un alma en pena.

¿Lo parecía? Había encajado mal lo de Héctor. Tampoco él había vuelto a escribir. Hacía un mes que había llegado su correo de despedida. Desde entonces, silencio.

—Necesito dormir más.

—¡Y comer! —exclamó Corinne, llenándole el

plato—. Y beberte una botella de champán. Y meterte una raya. Y echar un polvo. ¡Ya está bien, guapa! A rey muerto, rey puesto.

—Ya sabes que soy un poco estrecha.

—Pues peor para ti, porque a los tíos los vuelves locos. Y si no que se lo digan al macizo aquel de la estación. ¡Eso sí que era un hombre!

—Qué raro que no te quedaras a conversar con él —replicó Irene, malévola.

—¡Bah! Matts es un poco gallina, qué le vamos a hacer. Se acojonó vivo. Pero el supermán lo que quería era ligar. Se fue a por ti como un tigre. ¡Vamos! Si yo supiera dónde encontrar a semejante macho.

Irene sabía exactamente dónde encontrarlo. Lo había sabido todas y cada una de las noches quemadas, durante el último mes, a solas en el convento destartalado del número veintinueve de la rue de Lyon.

—Me tengo que ir pronto. Tengo una cita con Helena Le Guin esta tarde.

—¿Sabías que las malas lenguas aseguran que la Le Guin estuvo liada con Jennifer Parsons, la top model? Y con Rolandi, el primer ministro italiano. Y con...

—¡Corinne, no empieces!

—Matts *dixit*. Por cierto que no hace más que hablar de ti y de tus burbujas. El otro día le pillé escribiendo algo en el ordenador... Lo ocultó inmediatamente, pero se trataba de uno de sus artículos, seguro. Leí tu nombre...

—¿Un artículo? Oye, si piensa publicar algo respecto al CERN, me gustaría verlo antes.

—Se me ocurre una cosa. Te vienes a Ámsterdam esta noche y lo comentáis allí.

—Precisamente en eso estaba pensando. ¿Cuánto tiempo vais a estar fuera?

Corinne no daba abasto con la boca llena de crêpes, la taza de café en una mano y la copa de champán en la otra. Era un prodigio constatar las cantidades de comida que podía llegar a trasegar sin engordar un gramo.

—Pues no sé..., tres o cuatro semanas..., depende del trabajo de Matts. Yo querría ir luego a Praga y a Viena, quizá bajar hasta Italia. ¡Anda, vente!

—¿De carabina de la feliz pareja?

—¿Qué carabina? Te vendrían bien unas semanitas de asueto. En Ámsterdam hay de todo. Bares, ambiente, droga, gente, música. A ti que te gusta tanto la música, ¿eh? Y tíos, todos los tíos que quieras. Y si no, un *petit ménage à trois*. Mira que a Matts le gustas.

—Ya. Y a ti te parecería de perlas.

—¿Compartir un hombre contigo, *mon amour*? Cuando tú quieras.

—Puedes tocar la lápida —dijo Arash mientras rozaba con los dedos la losa de mármol blanco, cubierta de delicadas filigranas—. Es la costumbre.

Héctor imitó a su guía, pasando las yemas por la complicada caligrafía inscrita en la piedra.

—¿Entiendes el poema? —preguntó.

Arash negó con la cabeza.

—Es persa antiguo —dijo—, y la escritura es muy barroca. Pero conozco la gacela de memoria.

—¿No te importa recitarla para mí?

Arash le dedicó una apreciativa mirada. Era un muchacho joven, estudiante de arte en la universidad, cuyo correcto inglés le permitía oficiar de guía, acompañando a los turistas por los monumentos de Shiraz. La tumba del gran poeta era uno de los hitos obligados.

—Pida un guía en la recepción de su hotel. —Velasco le había acompañado durante la parte inicial del viaje, algunos días en España y de ahí a París para embarcar con Air France hasta Teherán—. Visite todas las atracciones obligatorias. Las tumbas de Hafiz y de Saadi, los jardines de Bagh-e-Eram, la puerta del Corán, el Bazar y unas cuantas mezquitas. Recuerde que es un devoto de la cultura persa.

—Hasta aquí es fácil —bromeó Héctor.

—Cuando visite el Bazar, busque una relojería en la zona más comercial, el Sraye Moshir. Pregunte por el dueño, el señor Esfandiari. Muéstrele su reloj y pídale que se lo repare.

—¿Qué reloj? —preguntó Héctor, mostrándole a Velasco el cronómetro japonés que llevaba en la muñeca—. ¿Éste?

Velasco le tendió una caja. En su interior había un Rolex, con corona y pulsera de acero plateado, tres pequeñas esferas sobre las que corrían otras tantas agujas y todo el aspecto de poder resistir un viaje a la Luna. Héctor silbó admirado.

—¡Vaya! ¿Es auténtico?

—Considérelo un regalo de la casa.

—¿Es sólo un reloj? ¿O sirve también para teletransportarme en caso de apuros?

Velasco sacudió la cabeza.

—Lee demasiadas novelas —dijo—. Funciona con una batería como ésta —el coronel le mostró un disco diminuto del tamaño de la mitad de su uña—. La que lleva ahora está casi gastada. Esfandiari le pondrá una nueva.

—Entendido —dijo Héctor.

—Asegúrese de que sabe llegar hasta su tienda desde cualquier punto de Shiraz con los ojos cerrados, pero no vuelva por allí a menos que surjan problemas. Si las cosas se ponen feas, Esfandiari le protegerá.

Arash empezó a recitar. Tenía una voz melodiosa y pausada que encajaba bien con la quietud del momento. Habían llegado a la tumba de Hafiz a primera hora de la mañana. La temperatura todavía era agradable y no había en el mausoleo, normalmente atestado de gente, más que un anciano y una pareja de cierta edad, que escuchaban recitar a su guía tan embelesados como él mismo.

—Regrese al Bazar al día siguiente de contactar a Esfandiari. Quédese en la zona de los orfebres y los vendedores de sedas —Velasco le tendió una fotografía—. Memorice esta cara.

Héctor estudió el retrato de un hombre de unos cincuenta años, con el pelo cano y un rostro oval, de rasgos delicados y gruesos labios, disimulados en parte por un bigote tan blanco como su cabello.

—¿Ebrahim?

—Será él quien contacte con usted. Dicho sea de paso, cuente con que le aborden en más de una ocasión. Tendrá oportunidad de comprobar que los persas son gente muy amable y curiosa. Sígales la corriente. Muéstrese interesado por todo, pero no pregunte demasiado. Limite sus opiniones al fútbol. Estudie todo lo que pueda los poetas y la historia local. Los iraníes adoran la poesía.

Lo cierto es que Rafael Robles había aprendido, durante su corta existencia, más geografía, historia y literatura que Héctor Espinosa en treinta y seis años de vida, a cambio de no saber una palabra de física.

—Recuerde, Robles es un hombre de letras. Demuéstreles que multiplica demasiado bien o que entiende el teorema de Arquímedes y empezarán a sospechar que es un espía.

¿Se sentían así los esquizofrénicos? ¿Como dos personas diferentes habitando la misma piel? Cada vez más a menudo se sorprendía mirando al mundo desde los ojos de Rafael, que tan sólo tenía en común con Héctor un boquete en el lugar donde debería haber estado su corazón.

Arash terminó de recitar y guardó un silencio leve, en el que parecían estar flotando todavía los versos cuya traducción conocía de memoria:

Descansa junto a mi tumba y trae el vino y la mandolina,
sintiendo mi presencia. Saldré de mi sepulcro.
Elévate, moviéndote suavemente, criatura,
y déjame contemplar tu belleza.

No era un mal sitio para estar muerto. El mausoleo hacía honor a la grandeza del poeta. Ocho columnas sostenían una cúpula en cuya bóveda resplandecía un cielo de cristal esmerilado bajo el que brillaban las omnipresentes estrellas de ocho puntas, el símbolo de la suerte en la vieja religión zoroastra, que por fortuna había escapado al celo de los guardianes de la fe islámica. La danza y el vino, oficialmente prohibidos en la República Islámica, estaban presentes en casi todos los versos de Hafiz.

—Oh —dijo Arash con una media sonrisa—. Los mulás nos enseñan que se trata de metáforas que simbolizan la amistad y la alegría.

—Metáforas, ¿eh?

Arash asintió, impasible. Héctor tuvo la sensación de estar repitiendo el mismo ritual que en las comunicaciones con Trischuk. Frases con doble sentido, silencios que gritan a voces lo que no nombran, detalles tan cargados de significado como un pañuelo anudado con negligencia, dejando escapar unas mechas de cabello de mujer, cuya visión, según los profetas del islam, excitaba la lujuria. Metáforas. La cabellera rojiza de Irene, atrapada en una cárcel de seda.

LA CAÍDA DE LOS DIOSES

Antes de tomar el ascensor hasta la oficina de Helena, Irene decidió pasarse por el quiosco y comprar aspirinas. La falta de sueño o quizá el champán del desayuno le habían levantado un intenso dolor de cabeza. Al pasar frente a la enorme sala de conferencias que todo el mundo llamaba el auditorio reparó en que aquella noche el club de cine del CERN proyectaba una película de Visconti. *La caduta degli dei*. Una de las preferidas de Leila.

Había cola en el quiosco. Irene se entretuvo curioseando entre los *souvenirs* y las bolsitas de chocolatinas envueltas en la bandera roja con la cruz blanca. Ojeó los periódicos sin mucho interés, ignorando, como era su costumbre, la prensa local a favor de los diarios internacionales. *Le Monde* no decía gran cosa, ni tampoco el *Herald Tribune*. La dependienta devolvía el cambio a un cliente, contando parsimoniosamente las monedas. Todavía quedaban otros dos delante.

Por puro aburrimiento echó un vistazo a *La Tribune de Genève*.

En primera página una fotografía con una vista aérea del CERN, sobre la que se había dibujado el perímetro del acelerador. Y en el centro de éste, superponiéndose a una maqueta del detector Omega, explotaba algo que podía pasar por un agujero negro.

O una burbuja extraña.

Lo supo antes de leer los titulares. «*¿Puede el LHC destruir el planeta?*» Antes de leer el nombre del autor, Matthieu Marquet. Antes de ver su propio nombre en el texto.

De acuerdo con el cálculo de la doctora Irene de Ávila, una de las autoridades mundiales en Física Nuclear, cada año se producen en el LHC miles de partículas de un nuevo estado de la materia, denominado por los expertos «materia extraña». En su celebrado best seller «Armagedón», el destacado filósofo sir James Reeves menciona la posibilidad de que estas partículas, o «burbujas extrañas», puedan reaccionar con la materia ordinaria y así iniciar una reacción en cadena capaz de aniquilar el planeta...

Por si fuera poco, venía una foto de ella, posando frente al reloj de flores, en un recuadro, bajo el cual se resumía su curriculum. Irene recordaba que Matthieu se había llegado a enfadar con Corinne, que insistía en posar con ella.

—*Vous désirez, madame?*

La dependienta, con cara de pocos amigos. Irene agitó el periódico, pidió aspirinas, le tendió un billete de diez francos y salió a toda prisa sin esperar el cambio.

Al igual que el resto de las tiendas del abigarrado Bazar, la relojería era un local pequeño y abarrotado de objetos que ocupaban cada milímetro cuadrado de la escasa superficie disponible. Relojes de todo tipo y tamaño se arracimaban como frutas exóticas en mostradores y perchas colgantes. Plástico japonés, modelos vetustos de corona rectangular y correa de cuero, imitaciones de productos de marca, radios, reproductores de música y pequeños electrodomésticos. Cuando le tendió su Rolex, Esfandiari lo estudió un rato con la expresión embelesada de un catador de vinos frente a un caldo con solera antes de desaparecer en la trastienda.

—Vuelva dentro de un par de horas —le pidió.

Mientras Esfandiari se ocupaba de su reloj, Héctor localizó el restaurante donde había quedado para cenar con Arash y su novia, una muchacha tímida, de bellos ojos, con un poco de acné en las mejillas, llamada Nasim. Le habían prometido llevarle a un restaurante tradicional. Colchones sobre un suelo alfombrado en lugar de mesas, comida servida en bandejas plateadas, abundante y no demasiado variada —los inevitables *kebab* y las infinitas variantes del yogur y la berenjena componían el noventa por ciento de la carta—. En las paredes se apretujaban cuadros, tapices, lámparas, telas multicolores. Un grupo de tres músicos se afanaban con dos instrumentos de cuerda parecidos a guitarras y una especie de larga flauta sin boquilla. Los jóvenes ya le aguardaban, instalados en unos de los colchones próximos a la pequeña orquesta.

—Música tradicional persa —dijo Arash, señalando a los intérpretes con orgullo.

Era una melodía extraña, ligeramente disonante, monótona, casi hipnótica. El intenso aroma a especias, la decoración recargada, la profusión de colores contribuían a exagerar una rara sensación de bienestar.

Se sentía un poco ebrio, como si la simple atmósfera del restaurante pudiera suplantar al inexistente alcohol. Comieron la famosa ensalada de Shiraz, bebieron té y la bebida nacional a base de yogur, el *dug*. Nasim no tardó en apoderarse de la conversación.

—¿Cómo se vive en España, Robles *aga*? ¿Es cierto que la mitad de los ministros son mujeres? ¿Es fácil encontrar trabajo? ¿Qué opina del rey?

—¡Nasim! —protestaba en vano el siempre prudente Arash.

—Ya sé que su rey no es un tirano como el sha, Robles *aga*. ¿Pero no preferirían una república? ¡La monarquía es un anacronismo del pasado!

En una atmósfera menos onírica, la imagen de una muchacha con la blusa abotonada hasta el cuello y un pañuelo cubriendo su cabello, protestando sobre anacronismos, le hubiera hecho reír a carcajadas. Pero la intensidad de Nasim, sus ganas de vivir, le recordaban demasiado a Irene. Los hábitos que vestía, simplemente, no podían contenerla.

Helena, pensó Irene, estaba furiosa y no le faltaban razones para ello. Estudiaba el artículo de *La Tribune*, dándole vueltas y más vueltas a una pluma de nácar entre los dedos sin dirigirle la palabra. Llevaba quince minutos escudriñando el texto como si pretendiera aprendérselo de memoria. En cambio Calvetti, el director del Comité Científico del CERN, le sonreía con una expresión comprensiva en el rostro. Por alguna razón le recordaron a sus padres. Leila, exigente y circunspecta; Raúl, distraído y demasiado tolerante. Y ella, la adolescente problemática, dando cuentas de su última trastada.

—No tenía ningún derecho a publicar toda esa bazofia —dijo, tratando de romper el hielo.

—Sin embargo, da a entender que le concediste una larga entrevista —contestó Helena. Su voz era mesurada y hablaba muy bajo, pero había un filo cortante en ella.

—Se trata de un amigo..., o eso creía yo.

—¿Entonces toda la información que maneja proviene de ti?

—Supongo..., sí, creo que sí.

Irene recordó a Matthieu, tomando notas febrilmente en La Bohéme de Carouge, en el parque de La Grange, en el yate de Corinne, chupando de ella como un vampiro aferrado a su yugular. Héctor había intentado prevenirla en vano.

Estúpida.

Estúpida, estúpida, estúpida.

—¿No sabías que era periodista? —preguntó Calvetti.

—Estoy dispuesta a denunciarle —contestó Irene—. Nunca le autoricé a que publicara nada de lo que le contaba.

—Sería inútil —terció Helena—. No podrías demostrar delante de ningún juez que te sonsacó con mala fe. Y aunque pudieras, el daño ya está hecho.

—Lo siento de veras —murmuró Irene—. No tenía ni idea de que pudiera ocurrir esto.

—Esta basura nos perjudica enormemente —afirmó Calvetti, señalando al periódico con la boquilla de una pipa apagada que, sin embargo, no cesaba de llevarse a la boca—. No quiero ni imaginarme el revuelo que se va a organizar en el Comité.

—¿Por qué no viniste antes a hablar conmigo, Irene? —preguntó Helena.

—Quería repasar el cálculo de Nakamura..., convencerme de que podía reproducir sus resultados. De hecho, he utilizado una técnica completamente diferente a la suya.

—¿Y?

—Obtengo lo mismo que él. Es muy probable que las burbujas sean metaestables, pero a cambio parece imposible que sean negativas.

—¿Predice tu modelo las distribuciones de energía y ángulo con que se producen las burbujas?

Irene sacó unos folios grapados de su mochila y los dejó encima del escritorio de la directora. Estaban un poco arrugados, pero los gráficos se veían perfectamente.

—Es el borrador de un artículo que pensaba enviar a Science —dijo.

Helena y Calvetti se precipitaron hacia los folios, estrujándolos como si se tratara de la carta de un hijo lejano. Componían una extraña pareja: Calvetti de pie detrás de Helena, con una mano apoyada en el respaldo de su butaca y la otra en el escritorio, las cabezas muy juntas, los hombros rozándose. Se notaba que estaban acostumbrados a la proximidad física, a la confianza que sólo da el roce prolongado con otra persona. Los rumores, por supuesto, afirmaban que había algo entre ellos. Pero los rumores afirmaban que la directora del CERN había tenido *affaires* con todos los hombres importantes de Europa. No había nada en la actitud de aquellos dos que sugiriera algo más que una vieja amistad.

—*Mon Dieu!* —exclamó Helena de repente, alzando más la voz de lo que Irene jamás le había escuchado.

—¿Qué he hecho mal ahora? —preguntó Irene.

—¿Mal? Nada, nada. Al contrario. Mira esto. —Helena golpeaba con el índice el gráfico—. ¡La señal está concentrada en una región estrechísima de ángulo y energía!

—¡No es de extrañar que Omega no la haya detectado! —exclamó Calvetti—. Tienes que saber exactamente dónde buscar para poder separarla del ruido de fondo.

Para su asombro Helena emitió un suspiro de alivio, dejándose caer en el respaldo de su butaca como una marioneta abandonada a su suerte por el titiritero. Calvetti le apretó un hombro cariñosamente. Luego rodeó el escritorio y se sentó junto a Irene, sonriendo satisfecho.

—Eso nos permite contraatacar —afirmó Helena—. Con suerte aún podemos darle la vuelta a la situación.

—¿Cómo? ¡Contad conmigo para lo que sea!

—Voy a organizar un seminario especial, seguido de una rueda de prensa para mañana mismo. A las cinco de la tarde, para que podamos retransmitirlo vía satélite a Fermilab, SLAC y KEK. —Helena sonrió con una mezcla de ironía y ternura que le trajo por segunda vez a Leila a la memoria—. Vas a tener pendientes de ti a los físicos de California, recién levantados, y a los de Japón trasnochando por tu culpa. Espero que ofrezcas un buen espectáculo.

—Me prepararé a conciencia. Yo...

Helena se inclinó hacia ella.

—Irene, nos jugamos mucho. Si todo sale bien

mañana, estaremos aún a tiempo de neutralizar a ese desaprensivo. —La había cogido de la mano y apretaba con fuerza—. Sir James tendrá que tragarse su charla agorera de una vez por todas. Cero, ¿entiendes? ¡Cero! Es el único número que puede taparle la boca. Si no hay burbujas negativas, es imposible que reaccionen con los núcleos de helio.

—Por eso no hablé contigo antes —dijo Irene—. Quería estar segura...

—No te preocupes —afirmó Helena—. Mañana va a ser un gran día.

—¿No deberíamos poner a Friedrich sobre aviso? —preguntó Calvetti.

—Al contrario —replicó Helena—. No pienso darle ninguna ocasión de apropiarse del crédito que Irene se merece. Sería capaz de llegar a su charla mañana pretendiendo que Omega ha encontrado la señal sin utilizar sus predicciones.

—Se va a quedar de una pieza —dijo Calvetti, mordisqueando la boquilla de su pipa.

—Eso espero —retrucó Helena.

Ebrahim le abordó en una de las tiendas del Saraye Moshir, no lejos de la relojería de Esfandiari, mientras curioseaba entre las docenas de pañuelos colgados de los estantes, los recipientes de laca y lapislázuli, las cajas de madera de cedro pintadas en oro con grabados representando escenas mitológicas. Como una premonición, el héroe Rostam aparecía en casi todas ellas, ejecutando alguno de los numerosos trabajos, comparables a los de Hércules, que la tradición le atribuía.

Era ya de noche y el Bazar, escasamente iluminado, parecía extenderse hasta el infinito, repitiendo una y otra vez el mismo patrón de bóvedas apuntaladas en arcos de medio punto y abigarrados tenderetes con sus propietarios sentados delante de la puerta, como modernos Alí Babá exhibiendo los tesoros de su gruta mágica.

—Salam, señor. ¿Le gusta el arte persa?

El rostro se correspondía al de la foto, pero poseía una cualidad extraña, a medio camino entre lo entrañable y lo desvalido que el papel no reflejaba. Apenas tenía arrugas, excepto por las bolsas muy pronunciadas bajo los ojos, y su cabello era una pelusilla que parecía sostenerse a duras penas en una delgada corona rodeándole el cráneo. Costaba sustraerse a la ilusión de que llevaba una capa de carmín en los labios, carnosos y de un color granate intenso. Vestía pantalón y chaqueta de pana y un jersey de color oscuro en lugar de camisa. No le había visto entrar en la tienda ni podía precisar cuánto tiempo llevaba, prácticamente codo a codo con él, sin que hubiera reparado en su presencia.

—Salam aleikum —contestó Héctor—. ¿Puede haber alguien a quien no le guste?

—¡Así se habla! —asintió complacido el dueño de la tienda.

—Permítame presentarme —dijo el hombre que le había abordado, tendiéndole la mano—. Me llamo Ebrahim.

—Rafael —contestó Héctor, estrechándosela.

Héctor escogió un pañuelo rojo y azul con las omnipresentes estrellas de la fortuna bordadas a lo largo, pensando que si alguna vez tenía la ocasión, se lo regalaría a Irene. El hombre, por su parte, compró un delgado estuche de laca.

—Para guardar mis lápices —dijo—. Me gusta mucho dibujar.

—¿Qué tipo de dibujos? —preguntó Héctor mientras le alargaba, distraído, un billete al tendero.

—Oh, motivos tradicionales, sobre todo —contestó Ebrahim, pagando a su vez—. ¿Vamos en la misma dirección? Si le apetece, podemos pasear juntos. Dígame, ¿conoce Persépolis?

PRIMAVERA EN PERSÉPOLIS

Una hora después se encontraban en el apartamento de Ebrahim. Era un piso pequeño y casi vacío. Un sencilla cocina, un mínimo dormitorio y una sala de estar con alfombras y cojines para sentarse en el suelo, una mesa baja y una fotografía de gran tamaño como único adorno en las paredes. Era una imagen en blanco y negro mostrando un cielo tormentoso contra el que se erguían, delgadas y orgullosas, las trece columnas que todavía resistían el paso de los siglos en la ciudad de Darío.

Ebrahim se acomodó en uno de los cojines, extendió un mapa de gran tamaño en la alfombra y le hizo señas para que se sentara a su lado. Héctor reconoció inmediatamente la zona. Persépolis se situaba a unos setenta kilómetros al noroeste de Shiraz y a unos diez de una ciudad de tamaño medio, Marv Dasht. Entre ésta y las ruinas se extendía el altiplano iraní. Más allá se alzaban las Montañas del Perdón, elevándose unos setecientos metros sobre los mil seiscientos de la meseta. Parecían muy escarpadas a juzgar por las curvas de nivel y constituían una barrera natural que separaba la región en dos zonas. El depósito clandestino estaba excavado en la roca, al otro extremo de la cordillera, aprovechando la protección de la montaña.

—Nuestro objetivo se encuentra aquí —dijo

Ebrahim, rodeando la localización del depósito con un círculo—. A unos veinte kilómetros de Persépolis si se pudiera atravesar la montaña en línea recta.

—Demasiado lejos —aseguró Héctor—. A un kilómetro el detector puede establecer la señal de los neutrones procedentes del plutonio en unas pocas horas. A veinte necesitaríamos operar durante varios meses. No disponemos de tanto tiempo.

—Va a ser difícil acercarse mucho —dijo Ebrahim—. La zona está muy vigilada.

—¿Hasta dónde podríamos llegar sin arriesgar demasiado?

Ebrahim se llevó el índice y el pulgar al bigote, acariciándolo pensativamente durante un par de minutos.

—Para llegar al depósito hay que tomar la carretera que parte de las ruinas y bordea la cordillera. No está permitida la circulación a vehículos civiles, pero durante el primer tramo no hay riesgo, es un atajo que utilizan a menudo los arqueólogos de la universidad para moverse entre Persépolis y las tumbas reales de Nasqh sin tener que dar un rodeo por la carretera principal, como deben hacer los turistas. Hemos instalado el detector en un cuatro por cuatro con distintivos que lo identifican como un vehículo del Departamento de Arqueología. Hasta que lleguemos al cruce nadie nos parará, y si lo hicieran se contentarían con mis papeles. Por si acaso he preparado un pasaporte falso con los visados correspondientes y unos documentos donde se asegura tu calidad de experto en medidas de datación radiactiva. Eso explica de paso el aparato en la trasera del coche.

—¡Datación radiactiva! —Héctor silbó, admirado—.

No está mal.

—Desde la desviación a las tumbas hasta el perímetro militar que rodea el depósito hay unos quince kilómetros. Conozco un escondrijo apropiado a unos doce kilómetros del cruce, lo que nos situaría a unos tres o cuatro del depósito. ¿Es esa distancia aceptable?

—Sí, siempre que pudiéramos tomar datos durante unas veinticuatro horas.

—El lugar es muy seguro. El problema son los doce kilómetros que hay que recorrer hasta llegar allí. A partir del cruce no tendríamos una buena excusa si nos detienen.

—Serían sólo unos diez minutos conduciendo —dijo Héctor.

—Cierto, pero hay mucho tráfico militar en la carretera.

—¿Incluso de noche?

—De noche los accesos desde Persépolis están cerrados. Pero podríamos pasar apenas amanezca. A esa hora la circulación es mínima.

—¿Y el escondrijo? —preguntó Héctor—. Es necesario que podamos disimular el vehículo.

—Mira —señaló Ebrahim, tocando con la punta de su lápiz el punto donde se bifurcaba la carretera en la que llevaba a las tumbas reales y la que seguía a lo largo del risco, camino del depósito—. Como ves, la carretera corre pegada al macizo de las Montañas del Perdón. Es roca caliza, muy escarpada y agujereada, como un termitero. Hay centenares de pasadizos, chimeneas y desfiladeros. Conozco muy bien uno de ellos. Es una garganta a la que se accede por un túnel natural excavado en la roca. La boca que da a la carretera es lo bastante ancha para pasar un vehículo de buen tamaño.

—Antes es necesario estimar el fondo ambiental de neutrones para sustraerlo a una posible señal —dijo Héctor—. Necesito medir durante unas diez o doce horas a unas decenas de kilómetros del depósito.

Ebrahim asintió, señalándole el cuadro en la pared.

—Persépolis no sería un mal lugar —afirmó.

El auditorio del CERN estaba abarrotado. Todo el laboratorio parecía haberse dado cita en el anfiteatro, tan grande en capacidad como el de la Esfera y mucho más impresionante. Estaba construido en forma de herradura con hileras ascendentes de asientos dispuestos a lo largo de semicírculos cada vez más amplios, como las gradas de un teatro romano. De hecho, pensó Irene, ésa era exactamente la impresión que se había buscado al diseñar la sala sesenta años atrás.

De niña, recordó, soñaba con el día en que también ella diera una conferencia desde el púlpito en el que tantos genios se habían dirigido a la audiencia del CERN. También sus padres habían sido actores en ese teatro. Raúl, llenando de símbolos misteriosos las pizarras de doble hoja que corrían a lo largo de la pared, y Leila, dando uno de sus raros conciertos públicos, interpretando las *Variaciones Goldberg* de Bach en el excelente piano que nunca se retiraba de la sala.

Bello anacronismo, aquel piano de cola. No era raro encontrar algún aficionado haciendo sus pinitos con él cuando la sala estaba libre. Ella misma lo había tocado en más de una ocasión, siendo niña.

Quizá por eso Leila le había mandado aquella composición. Quizá se había acordado de aquel instrumento que ahora le parecía puesto allí, a unos metros a su derecha, para conectarla con su madre.

Se prometió que probaría. Aunque sus dedos estuvieran oxidados. Aunque necesitara un mes para leer la partitura. Probaría.

Si es que salía de aquélla.

Lo cual parecía poco probable. Cuando los asientos libres se agotaron, la gente empezó a acomodarse en las escaleras que daban acceso a las gradas o se amontonaba en la parte más alta del anfiteatro. Un fotógrafo armado de una cámara con un tremendo objetivo tomó un par de instantáneas, con el obvio propósito de identificar su cadáver después de la ejecución. El murmullo que se oía en las gradas recordaba al de una multitud que acude a un linchamiento.

Tuvo que hacer un esfuerzo sobrehumano para que no le temblara la voz al empezar a hablar. Luego fue más fácil. Conocía la sensación: era como interpretar una pieza al piano después de haberla estudiado largamente. Al principio los dedos estaban torpes, el miedo a equivocarse dificultaba el sentido del ritmo y agarrotaba los músculos de las manos. Pero poco a poco la música iba acabando con todos los temores. Los rostros se difuminaban, los nervios se desvanecían, las propias teclas del piano perdían su identidad para confundirse con las notas en la partitura, con el torrente de emoción en el alma, con los dedos que las buscaban, serenos y seguros.

Cuando terminó su charla, la ovación fue larga y

sincera.

En su casa la médium había sido siempre Leila. Ella era como su padre. Analítica y prosaica.

Por eso la revelación la golpeó con tal fuerza que tuvo que apoyarse en la pizarra para controlar el temblor en sus rodillas.

La revelación.

Su cálculo era correcto. Sus extrapolaciones tenían sentido. La teoría de Irene de Ávila, dentro del rígido marco en que la aplicaba, era válida.

No lo había sabido anteriormente. Por mucho que revisara y repasara, comprobara y consultara, hiciera y rehiciera. Había dado a luz una criatura que no acababa de reconocer y durante semanas la había diseccionado como un cirujano, medido como un comerciante, interrogado como un policía. Había escrito su artículo con la sintaxis de un notario, con la exactitud de un registrador, con el humor de un taxonomista.

Correcto, pulcro y convincente.

Sin fe.

Hasta ese momento.

No sabía por qué. No había una explicación que detallara las razones por las que el todo excedía la suma de sus partes, por las que, de repente, todo cuadraba.

Pero sabía que no se equivocaba.

No era la única que lo sabía. Casi nadie en su audiencia podía haber seguido los detalles de su cálculo. Y, sin embargo, la ovación, que todavía resonaba en el anfiteatro, aseguraba que la creían.

Persépolis. Héctor se preguntó si el espectáculo le hubiera impresionado tanto sin la ayuda de su recién adquirida erudición, o para ser más exactos la de Rafael Robles.

Las ruinas más antiguas databan de unos quinientos años antes de Cristo. Alejandro había destruido la ciudad un par de siglos más tarde. Doscientos años de esplendor, seguidos de dos milenios de olvido, ambas cosas evidentes en los rostros erosionados de los enormes leones de cabeza humana, que guardaban la Puerta de las Naciones, contemplando al visitante con ojos tan vacíos y ecuánimes como los de Henry Pullman.

Era ya cerca del mediodía, el calor comenzaba a ser insoportable y la interminable subida por la escalinata que llevaba al yacimiento le había dejado la garganta agrietada como el cementerio de piedra desparramado a su alrededor. Héctor se pasó la lengua por los labios resecos y cayó en la cuenta de que no había pensado en traer una botella de agua.

Una suave presión en su brazo. Ebrahim le tendía una cantimplora.

—Bebe un trago. Es fácil deshidratarse aquí.

—*Motashakkeram*, Ebrahim.

—*Ghäbel nabüd*, Rafael. ¿Quieres visitar la tumba de Artajerjes? Dentro de un rato hará demasiado calor.

¡Valientes espías estaban hechos! La situación en la que se encontraban no podía ser más cómica, paseando tranquilamente por las ruinas de Persépolis como un par de ociosos turistas, fotografiando piedras muertas, divagando sobre el pasado, mientras en el interior del Mitsubishi aparcado junto a la flota de autobuses que cada día llegaban a las ruinas su detector dormitaba confortablemente, agitándose de tarde en tarde con la captura de un neutrón.

—Sí, vamos.

El hombre que Ebrahim le había presentado como Moshem estaría menos entretenido que ellos. Les había seguido desde Shiraz conduciendo un Mercedes negro con los cristales tintados, que en ese momento estaba aparcado cerca del Mitsubishi.

—No te preocupes por él. Moshem no se moverá del aparcamiento mientras esto dure —dijo Ebrahim, poniéndose serio—. Si algo va mal, él es tu vía de escape. No lo olvides.

En los alrededores de la tumba un guía local explicaba a un grupo de turistas americanos la célebre historia de Thais, la cortesana, y Alejandro Magno.

—Después de conquistar la ciudad, Alejandro organizó un gran banquete para celebrar su victoria. Cuando el vino hubo circulado abundantemente y los príncipes macedonios estaban ebrios, la cortesana Thais le habló así al conquistador: *Rey de reyes, ¿no sería hermoso culminar este banquete con una procesión triunfal en honor a Dionisio, dios del vino? ¿No sería hermoso que manos de mujer como las mías extinguieran el orgullo de los afamados reyes persas? ¡Levántate, oh Alejandro, y sé el primero en arrojar tu antorcha justiciera contra los palacios de Persépolis! ¡Hazlo y concédeme la gracia de ser yo quien te siga!*

—¿Será cierta esa leyenda? —preguntó Héctor.

Los femeninos labios de Ebrahim murmuraron un poema:

Llora conmigo, oh viajero, frente a estas piedras calcinadas,
recuerda la otrora orgullosa ciudad de los persas,
calcinada por las antorchas de una procesión impía
de borrachos, encabezados por Thais, la prostituta.

—Es una triste historia —dijo Héctor.

—Han pasado dos milenios y medio —contestó Ebrahim—, pero se sigue enseñando en las escuelas como si hubiera ocurrido ayer. La destrucción de Persépolis arranca más lágrimas a los jóvenes que los muertos de la guerra con Irak.

—La juventud suele ser amnésica —dijo Héctor.

—Lo cual es bueno, Rafael. A veces es necesario no recordar para seguir viviendo.

Cuando el presentador abrió el turno de preguntas, varias manos se alzaron al unísono. Irene se preparó para hacer frente a las descargas, aferrándose fuertemente a la tarima.

—Helmut tiene la palabra —dijo el presentador.

El CERN era un lugar extraño. A veces le parecía una especie de pueblo grande que hubiera crecido descontroladamente en la última década. Helena le había contado que tan sólo unos años atrás todo el mundo se conocía por su nombre de pila. Desde que el LHC había entrado en funcionamiento, el laboratorio había multiplicado su población casi por diez. Era como una tranquila ciudad de provincias, habitada por aristócratas, que de repente se hubiera llenado de inmigrantes jóvenes, incultos y voraces. En su imaginación el Departamento de Física Teórica del CERN ocupaba un área residencial en la geografía de la ciudad de la ciencia, mientras que los dos grandes edificios gemelos, vecinos al nuevo hotel, donde se apiñaban los centenares de oficinas asignadas a los miembros de los experimentos del LHC, eran los arrabales.

Y si el Departamento de Física Teórica era una urbanización de lujo, Helmut Luscher, el físico que acababa de pedir la palabra, era uno de los vecinos más célebres y temibles del barrio, tan famoso por sus seminales trabajos en cromodinámica cuántica como por el reguero de cadáveres científicos que sus agudas intervenciones solían dejar en conferencias y congresos.

—¿Podría retroceder a la transparencia diecisiete?

Irene mostró la transparencia que le indicaba. Luscher ametralló tres preguntas consecutivas, a cual más letal. No se había perdido un solo detalle de sus explicaciones y ponía el dedo en la llaga de cada una de las aproximaciones que había hecho. Irene empezó a explicarse mientras el inquisidor se acariciaba la perilla sin dejar entrever cuál sería su veredicto. Estaba a punto de desmayarse cuando le vio asentir levemente con la cabeza dándose por satisfecho.

—Parece razonable.

¿Se lo estaba imaginando o había escuchado un disimulado suspiro de alivio por parte de la audiencia? Siguieron varias cuestiones más, todas reclamando detalles técnicos y explicaciones que consiguió negociar sin grandes apuros. El presentador miró su reloj.

—La última pregunta.

Una pausa. ¿Eso era todo? ¿Iba a escaparse sin un rasguño?

Un largo brazo alzándose en una de las última filas. Era sir James Reeves.

—Quisiera empezar por felicitar a la conferenciante de hoy por su sinceridad y honestidad científica —empezó el filósofo, acercándose al micrófono que tenía frente a su asiento—. No es fácil, en los tiempos que corren, que una joven promesa como la doctora De Ávila se atreva a nadar contracorriente.

—Sir James, si pudiera ir al grano —cortó el presentador—. Vamos escasos de tiempo.

—Naturalmente, naturalmente. Mi pregunta es muy sencilla. Doctora De Ávila, su modelo predice la formación de varios miles de burbujas extrañas en el LHC. Burbujas estables, para más señas. ¿No es, por tanto, de la opinión de que el experimento Omega debe detenerse inmediatamente ante el riesgo de una reacción en cadena iniciada por uno de esos objetos?

Allá vamos, pensó Irene. Tal como había previsto Helena.

—En absoluto —respondió—. Tanto mi cálculo como el del profesor Nakamura, de la Universidad de Tokio, predicen de manera independiente que estos objetos han de tener necesariamente carga positiva. Las burbujas de carga negativa son inestables y, por tanto, se desintegran antes de reaccionar con la materia ordinaria.

—No me estaba refiriendo a las burbujas negativas, sino a las positivas, que sí tienen tiempo de interaccionar con el helio que rodea el tubo de vacío.

—¡Pero la probabilidad de interacción en ese caso

es cero! —exclamó Irene, asombrada de lo cabezota o lo lerdo que estaba demostrando ser el filósofo—. Los núcleos de helio también son positivos y, por tanto, la repulsión eléctrica impide que se inicien las reacciones de fusión.

—¿Conoce el efecto Wilson, doctora De Ávila?

—Sir James, por favor —intervino el moderador—, estoy seguro de que pueden continuar esta conversación en la cafetería.

—¡No intente boicotearme, joven! —exclamó Reeves a la vez que varios destellos, provenientes de las cámaras fotográficas en el sector reservado a la prensa, informaban a Irene de que algo iba francamente mal.

El moderador miró a Helena, exasperado. Ésta le hizo un gesto con la mano, pidiéndole paciencia.

—Sea breve, por favor.

—A finales de los ochenta —continuó el filósofo, cuyo rostro había recuperado la expresión de plácida felicidad— Robert Wilson estudió el sistema deuterio-tritio. En condiciones normales estos núcleos no sufren fusión nuclear debido a la repulsión eléctrica entre sus protones. Wilson descubrió, no obstante, que añadiendo un muón al sistema y elevando la temperatura era posible acercar los núcleos lo bastante como para que un cierto número de ellos sufrieran fusión espontánea por efecto túnel.

Dos nuevos destellos. Sir James mostrando los caninos.

—¿Ha calculado la probabilidad de que el mecanismo de Wilson se dé entre burbujas extrañas y núcleos de helio?

—No —balbuceó Irene—, pero en ausencia de muones sin duda...

—¡Vamos, vamos! Puesto que la materia extraña aumenta en estabilidad a medida que agrega más materia, su potencial de fusión es enorme. Es muy verosímil que la probabilidad en cuestión no sea despreciable.

Los teléfonos móviles de los periodistas empezaron a zumbar. Sir James se puso en pie asegurándose de ser el centro de la atención de todo el mundo mientras los flashes relampagueaban en el auditorio.

—Déjeme repetir mi pregunta —dijo—. Dado que existe una probabilidad no nula de que alguna de las numerosas burbujas extrañas que predice reaccione con un núcleo de helio por efecto túnel, ¿no le parece que el LHC debería detenerse inmediatamente?

—Con el permiso de la conferenciante —intervino Helena Le Guin—, creo que es mejor que yo responda a esa pregunta. La respuesta, obviamente, es no.

—¿Podría iluminarnos un poco, señora directora? —preguntó sir James, empalagoso como una sobredosis de jarabe.

—Hay varias razones, pero déjeme enumerarle una muy simple. Como bien sabe, la Luna carece de atmósfera y está siendo bombardeada continuamente por rayos cósmicos de altísima energía. La situación es similar a las colisiones del LHC, con la diferencia de que nuestro satélite lleva unos cuantos cientos de miles de millones de años recibiendo impactos de núcleos tan energéticos o más que los que circulan por el acelerador. Y, sin embargo, que yo sepa todavía no se ha convertido en una estrella extraña.

Un murmullo de aprobación por parte de la audiencia. Era un argumento conocido y efectivo. Irene se sorprendió rezándole a Changó para que sir James se diera por satisfecho. Era curioso. Héctor había desaparecido de su vida, pero le había dejado su mitología.

—¡Querida Helena! —exclamó sir James, alzando los brazos en señal de protesta—. Se trata de un argumento pueril. Para empezar, en el caso del LHC son dos haces de energía idéntica los que se estrellan, mientras que los núcleos de plomo de la superficie lunar están en reposo. La energía de la bola de fuego que se produce en el LHC es, por tanto, muy superior a la que se produce cuando un rayo cósmico choca contra un núcleo de plomo en la Luna, a menos que la partícula incidente tenga energías desmesuradamente altas. Además, en las colisiones lunares, la bola de fuego se mueve a gran velocidad, mientras que en el LHC se forma esencialmente en reposo. Permítame añadir que en la Luna las burbujas no encuentran servido un apetitoso plato de helio, como el que rodea el tubo de vacío del LHC. ¿Debo seguir?

—Señores, nuestro tiempo se agota —cortó el presentador, tratando de salvar el asalto por la campana—. Creo que debemos interrumpir aquí este interesante debate...

—¡Un momento!

Irene sólo lo conocía de vista y deseó no tener nunca necesidad de conocerle mejor. Era una figura imponente, en todo caso, con su gran cabeza, su melena leonina, su barbita plateada y el aire de un general de las SS.

El presentador miró disimuladamente a Helena Le Guin, que asintió con un leve gesto de cabeza.

—Friedrich tiene la palabra.

—El cálculo de esta joven tiene un gran mérito —dijo, paseando una mirada fanática por la audiencia—. Predice exactamente la distribución angular y el espectro energético de las supuestas burbujas extrañas. En consecuencia es posible verificarlo, o más bien, en este caso, falsearlo. Hemos examinado la región donde debería hallarse la señal y está vacía. Por tanto, su modelo es incorrecto.

—¿Cómo es posible, profesor Von Zhantier? —intervino sir James—. Según entiendo, ésta es la primera vez que la teoría de la doctora De Ávila se hace pública.

—Si me disculpan —el que hablaba era un hombre rechoncho con una barba abundante y mal cuidada, gafas de culo de vaso y aspecto triste—. Llevamos más de un año analizando los datos de Omega, buscando la posible señal de burbujas extrañas. El modelo predice una región que ya hemos explorado sin encontrar señal.

Irene se dio cuenta de que varios miembros de la audiencia se miraban entre sí. Algunos parecían confundidos; otros, alterados, casi rabiosos.

—Es una región a muy bajo ángulo, donde el ruido de fondo es muy alto —se apresuró a añadir el hombre triste—. De ahí que para ese análisis se haya precisado de una DST especial.

—¿Desde cuándo existe esa DST, John? —El acento y los modales del que preguntaban lo identificaban a la legua. Se trataba de Archibald Ross, uno de los profesores más distinguidos de Oxford y el segundo de a bordo en la jerarquía de Omega—. Es la primera noticia que tenemos de ella.

—¡Estimados colegas! —exclamó sir James—. Si dos miembros tan distinguidos del experimento Omega como el doctor Carpenter y el profesor Ross no pueden ponerse de acuerdo sobre sus propios datos, deberán disculpar a este humilde filósofo por mantener un sano escepticismo.

—¡Déjese de bobadas! —gritó Von Zhantier—. La nueva DST se ha creado por orden mía y bajo mi supervisión. El resultado es concluyente y no admite discusión.

—¿Me permite que dude? —dijo sir James—. Como el propio doctor Carpenter ha dejado muy claro, la región de bajo ángulo es notable por su enorme ruido de fondo. Ésa debe de ser la razón por la que normalmente no se incluye en la DST, ¿cierto?

—En efecto —afirmó Archibald Ross, que parecía tan furioso como para romper la disciplina de partido que sin duda imperaría en el experimento de Von Zhantier.

—Lógicamente, no hemos tenido tiempo de preparar... —empezó Carpenter en tono apologético.

Entre tanto Helena Le Guin se había puesto pálida. Irene la observó inclinarse una o dos veces a cuchichear con Alessandro Calvetti. Fue el rostro desencajado de éste el que desencadenó la premonición antes de que Helena tomara la palabra.

Pero no, se dijo. No era posible. Helena no la traicionaría. La idea de aquella conferencia había sido suya.

Supo que se equivocaba cuando observó cómo Calvetti se escurría discretamente de la sala.

Pilatos lavándose las manos.

—Queridos amigos —intervino por fin la directora, su voz casi un suspiro—. Creo que no queda otro remedio que aceptar que el profesor Von Zhantier y su equipo saben perfectamente lo que se hacen.

—¿Debemos concluir entonces que el modelo de la doctora De Ávila es falso? —preguntó sir James, señalándola con un dedo acusador, como si estuviera a punto de cometer perjurio.

Desesperadamente Irene buscó los ojos de la directora, pero los encontró cerrados a cal y canto.

—Los datos tienen la última palabra —dijo Helena—. Si contradicen el modelo de la doctora De Ávila, no nos queda otro remedio que admitir que, probablemente, ése sea el caso.

TEMPLO DE LA CIENCIA

Irene quería llorar, pero sus ojos no atendían a razones. Daba igual que su estómago se hubiera encogido hasta formar una pelota pequeña y dura como un albaricoque, que su garganta estuviera tan reseca como si se hubiera bebido el mar, que una pachanga desafinada recorriera sus intestinos.

¿A qué imbécil se le ocurriría asignar los sentimientos al corazón? De todas sus vísceras, era la única indiferente a la angustia que la asfixiaba. Seguía a lo suyo, batiendo sesenta veces por segundo.

Sístole y diástole. Sístole y diástole.

Y ni una lágrima. Eran las diez de la noche, llevaba horas frente al ordenador, pretendiendo dar los últimos retoques a su artículo, en realidad, buscándose excusas para no mandarlo a *Science* como se había jurado que iba a hacer mientras escapaba a la carrera de la sala de conferencias del CERN.

La voz serena y los ojos tristes de Helena Le Guin mientras mentía. Ella lo sabía, Von Zhantier lo sabía, Reeves lo sabía, quizá todo el auditorio sabía que la directora general estaba mintiendo.

Eran científicos. ¡Científicos, por Dios! Supuestamente la ciencia era objetiva. El suyo no era un oficio como la política o la literatura, donde todo valía. La verdad no era relativa ni admitía matices, no era una cuestión de gustos ni de opiniones igualmente respetables. Los físicos no escribían versos, sublimes para unos y abominables para otros. Ella había parido un modelo, una teoría capaz de predecir fenómenos concretos. ¡Sus predicciones podían comprobarse!

No bastaba con apelar al principio de autoridad. Von Zhantier no había mostrado un resultado, un gráfico, una tabla, un maldito número que la contradijera. Se había limitado a fanfarronear, golpeándose el pecho velludo.

¡En el auditorio del CERN! ¡En una conferencia pública en el mismísimo Templo de la Ciencia! ¿Por qué no le habían apedreado?

De hecho, llovía sobre mojado. Todo aquello había ocurrido ya antes. Le había ocurrido a Corrado Gatto.

¿Y a cuántos más? ¿Así es como funcionaba el sistema? ¿Aniquilando a quien se atreviera a llevar la contraria a los intereses creados en la ingente Fábrica del Conocimiento? ¿La habrían tratado igual si su teoría hubiera confirmado el inminente descubrimiento del plasma de quarks? ¿Si su resultado hubiera añadido otro mantra a la cantinela de los sumos sacerdotes?

Irene reparó en el paquete de Marlboro nuevo, el presente que cada día le dejaba su pobre vecino. Sin pensárselo dos veces lo agarró, salió de su despacho y recorrió a toda velocidad el pasillo en penumbra hasta llegar al despacho de Mauricio.

Lo encontró encorvado sobre una diminuta esquina de su mesa, la única que no estaba cubierta por estratos de basura. El pelo lacio le caía sobre el rostro ocultándolo casi completamente. Escribía furiosamente sobre una gruesa libreta de tapas negras mientras murmuraba por lo bajo. Un cigarrillo se consumía encima de un plato de café en precario equilibrio, que a su vez reposaba sobre una columna de medio metro de papel amarillento.

Irene dudó sobre cómo abordarle. Había sido un impulso insensato. ¿Qué pretendía, llorarle en el hombro a aquel pobre hombre?

—Pasa, pasa. Conmigo estás a salvo.

Mauricio tenía una voz de barítono grave y melodiosa. Habló sin levantar la cabeza de su libreta, sin parar de escribir en ella.

No se le ocurría nada que decir, pero no parecía que fuera necesario mantener una educada conversación con alguien como él. El único problema era encontrar una esquina en aquella jungla donde acomodarse. Tras pensarlo un poco optó por sentarse sobre una caja de cartón, repleta de libros.

—No te preocupes por esos necios. Yo te protegeré.

Si algo no podía negarse, pensó, es que se buscaba extraños paladines. Abrió la cajetilla de Marlboro y sacó un cigarrillo. Mauricio le señaló una caja de cerillas, que apuntalaba una de las alas de un acueducto de papel. Irene se hizo con ella con la precaución de un arqueólogo explorando un yacimiento a punto de derrumbarse.

—Has sido muy valiente hoy —dijo Mauricio.

Todavía sin apartar la mirada de la libreta, su mano izquierda escaló la colina sobre la que bailaba el plato de café con el cigarrillo casi consumido y se lo llevó a los labios. Justo a tiempo. La pila de papel se derrumbó hacia un lado y cayó al suelo mientras el plato rodaba bajo la mesa. La onda expansiva tumbó también el acueducto que Irene acababa de dejar sin cimientos, pero cuando el polvo se posó, el aspecto general del despacho no se había alterado lo más mínimo.

—Estoy orgulloso de ti.

—Gracias —acertó a decir Irene, agradecida.

Como si todo estuviera ya dicho, Mauricio continuó con su tarea, febrilmente, sin prestarle más atención. Irene se concentró en su cigarrillo. Loco o no, se sentía mejor allí de lo que se había sentido en toda la tarde.

—Pretenden que fue un accidente, pero yo sé la verdad. Él mató a mi hermano.

Súbitamente todas sus tribulaciones le parecieron triviales comparadas con las de aquel pobre hombre. ¡Qué extraña vida la suya! Tras la muerte de Corrado sin nadie que velase por él, su mundo se reducía a un despacho cochambroso, toneladas de papel viejo y sus cálculos, posiblemente tan dementes como él. Y, sin embargo, no parecía infeliz, trabajando día y noche, sin salir de su guarida. ¿Trabajar en qué?

Según Helena, era un genio o lo había sido antes de que la enfermedad le destruyera. ¿Qué hacía entonces, qué garabateaba en sus libretas de tapas negras? Había docenas, idénticas a la que usaba para escribir en ese momento, desparramadas por el despacho. ¿Cálculos sin sentido, incoherentes como el mundo imaginario en el que vivía?

Finalmente Mauricio pareció darse por satisfecho. Cerró la libreta y se giró hacia ella, apartando, con una mano cubierta por un mitón de lana, el pelo grasiento que le caía sobre la cara. La mancha violácea que ocupaba casi toda su mejilla derecha conspiraba con la boca deformada por la parálisis facial, lo que creaba el efecto de una careta horrible que sólo dejaba al descubierto unos ojos límpidos y vivaces.

—Helena no quiere escucharme —dijo Mauricio—. Esa máquina es un instrumento del diablo. Hay que destruirla. Pero es preciso ser cautos. Él mató a mi hermano.

Mauricio no se andaba por las ramas. No estaría mal. Destruir el LHC, quemar el CERN, volver a casa.

—Toma —dijo Mauricio, tendiéndole la libreta en la que había estado escribiendo—. Ahí tienes la prueba.

Irene cogió la libreta, mitad por curiosidad, mitad por no ofenderle.

—¿No la necesitas?

—No —aseguró Mauricio, golpeando con los dedos su enorme frente—. Está todo aquí.

Héctor consultó su flamante Rolex. Eran ya las seis de la tarde. Llevaban más de diez horas en Persépolis y, como había sospechado, el detector de neutrones no registraba señal alguna.

—¡Nada! Exactamente la curva debida a la radiactividad natural.

Ebrahim se encogió de hombros estoicamente.

—De acuerdo —dijo—. Mañana intentaremos acercarnos al depósito.

De regreso a Marv Dasht, Ebrahim detuvo el vehículo en un promontorio desde el que se dominaba la explanada sobre la que se había alzado la antigua ciudad. Una luna casi llena iluminaba el paisaje, invocando espectros, dibujando la ilusión de los palacios que se alzaban sobre la llanura antes de que las llamas los consumieran.

—¿Por qué lo haces, Ebrahim? —La pregunta se le escapó a Héctor de los labios sin pedirle permiso.

El rostro del espía, en la semipenumbra, parecía más desvalido que nunca. A la mierda la discreción, pensó Héctor. Aquel hombre se la estaba jugando para ayudarle. Quería saber algo de él.

—¿Por qué trabajas para nosotros?

—Tenemos que regresar —contestó él.

Hicieron el camino de vuelta en silencio. Diez minutos más tarde aparecieron las primeras luces de la ciudad.

—Intenta dormir —dijo Ebrahim—. Mañana saldremos muy temprano.

—Discúlpame si te he importunado —dijo Héctor—. Intento entenderte mejor, eso es todo.

—Te lo agradezco, Rafael. —La voz del espía era tenue, casi transparente, como la Persépolis que Héctor había imaginado bajo la luz de la luna—. Soy yo quien tiene que pedirte disculpas. Hace demasiado tiempo que hago esto. Hubo un tiempo en que entendía mis motivaciones. Ahora ya no estoy seguro de ellas.

Tuvo el tiempo justo para atrapar el autobús de las once y media de la noche. Como era su costumbre, bajó en la estación de Cornavin y se encaminó hacia su casa.

Excepto que sus piernas no la querían llevar allí.

¡Su casa! El hogar añorado durante largo tiempo, el paraíso perdido que tanto había llorado, que tan feliz había sido de poder recuperar.

Cuatro paredes sin nada dentro. El número veintinueve de la rue de Lyon se había esfumado el día que se marcharon, el día que abandonaron la ciudad y su niñez.

Cuatro paredes delimitando la soledad más absoluta.

Cuatro paredes que se le caerían encima apenas cruzara el umbral de la puerta. ¡Si al menos pudiera llamar a Corinne!

Pero Corinne la había abandonado. Igual que Héctor, igual que Helena. Justo cuando no podía soportar ni un minuto más de soledad.

Cuando quiso darse cuenta, estaba en L'usine.

Subió hasta la segunda planta, pidió una cerveza en la barra y se sentó con ella en la mesa cercana a la ventana, vacía a pesar de lo abarrotado que estaba el local. Sacó la cajetilla de Marlboro y se dispuso a fumársela entera antes de volver a casa.

Aún le quedaba más de media cuando Boiko se sentó a su lado.

A través de la ventanilla tintada que le permitía observar desde la trasera del Mitsubishi sin ser visto, Héctor contempló, no sin incredulidad, cómo los guardias que controlaban el acceso a la carretera, a la salida de Persépolis, abrían la barrera sin detenerles. El brazo de Ebrahim saludó por la ventana del conductor. Uno de los soldados se llevó la mano a la gorra. Su guía manejó tranquilamente hasta la primera curva, pero aceleró apenas perdió de vista a los soldados.

Cinco minutos más tarde se cruzaron con un jeep descubierto con dos soldados dentro. El brazo volvió a saludar. El jeep pasó de largo, pero unos minutos más tarde Héctor escuchó el ronco bramido de un motor acelerando tras ellos y un par de pitidos secos.

El Mitsubishi se detuvo. Los soldados, empuñando fusiles ametralladores, se acercaron al asiento del conductor. A pesar de que se habían tomado la molestia de dar la vuelta para detenerlos, no parecían particularmente tensos, a juzgar por la forma en que sus armas colgaban de las bandoleras, con el cañón apuntando al suelo. Uno de ellos le miró. Héctor esbozó un saludo antes de caer en la cuenta de que el soldado sólo veía un cristal oscuro.

Ebrahim dijo algo en farsi con tono cordial, casi festivo. Ciertamente tenía nervio. Uno de los soldados musitó algo, Ebrahim le tendió unos papeles e intercambiaron unas cuantas frases en su lengua rápida y chasqueante. Un brazo de uniforme señaló la trasera. Héctor se apartó de la ventanilla, sentándose frente a los controles de la cámara y se concentró en contener sus nervios.

—Si nos detienen, lo normal es que se conformen con mis credenciales —le había dicho Ebrahim antes de salir—. En caso de que insistan en examinar la trasera, simula estar trabajando. Les ofreceremos el espectáculo del profesor extranjero que no se entera de nada y todo irá bien.

En ese momento, sin embargo, no las tenía todas consigo. Pero las puertas no se abrían. Héctor escuchó risas. Cuando miró por la ventanilla, vio que Ebrahim sacaba un paquete de tabaco y ofrecía a los soldados, que estaban desternillándose. Héctor se maravilló del absoluto control sobre sí mismo que mostraba el hombre que tan frágil le había parecido dos días atrás.

Finalmente los guardias saludaron, llevándose la mano a la visera de la gorra. Ebrahim tendió la suya y estrechó la de ambos, alargándoles de paso la cajetilla. Los soldados desaparecieron de su campo de visión, charlando en su incomprensible farsi y todavía riendo de vez en cuando. Un instante más tarde oyó el motor alejándose.

El cristal tintado que separaba la cabina del conductor de la trasera bajó suavemente para mostrarle el rostro ecuánime aunque un poco pálido de Ebrahim.

—Menudo susto —dijo Héctor—. ¿No habías dicho que no nos detendrían en este tramo?

—No es lo normal —respondió Ebrahim—. Deben de haber recibido órdenes de ser más estrictos. Pero no se les veía muy motivados. Tenían más ganas de fumar y darle a la lengua que de registrarnos.

—¿Cómo has conseguido que no abrieran la trasera?

—Oh, me he acordado de la historia del arqueólogo que descubre la momia de una cortesana en Persépolis. La momia en cuestión está un poco descarnada después de dos mil años, pero las mujeres persas tienen fama de fogosas y el arqueólogo es un jovencito todavía virgen que se conforma con cualquier cosa.

—¿Les has contado eso? ¿A los soldados?

—Eran un par de críos con ganas de reírse un poco —dijo Ebrahim—. Les ha encantado que el profesor les hiciera tanto caso. Mientras no lleguemos al cruce con la carretera de las tumbas reales no se pondrán suspicaces.

Llegaron a la bifurcación diez minutos más tarde.

Ebrahim miró su reloj.

—Son las seis menos cuarto —dijo—. Dentro de media hora habrá demasiado tráfico. Hay que decidir si vale la pena.

—Tú eres el experto. Mis órdenes son fiarme de tu criterio.

—Mi criterio me dice que debemos dar la vuelta —contestó Ebrahim—. Mi corazón me pide intentarlo.

—El mío también.

Los dedos de Ebrahim tamborilearon sobre el volante. Héctor observó sus manos, menudas como las de un niño, los hombros estrechos y huesudos, los ojos grandes y sombríos.

—Si me enseñas a manejar el detector, iré yo solo. Te llevaré de vuelta a Persépolis y Moshem te dejará en tu hotel. Podemos darnos cita dentro de tres días en la tienda de Esfandiari.

Héctor recordó las órdenes de Velasco.

—No corra riesgos innecesarios, mayor.

Pero el coronel no era la única sombra danzando a su alrededor. No había llegado tan lejos para darse la vuelta.

—Vamos juntos —dijo.

—Así me gusta, hijo —murmuró Diego Espinosa en su oído.

PUERTA DEL PARAÍSO

—¡Sujétate fuerte! —exclamó Ebrahim, dando un volantazo que sacó al cuatro por cuatro de la carretera y acelerando campo traviesa hacia la pared rocosa, negociando sin contemplaciones el accidentado terreno. Héctor se aferró con todas sus fuerzas a los barrotes que reforzaban el lateral del vehículo para no irse de bruces, asombrado de la pericia del conductor, mientras saltaban baches y derrapaban sobre montículos pedregosos.

Fueron apenas cinco minutos, que se sumaron a los diez que les había costado llegar desde el cruce con las tumbas reales hasta la boca del túnel. Diez minutos con el Mitsubishi lanzado a ciento cuarenta por la carretera estrecha y mal asfaltada. Diez eternos minutos con el corazón desbocado y un torrente de adrenalina en las venas, la vista clavada en cada una de las curvas tras la cual podía aparecer un jeep militar en cualquier momento.

—¡Ten cuidado! —gritó Héctor—. ¡Vas a triturar mi detector!

La entrada del túnel estaba casi totalmente cubierta por los arbustos que crecían al pie de la pared. Ebrahim saltó del auto, extrajo dos sierras eléctricas de uno de los múltiples cofres de equipamiento y entre ambos despejaron un boquete que permitiera el paso del carro.

—¡Corta las ramas desde la base! Las vamos a

necesitar.

Una vez que el Mitsubishi estuvo dentro de la cueva, su guía abrió un segundo cofre que contenía una variedad de tubos y mallas de aluminio, además de un par de rollos de alambre.

—¿Para qué sirven? —preguntó Héctor.

—Ayúdame a ensamblarlos y verás.

Media hora más tarde habían montado una armazón formada por seis tubos verticales, separados alrededor de medio metro entre sí. Ebrahim tensó los rollos de malla entre éstos mientras Héctor se apresuraba en recuperar las ramas de los arbustos. Necesitaron otra media hora para fijar toda aquella maleza con la ayuda de alambre y sedal.

Cuando terminaron, Héctor se alejó unos metros de la entrada. Incluso desde tan corta distancia el resultado era pasable. Desde la carretera la boca del túnel sería tan invisible como una hora antes.

—¡Rafael! ¡Apresúrate! —llamó Ebrahim, ansioso.

Héctor se apresuró a volver. Justo a tiempo. Un instante más tarde un camión militar pasaba zumbando carretera arriba.

—¡Buff! Por un pelo —exclamó Héctor, dejándose caer en el suelo. Tenía las rodillas tan flojas como si hubiera peleado quince asaltos sin parar.

El interior del túnel estaba en penumbra. A unos veinte metros se distinguía la luz que se colaba por la boca trasera, mucho más baja y estrecha que la que daba a la carretera. Hacía fresco. Olía a tierra húmeda.

—Aquí estamos a salvo —dijo Ebrahim.

Había algo misterioso en la manera en que lo

dijo, como si el túnel fuera alguna especie de templo, garantizándoles una seguridad inviolable.

—Por lo que veo conoces bien este lugar —dijo Héctor.

—Solía venir mucho por aquí hace treinta años —contestó Ebrahim—. Es una larga historia. Pero ahora tienes que atender a tu aparato. Mientras iré preparando el campamento. He traído un par de buenos sacos de montaña, comida y un poco de whisky de contrabando. También un *ghelyum*, una pipa de agua.

—¿Siempre piensas en todo?

Ebrahim se encogió de hombros.

—Intento anticiparme a los acontecimientos. Es una de las dos razones por las que he salvado el pellejo hasta el momento.

—¿Y la otra? —preguntó Héctor.

—He tenido buena suerte —contestó Ebrahim.

Carpenter se desplomó, con un suspiro de alivio, en la mesa perennemente reservada a Boiko en la segunda planta de L'usine. Era demasiado pronto para que éste hubiera llegado, pero, por supuesto, la mesa estaba libre, a pesar de que el local rebosaba ya de gente. El esfuerzo necesario para abrirse paso a través del rebaño de adolescentes le había dejado agotado y sediento, pero carecía de energía para intentar la imposible proeza de atravesar la sólida pared de cuerpos sudorosos, llegar a la barra, conseguir que el camarero le sirviera un gin tonic y regresar sano y salvo a su esquina.

Numerosos clientes le echaban miradas de soslayo,

como preguntándole si sabía lo que se hacía sentándose allí. Carpenter recordó una de las citas con Boiko cosa de un año atrás. Al llegar encontraron la mesa ocupada por un grupo de ejecutivos trajeados, con unos carteles sujetos a la solapa que los identificaban como representantes de maquinaria agrícola en la feria que se estaba celebrando en el Palacio de Congresos de Ginebra. Eran cuatro, muy corpulentos, estaban un poco bebidos, hablaban suizo alemán entre ellos y claramente tenían ganas de bronca.

A Boiko le acompañaban varios de los suyos, pero todos ellos se quedaron prudentemente rezagados, dejando que su jefe se ocupara.

—¿Por favor? La mesa, reservada.

Uno de ellos, curiosamente el más fornido de todos, hizo ademán de levantarse, gruñendo algo a sus compañeros, seguramente aconsejándoles que le imitaran. Pero los otros le ignoraron. No se les ocurrió nada mejor que darse codazos entre sí, profiriendo risotadas. Boiko no se movió durante un eterno minuto, hasta que uno de ellos le soltó un improperio en su agresivo dialecto, mostrándole el dedo corazón con el puño cerrado en un gesto que no podía ser más explícito.

Boiko sonrió como si le hiciera gracia el chiste. Al instante siguiente había agarrado al infeliz por el pelo y estrellado su cara contra la mesa. El segundo ejecutivo intentó retener su brazo, aferrándoselo torpemente. El codo de Boiko se disparó hacia atrás y le rompió la nariz. El tercero tuvo tiempo de levantarse y lanzarle un torpe manotazo que Boiko bloqueó sin esfuerzo, aprisionando con su zarpa la mano del otro, retorciéndosela sin piedad.

Ocurrió todo con tal suavidad y rapidez que casi

nadie en el local se dio cuenta de nada. El cuarto suizo dio un paso atrás y alzó la mano como para protegerse o pedirle a Boiko que se detuviera. Éste se limitó a hacerle un gesto con la cabeza.

—Tú los sacas de aquí —dijo—. Antes de que se hagan daño.

Toda aquella fuerza, casi inhumana, desperdiciada en estúpidas trifulcas. Boiko era un soldado sin guerra que luchar, un general sin ejército. O más aún. Quizá era la misma reencarnación de algún héroe mitológico. Tendría gracia, se dijo. Un guerrero indestructible, un semidiós, condenado a pasar cocaína en un turbio garito. O tal vez no fuese una reencarnación, sino una sombra. Puede que todos fuesen sombras, rondando la geografía de un Hades difuso y banal, penando sin saberlo.

Sombras, repitiendo los pasos de otras sombras.

Las primeras horas en el túnel pasaron rápidamente, poniendo a punto el detector, examinando los datos iniciales, lanzando una calibración tras otra. Más tarde exploraron el refugio. El túnel era en realidad un embudo que daba a una garganta que tenía un par de metros de ancho a ras de suelo, pero iba estrechándose hacia lo alto, hasta cerrarse casi completamente unos veinte metros más arriba.

Ebrahim le tomó por el brazo.

—Ven —dijo—. Déjame que te muestre algo.

Caminaron unos trescientos metros a lo largo de la garganta hasta toparse con la pared que cerraba el desfiladero. Justo en el vértice entre las tres paredes la rendija que cerraba la garganta se abría un poco, formando una especie de chimenea. Situándose justo debajo de ésta, podía divisarse un remoto parche de cielo azul.

—Mis amigos y yo la llamábamos la Puerta del Paraíso —dijo Ebrahim, señalando el hueco—. Es tan estrecha que sólo la atraviesan los elegidos.

—Ya veo. ¿Y tú lo conseguiste?

—Muchas veces. Aunque es difícil. Pero vale la pena. Una vez que pasas la chimenea, las paredes se abren de nuevo. Hay que continuar la escalada siguiendo la gran fisura que recorre una de ellas. Tienes que subir otros ciento cincuenta metros hasta llegar a un repecho, a partir del cual la pendiente se suaviza mucho y se puede seguir trepando sin dificultad hasta la cima. Era una escalada maravillosa.

—¿No te gustaría intentarlo de nuevo?

—Dudo que pudiera. Hacen falta buenos dedos y músculos jóvenes como los tuyos.

Héctor miró hacia el distante pedazo de cielo allá en lo alto.

—Me gustaría probar —dijo.

—¿Has escalado alguna vez?

—Nunca.

—Déjame mostrarte cómo se hace.

Ebrahim se asió a uno de los agarraderos que formaba la caliza, tanteó con el pie hasta encontrar una pequeña cavidad y se alzó, contorsionando el cuerpo para mantener el peso vertical, moviéndose con una seguridad y una destreza que dejaron a Héctor boquiabierto. Unos cinco metros más arriba la fisura se había estrechado lo suficiente como para permitirle subir otro tramo apoyando un pie en cada pared. Llegó hasta mitad de camino, unos diez metros, antes de iniciar el descenso.

—Prueba tú. Recuerda que lo más importante es distribuir bien el peso. Gira las caderas hacia la pared en cada movimiento para no salirte de la vertical.

Héctor empezó a ascender, buscando los apoyos que Ebrahim le indicaba y procurando mantener el equilibrio. Para su sorpresa no le fue demasiado mal. Sin embargo, cuando alcanzó el punto donde podía apoyarse en ambas paredes, sudaba a mares, tenía los antebrazos hinchados y un incipiente temblor en las rodillas.

—Sacude los antebrazos y relájate —gritó Ebrahim—. Ahora es más fácil.

Héctor siguió subiendo, brazos y pies en cruz, copiando los movimientos que había visto hacer a Ebrahim. De vez en cuando, allá donde la ascensión se ponía difícil encontraba un pitón clavado en la roca, facilitando el paso. Cuando se quiso dar cuenta, había superado el punto al que había llegado su compañero.

Suficiente. Tenía las palmas de las manos peladas, los dedos agarrotados y una especie de borrachera, como si el viento, colándose por la garganta, compusiera un canto de sirena que le impulsara a seguir subiendo.

Miró hacia abajo. Ebrahim le hacía ansiosos signos con los brazos para que bajara. Era la primera vez en su vida que escalaba una pared y ni siquiera se le había ocurrido considerar que lo estaba haciendo sin cuerda. No sentía vértigo alguno. Pero el temblor de las piernas arreciaba. Con un esfuerzo inició el descenso.

Diez minutos más tarde Ebrahim le estaba vendando

las manos y poniéndole tiritas en los dedos, sacadas de un completísimo botiquín de campaña.

—Eres bueno para esto —le dijo—. Me recuerdas a Ramin.

Héctor tuvo el tiempo justo de cambiar la pregunta que acudió a su mente por otra menos comprometida.

—¿Cuánto cuesta llegar hasta arriba?

—¿Te has fijado en los pitones?

Héctor asintió, agitando las manos vendadas.

—Sí —dijo—. Ayudaban mucho.

—Pusimos muchos en la Puerta del Paraíso para facilitarnos las cosas. Es tan estrecha que sólo puedes ascender con los brazos levantados por encima de la cabeza empujándote poco a poco con los pies, tanteando en la roca hasta encontrar los apoyos. Lo más importante es dominar la claustrofobia. Al otro lado de la chimenea puedes volver a respirar de nuevo. La escalada por la fisura es maravillosa, la pared es muy vertical, y si no tienes vértigo te sientes como ascendiendo una escalera al cielo. Tienes que ir poco a poco, metes las manos en la grieta y las cierras, de tal manera que tu puño te sirva como apoyo para alzarte.

—No parece demasiado fácil.

—La primera vez no lo fue, pero luego equipamos la grieta con bastante anclajes, estribos e incluso alguna escalerilla en los puntos más complicados. Aun así, no se la recomendaría a un novato. Aunque quizá tú pudieras con ella.

—¿Ciento cincuenta metros por una fisura? No me hagas reír.

Ebrahim se levantó, guardó el botiquín en su mochila,

sacó un hornillo de gas, un par de platos de cartón, unas lonchas de *kebab* envueltas en papel de plata, unas bolsitas de té y una botella de whisky escocés, que le lanzó, como un jugador de baloncesto pasando una pelota. Héctor la atrapó al vuelo, desenroscó el tapón y dio un trago. El whisky raspaba en la garganta, pero inundó su estómago con una agradable sensación de bienestar.

—Pronto oscurecerá, *rafeeg* —dijo Ebrahim—. Vamos a preparar algo de comer.

Boiko se estaba retrasando y Carpenter comenzaba a sentirse mal. El calor asfixiante del local le estaba mareando. Regueros de sudor frío le corrían por el cuello, las axilas, la espalda; tenía la camisa pegada al cuerpo como una mortaja. Un dolor de cabeza cada vez más agudo le martilleaba las sienes. Empezaba a respirar con dificultad, los pulmones sólo parecían llenarse a medias de aire, lo que le obligaba a dar bocanadas cada vez más ansiosas.

Era el principio del mono. Y pronto iría a peor. Tenía que conseguir un poco de polvo esa misma noche y Boiko no aparecía. Apoyó los codos sobre la mesa, agarrándose la cabeza con ambas manos para presionar las sienes. Con un esfuerzo colosal ralentizó su respiración, conteniendo los amagos de arcadas que le sacudían.

—¿*Tovarich*? ¿Enfermo?

La voz, fuertemente acentuada; la manaza, pesada como el ancla de una galera en su hombro. Carpenter abrió los ojos, agradecido.

Al principio no sintió miedo. Su conciencia se limitó

a registrar la presencia de una muchacha junto a Boiko. Un instante después reconoció la melena cobriza y los aires de reina, a lo Katharine Hepburn en *María Estuardo*. El corazón le dio un vuelco.

—Hola —dijo ella—. ¿Carpenter, verdad?

—¿Amigo de Irene, tovarich? —preguntó Boiko, dedicándole una de esas sonrisas que serían inocentes sin la cicatriz que se retorcía bajo su párpado.

—Yo... —Su lengua era incapaz de moverse, paralizada como un conejo mordido por una víbora.

—Somos colegas —dijo ella—. Podría decirse que nos interesan los mismos temas, ¿no?

—¡Ah! —exclamó Boiko, dando a Carpenter una palmada cariñosa en el hombro—. ¿Mis amigos trabajan juntos? ¿Haciendo bombas?

—No exactamente —dijo Irene, sentándose a la mesa—. Pero casi.

—¿Celebramos? ¿Lo de siempre, *tovarich*?

Rubio, inocente y enamorado, pensó Carpenter. Ryan O'Neal en *Love Story*, excepto por los tríceps desnudos, sobresaliendo bajo la camiseta de manga corta y dibujando dos crueles herraduras de fibras trenzadas, sobre las que se deslizaba una serpiente tatuada en tinta azul.

—Lo de siempre —dijo Carpenter.

—¿Me traes una cerveza a mí? —pidió Irene.

Boiko le acarició el cabello antes de encaminarse hacia la barra. Parecía inconcebible la ternura con que su mano se deslizó sobre la cabellera pelirroja.

—¿Es cierto que no hay señal donde predice mi modelo?

No parecía enfadada, más bien desilusionada, como si no acabara de creerse que sus cálculos pudieran ser incorrectos. Al contrario. Carpenter se sintió un canalla.

—No, no la hay... —Debía haberse quedado ahí, pero el síndrome de abstinencia no le dejaba pensar con claridad y la idea de mentirle a Katharine Hepburn se le hacía insoportable—. Pero aún no es un resultado firme. El ruido de fondo es muy difícil de controlar.

—No dio esa impresión durante mi charla...

—Lo sé. Lo siento. La culpa fue del tal Reeves. Sacó a mi jefe de sus casillas y la cosa se descontroló.

—¿Por qué se me antoja que tu jefe se sale bastante fácilmente de sus casillas?

—Estoy comprobando el análisis —se apresuró a añadir Carpenter—. Paso a paso. Pronto tendré un resultado definitivo.

En ese momento llegó Boiko con un *gin tonic* y dos cervezas. Carpenter se apresuró a sacar su cartera y le alargó cinco billetes de cien francos suizos. Boiko dejó las bebidas sobre la mesa y guardó el dinero en un bolsillo de su pantalón.

—¿Esperáis un poco? Boiko vuelve enseguida.

Los ojos de la muchacha, pensó Carpenter, eran como dos animales vivos, observándole, despiertos e inescrutables.

—¿No te ha salido un poco cara la copa?

Carpenter se quitó las gafas y empezó a limpiarlas con una punta de su camisa. Lo de limpiarlas era un decir, pero le hizo ganar algún tiempo para pensar la respuesta. Se sentía como un bufón interrogado por una reina.

—Había un extra. Para cocaína. Boiko sabe dónde

encontrarla.

—Ya veo —dijo Irene—. Soy una metomentodo. Perdona.

—No hay nada que perdonar. Estoy un poco enganchado. Guárdame el secreto, ¿quieres? No suelo ponerlo en mi currículo.

—Cuenta con ello. Explícame cómo consigues suprimir el ruido de fondo a tan bajo ángulo. Tiene que ser verdaderamente difícil.

—Lo es. La señal de kaones por sí sola no basta...

El maldito mono, espesándole las neuronas. Los ojos de Irene, escudriñándole. Había estado a punto de meter la pata, confesándole que aún no sabía cómo limpiar la región donde el modelo predecía la señal de las burbujas, eliminando el exceso de ruido de fondo.

—Quiero decir que no basta del todo. No parece que haya señal alguna, pero no está lo bastante claro.

—¿Y qué piensas hacer al respecto?

—¡Se me ha ocurrido un truco magnífico! He pensado crear una red neuronal que explote la información de tu modelo. Una vez que se la entrena para que discrimine la señal que predices del ruido de fondo, su eficiencia es muy alta.

Irene dio un largo trago a su cerveza, casi vaciándola de un golpe, sin quitarle la vista de encima.

—Es una idea muy buena. Qué lástima no haber hablado contigo antes de dar mi charla. Fui una estúpida. Podía haberte proporcionado toda la información necesaria para entrenar la red y hubiéramos averiguado de antemano si mis predicciones eran correctas o no.

—¡No digas eso! No podías saber...

—Claro que podía. Lo lógico hubiera sido asegurarme de que reproducía los resultados del experimento. Pero estaba tan convencida de haberlo hecho bien que ni lo pensé. Me está bien empleado el vapuleo. En fin, te garantizo que la próxima vez consultaré contigo.

—Será un honor.

Le salió del alma. Irene no era la señorita malcriada que había supuesto, no lo había tratado con la arrogancia a la que tan acostumbrado estaba, no le había exigido su pedigrí ni mostrado el suyo.

—Hecho entonces —dijo ella, tendiéndole la mano.

Carpenter se la estrechó, rogando por que Boiko llegara pronto con la cocaína.

NINGÚN LUGAR SAGRADO

Carpenter no tardó mucho en marcharse una vez que Boiko le alargó la mercancía que había ido a buscar. La ansiedad con que acariciaba el paquete envuelto en papel de plata, como si se tratara de una carta de amor, le produjo a Irene una sensación extraña, mitad tristeza, mitad compasión.

—Buen amigo —dijo Boiko cuando Carpenter hubo desaparecido, tragado por la marabunta de cuerpos, cada vez más numerosos, a medida que avanzaba la madrugada y se iban cerrando bares y discotecas, que enviaban nuevas remesas de trasnochadores a L'usine.

Entre ellos, iba llegando la gente de la banda. Nunca eran exactamente los mismos, aunque había algunos permanentes, como Misha, que nunca se despegaba de Boiko excepto hacia el final de la noche, cuando el exceso de alcohol solía dejarle tumbado en alguna esquina.

Misha le caía bien. Hablaba poco y bebía demasiado, pero había una calidez en él que hacía que se sintiera bien a su lado. Era el único de todos que no temía a Boiko y el único al que éste trataba con afecto. Sobre todo conforme el vodka iba encendiendo las mejillas del hombrón a la vez que apagaba el brillo de sus ojos.

También estaba Klaus, bravucón, pendenciero, charlatán y despreciado por todo el grupo, incluido

Boiko. Alguna vez le había sorprendido mirándola de soslayo, pasándose la lengua por los labios con un gesto que le recordó al del infame Matthieu.

El resto de la banda se le difuminaba, nombres y rostros que no conseguía memorizar. Algunos de ellos eran eslavos. Otros, sin embargo, hablaban francés sin acento, vestían trajes caros y su relación con Boiko era distinta, más tensa y precavida.

¿Clientes? No sabía.

No quería saber.

Toda su relación con Boiko se fundamentaba en ese simple principio. No saber. No pensar.

Pero la conversación con Carpenter había removido algo en su interior, una costra que parecía haberse solidificado en las semanas que habían pasado desde su estrepitoso fracaso.

¿Qué había hecho desde entonces?

Pasarse las hora muertas en L'usine. Recorrer la ciudad de madrugada, aquella Ginebra espectral y solitaria, extrañamente íntima, de las horas que precedían al alba. Despertarse, a la luz de la mañana, entre los brazos de un hombre con el que había pasado la noche haciendo el amor sin intercambiar más de una docena de frases entrecortadas. Bajar las persianas, caer en un sopor profundo del que no salía hasta media tarde. Encontrarse, sin reconocerse, en un colchón solitario con las sábanas revueltas, húmedas y acusadoras, con el corazón encogido, con la mente en blanco.

Ducharse, desayunar, llegar al CERN en el autobús de las cinco y media de la tarde, cruzándose con la caravana de coches que salían del laboratorio, la legión de burócratas que imponían sus ritmos adormilados, su tedioso estilo, sus horarios de oficina a la Fábrica del Saber.

Otra fábrica que no producía nada excepto ruido. Como L'usine.

Pasaba por su oficina, leía sin interés su correo. Al día siguiente de su charla había uno de Helena Le Guin pidiéndole que fuera a verla. Le había contestado con dos líneas tan envenenadas que la directora no había osado molestarla de nuevo.

De vez en cuando se preguntaba qué haría si llegara un *e-mail* de Héctor. Era otra forma más de matar el tiempo, ensayar mentalmente los desplantes que le propinaría, las frases cortantes con que lo dejaría sin argumentos, las rotundas negativas con que respondería a sus peticiones de clemencia.

Pero Héctor no escribía y el despacho se le caía encima a los cinco minutos de haber llegado. Si el auditorio estaba libre, se sentaba al piano y trabajaba la partitura de Leila durante dos o tres horas, las únicas del día en la que su mente parecía sacudirse la modorra. Si no, perdía el tiempo en el despacho de Mauricio Gatto, escuchándole predicar sobre la inminente destrucción del mundo y murmurar planes de venganza contra Friedrich von Zhantier.

Mauricio operaba un efecto extraño en ella. Cuanto más tiempo pasaba a su lado, más aborrecía el teatro de guiñol en que se había convertido el CERN para ella.

Hacia las diez regresaba a Ginebra. A medianoche estaba en L'usine para encontrarse con su amante.

—¿Pensando?

—Me gusta pensar a veces.

—Pensar no es bueno. Duele la cabeza.

Boiko tenía razón. Si no pensaba, si se limitaba a navegar el río del presente continuo en que vivían, todo iba bien. El rostro de muchacho bueno se distendió en una sonrisa que tenía algo de desvalido. Irene se inclinó hacia él y le besó en los labios. No pensar, se dijo. Dejarse arrastrar por la corriente de la pasión, por la ternura de aquellos dedos poderosos acariciando su nuca, por el espejismo de una felicidad imposible.

Apenas hablaron mientras devoraban la parca cena a base de *kebab* frío, un poco de pan de pita reseco, una lata de caviar y unos dátiles de postre. Bebieron té y fueron pasándose la botella de whisky pausadamente, dando sorbos cortos, haciéndola durar. Más tarde encendieron el *ghelyum* y fumaron arrebujados en las mantas. Héctor estaba empezando a cabecear, exhausto por las emociones del día, cuando la voz de Ebrahim le espabiló de repente.

—Estudiábamos en Shiraz —dijo—. Leila, su hermano Ramin, Sohrab y yo. Nos conocimos en mil novecientos setenta y siete durante el primer curso en la universidad, aunque estudiábamos disciplinas muy distintas. Ramin y yo nos habíamos matriculado en Arqueología, Sohrab en Derecho y Leila en Bellas Artes. Sin embargo, fuimos inseparables desde el primer día.

«Ramin militaba en el Tudeh, el partido comunista de Irán. Ese año se metió en muchos líos, pero su padre era un hombre influyente y siempre salió indemne de ellos. En cambio a Leila la política le traía sin cuidado.

Era una niña prodigio. A los quince años ya era la mejor pianista de Irán y una de las mejores del mundo. Había interpretado innumerables veces para el sha, que la quería como una hija... ¿Te ocurre algo, Rafael?

Le costó un instante darse cuenta de que se refería a él. La sorpresa le había dejado tan aturdido como para cancelar incluso el reflejo de responder a su falso nombre. A falta de mejores ideas dio un largo trago de whisky.

¿Leila? ¿La madre de Irene? ¿Quién si no?

Todo encajaba de repente. Pero no era cuestión de interrumpir. Ebrahim aún no había acabado su historia.

—No es nada. Sigue, por favor —dijo, tendiéndole la botella.

—Sohrab, por su parte, era un islamista convencido, lo cual no le impedía beber los vientos por Leila. Pero Sohrab provenía de una humilde familia de artesanos, mientras que Leila pertenecía a la aristocracia más exquisita de Irán. El suyo era un amor prohibido..., aunque menos prohibido que el que me unía con Ramin.

También Ebrahim bebió como un náufrago antes de lanzarle el frasco de Johnny Walker de vuelta.

—En los círculos universitarios de Shiraz había un cierto margen de tolerancia hacia la homosexualidad. Si se era discreto, la gente pretendía no darse por enterada. Nosotros lo éramos. Ramin era alto y delgado como tú. Su padre quería enviarlo a Princeton, pero él se negó en rotundo. Yo acababa de perder al mío y aunque me había dejado bastantes recursos como para costearme los estudios en Irán, Estados Unidos quedaba fuera de mi alcance. Y él no quería abandonarme.

Un nuevo silencio, roto sólo por la respiración

de ambos, el lento exhalar del humo, formando una atmósfera espesa e íntima a su alrededor.

—Yo era el más prudente de todos. Evitaba las manifestaciones y no me dejaba ver casi nunca en público. La herencia de mi padre consistió en algo más que los modestos ahorros con los que iba tirando. Aprendí de él que la mejor garantía de seguridad en un país como el nuestro era pasar inadvertido.

«Este era nuestro refugio favorito. Solíamos pasarnos días aquí, a veces semanas enteras, recorriendo estas cumbres de un extremo al otro. Ramin era un gran atleta. Me enseñó a escalar... me enseñó muchas cosas.

«Cuando estalló la revolución, Leila y Ramin fueron detenidos, pero él consiguió escapar en un descuido de los guardias. También Leila se salvó gracias a un milagro..., un extraño milagro, pero no quiero hablar ahora de eso. Espero que todavía viva, aunque no he vuelto a saber de ella. En cuanto a sus padres, prefirieron no darle el gusto a los revolucionarios de ejecutarlos, como les ocurrió a tantos parientes y amigos del sha.

Héctor se mordió los labios para guardar silencio.

—Ramin debería haber huido de Irán, pero no lo hizo. Eligió quedarse, en la clandestinidad, alimentando la esperanza de que el Tudeh se impondría al régimen islámico. De tarde en tarde nos veíamos en nuestro pequeño refugio, que sin embargo pronto dejó de ser privado. Poco a poco Ramin lo convirtió en un zulo del partido comunista. Comprendí que debía dejar de acudir, pero éste era el único sitio donde podía encontrarme con él.

Un nuevo trago que le hizo toser como un tísico,

dejándole maltrecho, con los ojos inyectados en sangre.

—Los guardias de la Revolución nos atacaron un día de mil novecientos ochenta y dos de madrugada. Dejaron su camión a un kilómetro de aquí para no hacer ruido. Supongo que pensaron tomarnos por sorpresa, pero un vigía los vio acercarse. Era imposible escapar, pero nuestros amigos del Tudeh tenían armas y se defendieron valientemente.

»Cuando empezó el tiroteo, Ramin me tomó de la mano y me arrastró hacia la garganta. Llegamos bajo la Puerta del Paraíso y me instó a que subiéramos. Desde lo alto del risco hay un sendero que corre a lo largo de la cresta, paralelo a la carretera por la que hemos venido esta mañana. Si lo sigues, acabas en las afueras de Persépolis. Lo habíamos explorado a lo largo de los años que llevábamos acudiendo al refugio y lo conocíamos como la palma de la mano. Empezamos a escalar. Yo iba el primero. Cuando metí la cabeza en la chimenea, oí gritos y disparos. Comprendí que los guardias estaban ya dentro del túnel. Me colapsó el pánico. Resbalé y me quedé atrapado entre las dos paredes sin poder moverme. Ramin me ayudó, guiando mis pies hasta los apoyos, animándome para que no me rindiera. Finalmente lo conseguí. La pared se abrió, atrapé la escalerilla metálica que habíamos anclado a la salida de la chimenea y me giré para ayudar a mi amigo. Vi aparecer su cabeza. Oí el tableteo de una ametralladora. Ramin abrió mucho los ojos, como sorprendido. La ametralladora disparó un segunda ráfaga, pero la expresión de su rostro no cambió. Su cuerpo inerte bloqueó la Puerta del Paraíso y me protegió de las balas de los guardias.

»Huí tan deprisa como pude. Conseguí llegar a Persépolis y escurrirme en un autobús de vuelta a Shiraz. Tuve la sangre fría de seguir acudiendo a clase hasta que los mulás decidieron cerrar la universidad.

Mientras hablaba, Ebrahim le había ido dando la espalda poco a poco, hasta quedarse mirando hacia la pared de la cueva, abrazándose las rodillas, su rostro oculto en las sombras.

—Ramin dio su vida por mí —murmuró—. Durante muchos años me limité a vegetar, a sobrevivir en un país que no consideraba ya mío. Hasta que un día tuve ocasión de asistir a una conferencia en Madrid. Entré en contacto con el Mossad y empecé a trabajar para ellos. Escogí Israel porque me pareció el mayor enemigo de mis enemigos.

»El odio es un motor poderoso, Rafael. Pero treinta años es mucho tiempo. El mundo ha cambiado y mi país también. Sólo los muertos permanecen inmutables.

Silencio. La pipa se había apagado y la botella estaba casi vacía. Héctor tenía frío, a pesar de la cálida manta de lana que le envolvía. Su mano tanteó en la oscuridad hasta encontrar la de Ebrahim.

—Leila vive —dijo, apretándosela—. Se casó, ha sido feliz. Tiene una hija.

Cuando Boiko formó dos montoncitos alargados de polvo blanco encima del tablero que hacía las veces de mesa y le tendió una delgada caña, la cultura de Irene no alcanzaba a informarle sobre cómo debía servirse del objeto en cuestión para esnifar la minúscula duna.

—Tengo un poco de whisky por ahí —dijo, devolviéndole la caña a Boiko y enredando en el comedor mientras éste esnifaba, primero por una ventana de la nariz, después por la otra.

Regresó de la cocina con dos vasos de café y una botella de Tullibardine comprada en las tiendas libres de impuestos del aeropuerto de Nueva York, que había sobrevivido, intacta, los meses que llevaba en Ginebra.

—Buen licor —dijo Boiko, llenando los vasos hasta casi rebosar—. Fiesta grande.

Irene se armó de valor y repitió la maniobra que le había observado hacer. La sensación inmediata fue de un intenso picor en la nariz que la hizo estornudar varias veces. Boiko le alargó el vaso de whisky.

—De un trago —le dijo.

No llegó ni siquiera a mediarlo. Tampoco le hizo falta. La sensación de placer era como un fluido cálido y refrescante a la vez, que parecía emanar de su estómago, ramificándose en dos grandes arterias. Una subía a lo largo de la garganta y se desbocaba en un estuario que inundaba su cabeza. La otra descendía, enroscándose en torno a su sexo, como la pitón tatuada en el cuerpo de su amante.

—¡Uf! —balbuceó—. Esto pega.

—Nieve muy pura —asintió Boiko satisfecho—. Buen colocón.

El torrente que había anegado su cerebro se retiraba lentamente. Irene tuvo la sensación de que cada una de sus neuronas se había incendiado como una supernova. La Vía Láctea, encendiéndose en el interior de su cabeza. Una persona tenía tantas neuronas como estrellas una galaxia. Tantas estrellas como granos de arena en todas las playas del mundo. Tantos granos como la suma de todos los vivos y todos los muertos. ¿Había un mensaje, un sentido oculto, una conexión obvia que se le había escapado hasta el momento? Tuvo la sensación de que si se concentraba lo bastante, si utilizaba el infinito poder de la nebulosa que brillaba en su mente, podría dar con la clave, con cualquier clave que se propusiera.

Pero había otras cosas de las que preocuparse.

La pitón, por ejemplo.

Extraño que alguien pudiera considerar repugnante un animal tan hermoso. La piel de la serpiente, húmeda y resbaladiza, se frotaba contra el interior de sus muslos, haciéndola estremecerse de placer. Los poderosos músculos iban separando poco a poco sus piernas mientras la lengua bífida se colaba bajo su ropa interior, tanteándola, recorriéndola, mortificándola con sus caricias.

Irene abrió los ojos. Había otros dos montoncitos de nieve esperando. Esta vez no le cedió el turno a Boiko.

Tampoco necesitó la ayuda del whisky. Esta vez la explosión en el interior de su cerebro la dejó ciega y sordomuda, precipitándola a un pozo sin fondo en el que lo único tangible era el placer que la traspasaba.

Cuando recuperó la vista estaba desnuda, tumbada sobre el colchón, y Boiko dejaba caer un delgado hilo de polvo blanco sobre sus pezones, formaba un reguero que descendía hasta su pubis y espolvoreaba una nube sobre su sexo.

También él estaba desnudo y la gran serpiente corría por su piel. Tenía la botella de whisky en la mano. Bebió y luego se la puso entre los labios. Irene tragó. El licor era una erupción invertida, lava hirviente que descendía desde su garganta hasta el interior de su cuerpo.

¿Llovía? La inesperada sensación de humedad. Boiko hacía gotear la botella sobre su cuerpo, siguiendo el reguero de coca.

—Ningún lugar sagrado —murmuró antes de seguir el mismo camino con su boca.

DRAGÓN NOCTURNO

Carpenter se sentía bien de nuevo. Concentrado, alerta y protegido, rodeado por las grandes pantallas de cuarzo líquido que definían su espacio vital.

Se pasó la lengua por las encías, donde todavía quedaba un leve rastro de su «dentífrico». Le debía el truco a Boiko. Esnifar no le iba bien, no buscaba colocarse, no era un adicto al subidón que producía la coca en grandes cantidades. Al contrario, detestaba la sensación de falta de control, la inseguridad, las obsesiones que le asaltaban cada vez que exageraba la dosis. Por no decir las secuelas físicas. Su corazón respondía mal a cualquier exceso. Llevaba ya varios sustos a cuestas. Boiko había sido testigo del último, la misma noche que mandó al imbécil de Linsen al hospital por un par de semanas. Pero ¿quién no hubiera hecho una excepción para celebrar las buenas nuevas?

Excepto que no podía permitírselo. Cuando comenzaron las palpitaciones, era ya demasiado tarde. Siguió el mareo, los vómitos, un sudor frío abrazándole como una amante escapada de la tumba.

Afortunadamente Boiko había comprendido que la cosa iba en serio y un cuarto de hora más tarde le estaban intubando en la UCI del Hôpital de La Tour. Afortunadamente todo había quedado en un susto. Su médico de cabecera era un buen amigo y la política del hospital era de una discreción absoluta. Pero el mensaje no podía haberle quedado más claro.

—Tienes el corazón débil, John. La próxima vez quizá no tengas tanta suerte.

—No habrá próxima vez, Philippe. Te lo garantizo.

—Has estado a un pelo del infarto. Tienes que cuidarte.

—Lo haré, quédate tranquilo.

—Quizá deberías considerar unas vacaciones en un centro...

—No soy un toxicómano. No necesito que me hagan un lavado de cerebro.

—John, no es sólo la adicción. Deberías perder peso, cambiar de hábitos... Piénsalo.

No había nada que pensar, se dijo, mientras controlaba los procesos que circulaban por la granja de ordenadores, una rutina tan familiar que sólo requería el diez por ciento de su atención. Los trabajos no tardarían en finalizar. Antes de irse a casa sabría si la red neuronal funcionaba o no.

No había nada que pensar, no tenía intención alguna de encerrarse en una cárcel con horarios prefijados, arrogantes doctores que le dieran palmaditas en el hombro y le trataran como a un deficiente mental, enfermeras estiradas que le arrearan como ganado a lo largo de la rutina del día. Comida de dieta, charlas para subnormales y la compañía de colgados de todo tipo. Por no hablar de la imposibilidad de trabajar durante el tiempo que durara la sentencia.

Los trabajos empezarían a salir de la cola en cualquier

instante. Carpenter empujó su butaca de ruedas hacia atrás, saliendo a regañadientes de su cápsula protectora y se dirigió, resoplando, hacia el cuarto de baño con un neceser en el que llevaba un cepillo de dientes y una pequeña lata de Nivea, en cuyo interior había mezclado su «dentífrico». Pasta de dientes y la cantidad justa de coca.

—Tú necesitas tirón largo. Boiko sabe cómo.

Al llegar al cuarto de baño se enfrentó primero con el pequeño suplicio de orinar. Philippe llevaba una temporada dando guerra con su próstata, pero no podía meterse en una operación en ese momento. No había nadie en Omega que pudiera sustituirle.

Friedrich lo sabía perfectamente. Se lo había dicho muchas veces.

—Dependo de ti, John. Eres mi brazo derecho. Como Corrado.

Corrado, siempre Corrado. El jefe lo nombraba tan a menudo que a veces tenía la sensación de verlo caminar al lado de éste, su sombra confundiéndose con la sombra de Friedrich von Zhantier. Otras veces, en cambio, le parecía sentir su aliento en la nuca, su mirada penetrante estudiando sus programas. Aprobando su trabajo. No creía en fantasmas, pero si creyera no les tendría miedo, al menos no al de Gatto. Era una presencia amable. Un amigo silencioso y fiable. Como Boiko. Qué importaba que fuera una sombra. ¿Quién no lo era?

Después de orinar se dirigió al lavabo. Abrió la lata de Nivea, untó el cepillo de dientes con la pasta y la aplicó cuidadosamente a sus encías. Primero una capa fina, en la encía superior, justo encima de los incisivos, que absorbió rápidamente, pasando la lengua una y otra vez por ella. Inmediatamente se sintió mejor. A continuación aplicó una segunda capa, concienzudamente, a lo largo de ambas encías. El efecto debía durarle un buen rato. La coca se absorbía poco a poco con aquel truco, dándole un ligero empujón, una ayuda, sin secuelas.

Él no necesitaba la nieve para alucinar o ponérsela dura. Nunca le había interesado lo primero y hacía años que había renunciado a lo segundo. Cada uno era como era. Su cuerpo siempre había sido un lastre que llevar a cuestas. A cambio, su cerebro era un toro bravo como el que acababa con Juan Gallardo en *Sangre y arena*. La coca le ayudaba a sentirse mejor, eso era todo. Más optimista, menos agobiado por la maraña de acontecimientos que se enredaban a su alrededor. Sobre todo cuando tenía que hablar en público. No se le daba bien, le ponía nervioso sentirse el centro de la atención de una audiencia, tendía a tartamudear, a liarse explicando conceptos triviales, a perder el control sobre su acento que revertía al cockney de su infancia. Quizá por eso Friedrich solía ser reticente a que presentara los resultados de su trabajo en las conferencias anuales.

—No te preocupes por esas menudencias. A Corrado le traían sin cuidado.

Y, sin embargo, pensó John, a él le resultaba cada vez más insoportable que fueran otros los que se lucieran con sus ideas, presentándolas como suyas, sin darle crédito alguno. Pero el jefe le quitaba importancia.

—Lo que cuenta es la marca. Corrado era el Versace de la física, aunque nunca saliera al escenario.

Los trabajos iban acabando uno tras otro. Satisfecho,

lanzó un programa que analizaba el resultado de cada uno de ellos y creaba un gráfico que iba refrescándose online a medida que iban llegando nuevos datos. Mostraba la abundancia de la hipotética señal de burbujas extrañas que la red neuronal iba encontrando. Las fluctuaciones todavía eran altas, pero el gráfico parecía oscilar en torno al cero, como era de esperar...

¿O no? A medida que barría la región de bajos ángulos la curva iba separándose más y más del valor nulo. Carpenter entró en un ciclón de actividad, lanzando desde sus tres pantallas un control tras otro, tecleando códigos que le permitieran comprobar pasos intermedios, chequeando resultados de referencia, modificando al vuelo los parámetros de la red. El sonido de sus dedos sobre los teclados era similar al tableteo de una ametralladora; los movimientos con que su butaca giraba entre los terminales, precisos como si pilotara una nave espacial.

Una hora más tarde no había lugar a dudas. La señal de las burbujas era enorme. Tenía miles de sucesos en la DST. ¡La teoría de Irene de Ávila era absolutamente correcta!

Era una de esas situaciones en las que tenía sentido permitirse una segunda visita al cuarto de baño.

Se despertó con la sensación de que algo iba terriblemente mal.

Su Rolex le informó de que eran casi las siete de la mañana.

¿Las siete? ¿Cuánto tiempo llevaba durmiendo?

Debería haberse levantado no más tarde de las cuatro para controlar las medidas del detector y regresar a Persépolis antes de las seis. ¿Qué había pasado?

Se puso en pie de un salto, ignorando el dolor de cabeza y la sensación de náusea en su estómago. Ebrahim estaba sentado cerca de la entrada principal del túnel con lo que parecía una pequeña radio de campaña entre las piernas.

—¿Qué ocurre? —preguntó Héctor.

—Problemas.

Como para confirmarlo, el zumbido de motores, seguido de dos *jeeps* con ametralladoras montadas en la parte trasera.

—¿Por qué no me has despertado antes?

—No han parado de pasar desde antes de que amaneciera —Ebrahim señaló con la barbilla la carretera—. Imposible salir. Pensé que valía la pena que descansaras un poco más.

—¿Qué vamos a hacer?

—De momento ocúpate de tus medidas. Mientras seguiré intentando contactar con Moshem. Lo primero es decidir si todo este tráfico es pasajero o si hay algo más.

¡El detector! En lugar de comprobar las medidas antes de irse a dormir había caído fulminado por el alcohol y la devastadora tristeza que Ebrahim había desparramado sobre él. Velasco tenía razón. No era más que un novato estúpido, de quien nadie en su sano juicio debería fiarse.

Se levantó de un salto, controlando la sensación de náusea que se apoderó de su estómago vacío y corrió al Mitsubishi. Con un clic del ratón activó la pantalla que registraba los resultados de las medidas.

¡Tenía una señal! El pico de neutrones resaltaba sobre el ruido de fondo tan nítidamente como las columnas del Palacio de los Reyes sobre la llanura de Persépolis. El exceso correspondía a muchas decenas de kilos, el espectro de energía era el apropiado y la señal era máxima en la dirección del depósito, de donde provenían los neutrones. No había duda posible.

Sin perder un instante sacó del bolsillo interior de su chaqueta una pequeña barra de memoria, la insertó en el ordenador y copió todos los datos en ella.

Tenía las pruebas. Ahora sólo necesitaban salir de allí.

Friedrich observa de reojo a Corrado mientras su Porsche se desliza, sin prisa, a lo largo de la carretera que une San Genis con Gex. Su amigo está contento. De hecho Friedrich no lo ha visto así en toda la década que lleva apareciéndosele. Es la primera vez que sonríe abiertamente y el resultado es un poco molesto. Corrado nunca fue un hombre de mucho sonreír y se nota, su rostro no reconoce la expresión y se distorsiona, las líneas que lo forman se disuelven para recomponerse de nuevo en el siguiente instante. Sin duda el ectoplasma no es capaz de retener los gestos que no eran habituales en vida. Es un poco inquietante la imagen de esa cara borrosa que se forma y descompone continuamente, pero Friedrich lo da por bien empleado. Está contento de haberle dado una alegría a su viejo compañero, aunque signifique haber dado su brazo a torcer.

—Ya ves que no tengo reparo en reconocerlo. Tenías razón en lo de las burbujas. Carpenter ha encontrado una señal.

Parece que el fantasma ha desistido de sus intentos de sonreír, harto de disolverse continuamente, y sus facciones expresan ahora su típica nostalgia. Pero las señales telepáticas no pueden estar más claras.

—¿Lo ves? —parece estar diciéndole—. ¿Por qué dudaste de mí? Sabías que nunca me equivocaba.

—No debiste presentar ese resultado sin consultarme —contesta Friedrich, aunque intenta que su tono no suene recriminatorio. Después de tantos años ¿a quién le importa esa antigua rencilla?

—No me lo hubieras permitido —transmite el fantasma, que hoy consigue comunicarse con una nitidez extraordinaria, como si la estática que dificulta las transmisiones con el más allá hubiera desaparecido.

—Sí, es cierto —suspira Friedrich—. No te lo hubiera permitido. Estábamos a un paso de encontrar el plasma y la prensa... ¿No lo entiendes todavía, a estas alturas?

El fantasma de Corrado le hace saber que no está de acuerdo. Terco, como siempre. ¿Qué se esperaba? Si las personas no cambiaban en vida, mucho menos iban a cambiar después de muertas.

—¿Por eso te empeñaste en anunciar el resultado sin mi consentimiento? —Friedrich se siente un poco dolido, decepcionado por el inesperado egoísmo de su amigo de toda la vida, pero disimula. A fin de cuentas es agua pasada. ¿Qué ganaría recriminándole su actitud a un fantasma? Es notorio que los espectros no aprenden, no saben hacer otra cosa que aparecerse en sus lugares habituales, buscando la compañía de los vivos, incapacitados para interaccionar con el mundo material excepto por la tenue proyección de su traslúcida figura. Por si acaso, comprueba, como siempre, que su mano atraviesa el Lacoste color beige que viste Corrado.

—Eran mis resultados —se obstina Corrado. Aunque sus labios no se despegan ni su rostro abandona la expresión melancólica, el mensaje que le llega a Friedrich es rotundo, casi áspero—. La única presentación que pude dar en años.

—No digas eso. Si no dabas más es porque no querías. Nunca te gustaron las presentaciones públicas.

Corrado parece asentir. Friedrich sabe que lleva razón. Él siempre fue mucho mejor orador que su segundo y, además, era el director del experimento. ¿Qué sentido tenía que Gatto perdiera su tiempo dando conferencias?

—¿Qué vas a hacer ahora? —pregunta el fantasma.

—La bruja —contesta Friedrich, rabioso—. La bruja quiere arruinar Omega, como hizo con ARPA. Robarme mi premio. Nuestro premio. No voy a permitirlo.

Corrado parece impresionado por su vehemencia. Durante un tramo aparece y desaparece a intervalos tan agitado como él mismo.

—Te echo de menos —dice Friedrich—. Nada me gustaría más que traerte de vuelta, celebrar juntos el éxito. Nadie va a impedírmelo esta vez. Carpenter sabe callarse. Es un buen soldado.

—¿Y Ross? —parece preguntar Corrado—. Ross te odia. Seguramente conspira con la bruja.

—No van a conseguir nada. Carpenter ha creado una DST filtrando las burbujas. Ross y sus niños de Oxford pueden estudiarla todo lo que quieran. No van a encontrar nada.

—Le debes mucho a Carpenter. Deberías permitirle exponer en la conferencia de la Sociedad Europea de Física. Se lo ha merecido.

—Lo pensaré —dice Friedrich, contemporizador.

Es mentira. Una mentira piadosa. Están a menos de un minuto de la curva donde Corrado se desvanece siempre y no quiere dejarle con mal sabor de boca. Pero lo cierto es que no tiene ninguna intención de asignarle una charla tan importante a un conferenciante tan mediocre como Carpenter. El pobre hombre haría el ridículo, por no mencionar el patinazo que supondría frente a Oxford. Pero nada cuesta darle a entender a Corrado, como le ha dado a entender a Carpenter, que lo está considerando. Ambos tienen la tendencia a tomar un «quizá» por un «sí», pero también es cierto que saben conformarse cuando resulta ser un «no». John andará unos días cabizbajo y tristón, pero, siendo quien es, se hará pronto a la idea. A fin de cuentas tiene mucho que agradecerle. Sin su ayuda seguiría siendo un mero programador, uno más de los técnicos que trabajan en su gran fábrica.

Friedrich se despereza, acaricia el volante y estira los dedos, disponiéndose a acelerar en unos pocos metros más. Corrado ya se está difuminando. Como siempre, nota el aguijonazo de la soledad. Todas esas decisiones que tiene que tomar cada día, tan fáciles de criticar y tan difíciles de asumir. ¿Tanto cuesta comprender que si permite que el funesto Archibald Ross se gane un crédito inmerecido es por el bien del experimento?

Pero Corrado ya se ha esfumado y a Friedrich no le gusta hablar solo. La primera curva de la ascensión al

Col está ya encima. Se concentra, pisa el acelerador y el Porsche sale volando, chirriando las ruedas en cada giro, veloz como un dragón nocturno.

VIRGILIO EN EL INFIERNO

Cuando regresó a la entrada del tunel, encontró a Ebrahim encorvado sobre la radio de campaña. No hacía falta entender el farsi para comprender, por el tono angustiado de su voz, que estaban en apuros.

—Nos están buscando —dijo cuando cortó la comunicación al cabo de un par de minutos.

—¿Qué ha ocurrido?

Ebrahim se encogió de hombros.

—Posiblemente los soldados que nos detuvieron ayer dieron parte, alguien ha empezado a tirar del hilo y le ha costado poco descubrir que no había ninguna misión arqueológica prevista estos días. ¡Soy un imbécil! Les di demasiada coba. Se lo pasaron tan bien que aún se acordaban del profesor chistoso a la hora de redactar su informe.

—Aun así —dijo Héctor— sería un informe rutinario, una vehículo de la universidad camino de las tumbas reales. ¿Qué les ha hecho sospechar?

Ebrahim negó con la cabeza. Parecía más furioso que asustado.

—Con un depósito clandestino lleno de plutonio Rostam Sistani sospecha de todo. ¡No debí haber permitido que vinieras!

—Olvídate de eso ahora. ¿Crees que saben dónde buscarnos?

—Es un milagro que no hayan caído aún en la cuenta. Espera. ¿Oyes eso?

Era el inconfundible ruido de un helicóptero. Ebrahim se levantó de un salto y corrió al fondo del túnel, de donde regresó al cabo de un instante con dos automáticas, que Héctor reconoció como Makarov, de fabricación rusa. Venían equipadas con un silenciador. Le alargó una de ellas y un par de cargadores.

—No podemos quedarnos aquí. Cuanto más tarden en localizarnos, más efectivos pondrán a peinar la zona.

Como para confirmarlo, un tercer *jeep* pasó zumbando por delante de la cueva.

—Estamos atrapados —murmuró Ebrahim.

Los timbrazos parecían llegar desde otra galaxia. Irene alargó el brazo, tanteando a ciegas en busca del teléfono, preguntándose quién podía querer algo de ella. Boiko no llamaba nunca y Corinne había desaparecido en unas vacaciones indefinidas. Igual que Héctor. La forma en que todo el mundo había desertado, se dijo, mientras descolgaba trabajosamente el auricular.

—Dígame.

—¿Irene?

Era Helena Le Guin.

—Al aparato —dijo. El timbre del teléfono parecía seguir sonando en su cabeza. No, peor. Las campanas de la catedral de Notre-Dame, la planta de producción de General Motors, las turbinas de un Airbus competían por machacarle las pocas neuronas que le quedaran vivas.

—Irene, quiero hablar contigo. Llevo varios días

intentando localizarte.

¿Qué hora era?

¿Hora? No sabía en qué día vivía. ¿Martes? ¿Jueves? ¿Cuánto hacía que no pasaba por el CERN?

—He estado indispuesta —balbuceó.

¿Indispuesta? Más bien colocada, borracha, fumada, alucinando.

—Nada grave, espero.

También lo esperaba ella. Por el momento apenas podía dominar la náusea; sus tripas eran una ciénaga inmunda; su garganta, el Valle de la Muerte; su cabeza, una cantera en la que explotaba un cartucho de dinamita tras otro.

—¿Podríamos vernos hoy? Si lo prefieres, podemos darnos cita en la ciudad. ¿Te parece quedar en la cafetería de Les Berges? Es un hotel muy agradable, junto al lago. ¿En una hora?

¿Para qué? Pero no tenía ánimos de discutir con ella. Bastante le costaba seguir con los ojos abiertos.

—Allí estaré.

Levantarse de la cama le costó un esfuerzo heroico. Hacerse a la idea de que eran las seis de la tarde todavía más. Recomponer los fragmentos desordenados de la última semana le fue imposible. Se arrastró a la cocina como pudo, tomó un vaso de leche y lo vomitó en el fregadero, sin tiempo de llegar al retrete. ¿De dónde habían salido todas aquellas botellas vacías?

Consiguió encadenar tres proezas consecutivas. Ducharse. Lavarse los dientes. Beber agua.

Su humor se aproximaba al cero absoluto. Las imágenes de los últimos días —¿o habían sido meses?—

se agolpaban en su mente. Los cuerpos amándose desesperadamente, como sabiendo que el extraño paraíso definido por las cuatro paredes de un piso vacío y una lata que contenía polvo blanco no podía durar. Las madrugadas en las que se despertaba del sopor inducido por la mezcla de alcohol y coca para encontrarse con unos ojos negros que la contemplaban, serenos e inescrutables. Boiko, por todo lo que sabía, no necesitaba dormir y era inmune al veneno que se metían cada noche. Apenas salían de casa, como no fuera a L'usine. La ropa se le caía, había adelgazado cuatro o cinco kilos y las ojeras le llegaban hasta el suelo. Su cerebro, aquella constelación que parecía explotar las primeras veces que la cocaína la invadía, parecía devorado por un agujero negro que se expandía velozmente, dejándola silenciosa y sin voluntad.

No podía seguir así.

Con un esfuerzo se dirigió hacia la puerta agarrando lo primero que pilló, sin pensar que acudía a un sitio elegante. Sus vaqueros zarrapastrosos, una camiseta de tirantes, las zapatillas de deporte y su pequeña mochila. Mientras bajaba las escaleras se las compuso para recogerse el pelo todavía mojado en una cola de caballo. La luna de un escaparate, bajando por la rue de Lyon, le devolvió la imagen de una yonqui flaca, pálida y mal vestida. El portero disfrazado de almirante que custodiaba la puerta de Les Berges la detuvo a la entrada del hotel, preguntándole con falsa amabilidad qué se le había perdido allí a una pordiosera como ella. Helena Le Guin apareció con el tiempo justo de evitar que la echaran con cajas destempladas.

Irene se dejó arrastrar hacia un cómodo diván en

una encantadora esquina de un local que se le antojó tan esnob como los modales de la directora.

Valiente juez de los demás estaba ella hecha. Una mendiga con la camiseta llena de lamparones y el corazón como un campo de minas.

—Se te ve desmejorada —dijo Helena, componiendo una expresión seria, de madre preocupada—. ¿Has ido al médico?

—No es nada —respondió Irene, evitando mirarle a la cara—. Creo que necesito un descanso.

—De eso quería hablarte precisamente. Pero antes quería pedirte disculpas por mi intervención durante tu charla. Irene, lo único que pretendía era ganar tiempo. Evitar que sir James nos hundiera. Friedrich se había marcado un débil farol y no me quedaba más remedio que apoyarle para evitar que Reeves saliera de la sala afirmando que el director del experimento Omega del CERN mentía.

—No tienes que darme explicaciones.

Helena se acercó más a ella y bajó la voz.

—Tengo novedades. Me temo que no son buenas.

Irene se echó hacia atrás, rehuyendo la proximidad de la directora. Conocía sus trucos y no iba a dejarse engatusar una segunda vez ni por su voz tenue ni por el sincero violeta de sus ojos.

Helena reparó en su maniobra. Su barbilla tembló un poco. Sacó su pitillera del bolso, pero no llegó a abrirla. Se limitó a pasar los dedos por la superficie de plata bruñida, como sacándole brillo.

—Después de tu charla decidí ordenar un análisis independiente de los datos de Omega. Estaba convencida de que Friedrich mentía. Le pedí a Archibald Ross que el grupo de Oxford estudiara la región que predice tu modelo. No han encontrado nada. Me temo que no hay burbujas extrañas en esa zona.

—¿Te temes? ¿No es lo que querías? ¡Estupendo, entonces! La jovencita imprudente se equivocaba y no hay riesgo alguno para el LHC. ¡Tal y como afirmaste en público!

—De eso se trata. No te imaginas lo culpable que me siento. Yo...

—Déjalo ya, ¿quieres? —cortó Irene—. Trabajé en ese problema porque me interesaba, no porque tú me lo pidieras. Si mi modelo es incorrecto, la culpa es mía, no tuya... No eres mi madre, Helena. No necesito que me compadezcas.

Ahora sí. Helena sacó un cigarrillo de su pitillera y se lo puso en los labios. Irene contuvo el impulso de pedirle uno.

—¿Has mandado tu artículo a *Science*? —preguntó Helena.

—No, todavía no —dijo Irene.

—Quizá valdría la pena que lo revisaras... Puede que haya algún error..., alguna aproximación incorrecta.

Irene asintió con la cabeza, incapaz de hablar. Quería salir de allí cuanto antes. Marcharse a L'usine. Ver a Boiko.

¿Quería verlo? ¿Realmente?

A menudo, a lo largo de las interminables noches a su lado, había intentado hablarle, tender un puente entre ambos. Pero todas sus palabras habían caído en un pozo de devoto silencio. Boiko la escuchaba sin pestañear, sin interrumpir, pendiente de su voz, como alimentándose de ella. Pero él no tenía nada que decir. Al principio había pensado que era una cuestión de tiempo, que Boiko callaba por timidez o por no saber expresarse. Pero había acabado por convencerse de que si no hablaba nunca de su pasado era porque el pasado no existía para él. Si no mencionaba el futuro era porque el futuro le tenía sin cuidado. No comprendía otra cosa que el ahora, el instante del beso, de la raya, del negocio turbio que, como todo lo demás, despachaba rápidamente y sin volver a pensar jamás en ello.

Con Héctor, el presente había sido un trámite insatisfactorio, una estación de paso hacia la promesa de un futuro compartido. Una promesa falsa, pero preferible al éxtasis en el que su voluntad se aniquilaba.

—Irene, hazme un favor —dijo Helena—. Tómate un respiro. Vete a casa un par de semanas. Necesitas recuperarte. Verás las cosas más claras cuando vuelvas.

Tenía razón. Era imperativo que escapara de allí. Del maldito apartamento, que nada tenía que ver con su hogar perdido. De la ciudad nocturna por la que merodeaba como un vampiro. De la yonqui que la perseguía en los escaparates.

De Boiko.

Era algo que había sabido siempre, pero durante las últimas semanas su mente había opinado una cosa, y su corazón, otra. Pero no podía seguir con él. El abismo que les separaba era infranqueable.

Tenía que marcharse. Empezar de nuevo. Recomponer los pedazos rotos de su vida.

—Ven a verme cuando vuelvas. No es el fin del

mundo. Dentro de un año nos estaremos riendo de todo esto.

Pero Irene no la escuchaba. Lo único que quería, ahora que había caído en la cuenta, era huir cuanto antes.

Volver a casa.

¿Atrapados? No, pensó Héctor. Había una salida. Hacia el cielo.

—La Puerta del Paraíso —dijo—. Podemos subir por allí y llegar hasta Persépolis por el sendero del que me hablaste.

El rostro de Ebrahim se iluminó sólo para volver a ensombrecerse casi de inmediato.

—No lo conseguiríamos —objetó—. Nos están buscando con helicópteros. Es una caminata de más de diez horas por una cresta pelada, totalmente expuestos.

—¡Podemos intentarlo! —exclamó Héctor, tomándole por los hombros—. Es mejor que quedarse aquí, aguardando a que nos cacen como ratas.

Ebrahim asintió con la cabeza.

—Es verdad. Al menos arriba estaremos al aire libre. No quiero morir en un agujero.

—¡No te van a capturar! Mañana a estas horas estaremos dándonos una comilona en Shiraz.

—Te creo —afirmó Ebrahim—. Vamos a empaquetar una mochila. No hay tiempo que perder.

Su amigo empezó a sacar objetos del saco de campaña, extendiéndolos frente a ambos como un vendedor en el Bazar. Luego fue seleccionando, uno a uno, los que necesitaban. Cuatro barritas de chocolate, una pequeña cantimplora con agua, un GPS, una brújula, una linterna, un mapa topográfico... En el bolsillo lateral puso la pistola y dos cargadores.

—Voy a marcar el camino hasta Persépolis en el mapa. En caso de que nos separemos te será fácil orientarte con la ayuda del GPS o la brújula.

—No seas cenizo —dijo Héctor—. No nos vamos a separar. Eres mi guía aquí, ¿recuerdas?

Ebrahim alzó los ojos hacia él. Había tristeza y algo más, que se le escapaba, en ellos.

Duró sólo un segundo. Ebrahim se colgó la mochila a la espalda.

—Vamos —dijo—. Tú irás delante. Yo te seguiré de cerca.

Héctor asintió, flexionando los dedos, sintiendo cómo la adrenalina iba subiendo sus pulsaciones y tensando sus músculos. Era extraño. Debería sentir miedo y, en lugar de eso, se sentía exultante.

Empezaron a subir. Los primeros metros fueron tan fáciles como si llevara toda la vida ascendiendo por paredes verticales, pero los antebrazos empezaron a torturarle pronto. Cuando pudo abrir las piernas en cruz, apoyándose en ambas paredes y relajarse un poco, los dedos eran pura mantequilla.

—Estoy reventado —jadeó.

—No pienses en ello y sigue escalando.

La pared fue estrechándose poco a poco a medida que ascendían y la claustrofobia empezó a torturarle. Resbaló en un par de ocasiones sólo para sentir que la mano de Ebrahim paraba su pie y lo guiaba hasta un hueco apropiado o uno de los estribos que cada vez abundaban más. ¡Y ése era el hombre frágil! Hubiera sido incapaz de superar la chimenea sin su ayuda.

—¿No estás cansado, Ebrahim?

—Alza los brazos por encima de la cabeza. Un poco más arriba ya no es posible. Déjame que guíe tus pies.

Héctor Espinosa no hubiera caído jamás en la cuenta, pero Rafael Robles era un hombre letrado y recordaba los pasajes de la Comedia en los que Virgilio acompañaba a Dante en su descenso a los infiernos. Excepto que su viaje era en dirección contraria y el único poeta que recordaba en ese momento era Hafiz. Hafiz, guiando sus pies, ayudándole a ascender al cielo.

—¿Cuál es tu verdadero nombre, Ebrahim?

—¡Eres un insensato, Rafael! Sigue subiendo y cállate la boca.

—¡Me llamo Héctor, amigo mío! Me llamo Héctor Espinosa.

Estaba exaltado, ebrio, con el sudor cegando sus ojos, una pared de piedra rascando su nuca y otra a un milímetro de su nariz; los brazos, alzados como un prisionero; los dedos, reventados, buscando agarres como desesperados animales husmeando la roca.

—¡Sube! ¡Sigue subiendo, Héctor! ¡Casi has pasado!

¡Luz! ¡Luz de repente! ¿Era eso nacer? ¿Era eso lo que se sentía cuando la cabeza salía por fin de ese otro túnel en el que empezaba la vida? Una arista le había hecho un corte bajo el párpado y la sangre, mezclada con el sudor, le corría por el rostro. Los pulmones se expandieron desesperados por una bocanada de aire fresco. Los dedos tocaron algo metálico y lo aferraron como a un pecho materno. Era una escalerilla oxidada, puesta allí treinta años atrás para que él la encontrara.

—¡Coge la mochila!

—Héctor aferró el paquete que asomaba por la boca de la chimenea recién superada, se lo echó a la espalda, secándose los ojos y el rostro con la manga de la chaqueta antes de inclinarse hacia la Puerta del Paraíso para tomar las manos de Ebrahim apenas aparecieran.

Pero las manos de su amigo no aparecían.

VARIACIONES GOLDBERG

—¡Ebrahim! Date prisa.

—Escúchame, *rafeeg*.

Lo supo antes de que siguiera hablando. Quizá lo había sabido desde que vio aquella luz hundiéndose en sus ojos.

—¡Sube! Ya me dirás lo que quieras luego.

—Me llamo Karim. Karim Asfhar es mi verdadero nombre.

—Cuéntamelo aquí arriba —suplicó Héctor—. Sólo te falta un metro. Veo tus manos. ¡Déjame ayudarte!

Con un esfuerzo tocó las puntas de los dedos de Karim sólo para sentir cómo se retiraban, animales asustados reptando hacia el interior de su madriguera.

—¡Héctor, escucha! Tenemos muy poco tiempo. No puedo subir contigo. Los soldados están buscando un vehículo con un hombre solo. Si lo encuentran, se darán por satisfechos y podrás escapar. Tienen mi descripción. No saben que me acompañabas.

—¡Y qué! Estamos en esto juntos. No quiero que te sacrifiques por mí.

—Alcanzarás la cima en un par de horas. Ten mucho cuidado escalando la fisura. Me gustaría guiarte, hermano, pero es imposible. Tienes que seguir solo. Sé que lo conseguirás. Descansa cada vez que encuentres un estribo en la pared. No mires nunca hacia abajo, ¿me oyes? Eso es lo más importante. No mires hacia abajo o el vértigo te hará caer.

Las lágrimas, corriendo por las mejillas, abriendo surcos entre la sangre seca.

—¡Karim! ¡Ven conmigo!

—No tengas miedo. Llegarás arriba, igual que llegué yo sin Ramin. Apenas alcances la cresta encontrarás unas rocas que forman una pequeña cueva. Duerme si puedes. Economiza el agua. Ponte en marcha con el crepúsculo. Ya no estarán buscándote para entonces. Hay luna llena, podrás ver bien. Con el mapa y la brújula no te perderás. Llegarás a Persépolis al alba. Moshem estará esperándote.

—¡Hermano! ¡Podemos conseguirlo juntos! ¡No me abandones!

Pero Karim se le escapaba, descendiendo velozmente, de regreso a los infiernos.

El avión para Nueva York llevaba retraso. Irene decidió aprovechar para curiosear por las tiendas libres de impuestos. Se detuvo frente al escaparate de una joyería. Había dos clientes en el interior de la tienda. Una muchacha morena, vestida con un atuendo similar al suyo, vaqueros, camiseta y unos zapatos deportivos. Excepto porque los vaqueros eran Ralph Lauren; la camiseta, Dolce & Gabbana; los zapatos, Beatrix Ong, y el reloj que se estaba probando, un Longines de oro. Su rostro, mientras lo hacía, reflejaba un tedio tan monumental como si estuviera picando facturas en la caja de un supermercado.

El otro cliente era un hombre de unos treinta años, que en ese momento extendía su American Express Gold al obsequioso joyero, pagando por un estuche que, por el tamaño, debía de contener un par de pendientes. Mientras el joyero trajinaba con su tarjeta, el hombre se dio la vuelta, como si sintiera la mirada de Irene en su nuca.

Irene reconoció el rostro. Sin pensarlo dos veces se apartó del escaparate y echó a andar a paso vivo, manteniendo todo el rato la mente cuidadosamente en blanco.

—¡Irene! ¡Espera!

Se detuvo, petrificada. Se giró, como quien encara una estampida. André corría hacia ella.

—¡Irene! ¿Eres tú?

No era una aparición, los espectros no acusaban el paso del tiempo y el André que tenía delante apenas conservaba algún trazo del adolescente de sus recuerdos. Una cuidada barba usurpaba el territorio donde antaño reinaba el acné. Estaba ya casi totalmente calvo. Había engordado bastante.

Cinco minutos más tarde se hallaban sentados en una cervecería alemana, el primer local que les salió al paso. André pidió una Pils y encendió un cigarrillo, ofreciéndole la cajetilla. Irene la rechazó, no sin esfuerzo, y pidió una Coca-Cola. Estaba en dique seco hasta nueva orden.

¿Era necesario que preguntara? Había ensayado la escena innumerables veces durante todos aquellos años.

—¿Por qué dejaste de escribir?

Pero le daba pereza. Una pereza que aumentaba

a cada instante, mientras André —¿era tan charlatán entonces?— se aturullaba tratando de condensarle sus andanzas de una década en la media hora escasa de la que disponían antes de tomar sus respectivos aviones.

Había estudiado Económicas. Trabajaba para una compañía de actuarios de Zurich. Viajaba mucho, pero el salario era bueno. Estaba a punto de cumplirse un año desde su boda.

—¿Regalo de aniversario? —dijo Irene, señalando el estuche que André todavía llevaba en la mano.

Él lo abrió, mostrándole unos pendientes engarzados en dos hipertrofiadas perlas.

—¿Te gustan?

—Son preciosos. A tu mujer le van a encantar.

—Se llama Erika. Es pianista..., como tú.

—¡Pobre de mí! Dejé el piano hace siglos. Ahora me dedico a la física teórica..., igual de inútil, pero más prosaico.

—¡No es posible! Eras..., eras maravillosa, Irene.

—Era una aficionada mediocre.

André negó con la cabeza, apretando los labios. Era un gesto infantil, como el de un niño enfadado con su maestra. Todo él se le antojaba pueril.

Hora de partir, se dijo.

—Oye, tengo que irme enseguida.

—Quizá podamos vernos cuando regreses. A Erika le encantaría conocerte.

—Claro. Te mandaré un correo.

—¡Estupendo! Cuento con ello, ¿eh?

André pidió la cuenta. Irene terminó su Coca-Cola y se dispuso a levantarse, despedirse, liquidar el encuentro civilizadamente.

—¿Por qué dejaste de escribir, André?

La mirada de cordero degollado que precedía la ristra de excusas tontas. ¿Es que no iba a aprender nunca a callarse la boca? ¿Qué más daba en todo caso?

—Olvídalo. Son tonterías. Yo...

—Nunca me lo he perdonado —dijo él. La expresión contrita de su rostro era cómica. ¿Qué ganaba haciéndole pasar semejante apuro?

—De verdad. No tiene importancia.

—Escucha, yo..., un momento —la mano diminuta de André apretó su antebrazo—. Déjame contarte. Cuando..., cuando te marchaste, fue muy duro para mí.

¿Duro para él? ¿Cómo pensaba que se sentía ella, exiliada en una ciudad extraña, sin un solo amigo?

—Te..., te echaba mucho de menos. Corinne también. Empezamos a pasar mucho tiempo juntos. Hablábamos de ti a todas horas. Poco a poco nos fuimos encariñando y...

No, pensó Irene. No. No con André.

—No sigas, por favor.

—No me atreví a confesártelo, Irene. No sabía cómo decírtelo. Fue todo tan... inesperado.

¿Inesperado? ¡Tan predecible como los ciclos de la luna!

—Éramos unos críos. No te agobies.

André estaba casi llorando. Resultaría cómico, de no ser por el vendaval de sentimientos que soplaba en su interior. Vergüenza ajena, rabia, alivio. Sobre todo alivio.

Las *Variaciones Goldberg*. Tendrían diez o doce años cuando Corinne había acudido a su casa un sábado por la mañana. Era algo inusitado; los fines de semana su amiga del colegio se trataba con otro tipo de niñas, hijas de gente adinerada como sus padres. Aquel sábado, sin embargo, no debía de tener mejor plan. Irene estaba en mitad de su clase con Leila. Corinne se sentó en el sofá mientras ella practicaba las *Variaciones Goldberg*.

Al día siguiente anunció su intención de convertirse en una virtuosa.

Al cabo de una semana, en la enorme buhardilla que usaban de cuarto de juegos había un piano de cola, un Shimmel nuevo, cuyo precio excedía el salario de tres meses de su padre, listo para la primera clase de su amiga.

—¿Cómo os fue? —preguntó Irene.

—¿Cómo nos iba a ir? Se cansó enseguida de mí. Ya la conoces.

¿La conocía?

Claro que sí. Le había pasado con ella lo que no iba a permitir que le pasara con Boiko. La había amado entonces, cuando niñas, como le había amado a él durante las semanas infinitamente largas que parecían haber transcurrido desde su fracasada charla en el CERN. Pero el amor infantil no sobrevivía la infancia. Siempre lo había sabido.

—Nunca llegó a segundo año de piano —dijo, distraída—. Un Shimmel, un maravilloso Shimmel desperdiciado.

—No te sigo —dijo André, azorado.

—No tiene importancia. De veras que no la tiene.

Y era cierto. No la tenía. Ya no.

Más tarde, mientras el avión ganaba altitud, alejándose de Ginebra, Irene tuvo la sensación de que también ella ascendía, escalando por encima de las nubes, alto, alto, cada vez más alto, como un globo que ha soltado todo su lastre y ya nada le retiene a la tiranía del suelo.

El rostro era familiar. Nariz aguileña y mentón prominente, rematado por una perilla entrecana. Unos ojos calmados e inteligentes, fijos en él, preocupados.

El nombre que acompañaba al rostro acudió a su memoria. Esfandiari.

La habitación le resultaba desconocida. Parecía un dormitorio. Estaba tumbado en una cama. Había un armario de madera y un perchero. Un sofá, una silla y una mesita con un samovar encima.

No tenía ni idea de lo que estaba haciendo allí.

—¿Me escucha, Robles *aga*? —la voz del relojero era tan amable y pausada como sus ojos—. ¿Sabe quién soy?

Héctor alzó la muñeca con dificultad, mostrándole el Rolex.

—Mi reloj... —balbuceó con dificultad.

—Eso es. Esfandiari, ¿recuerda?

Héctor intentó alzarse. En vano. Se mareó apenas levantó la cabeza y tuvo que dejarla caer de nuevo en el colchón. Karim, pensó, qué le había ocurrido a Karim. Una mujer entró en la habitación. Traía un vaso entre las manos. Llevaba la cabeza descubierta. Se inclinó sobre él, ayudándole a alzarse un poco, murmurando algo en farsi, acercándole el vaso a los labios. Algún tipo de infusión. Estaba caliente. Quería más. De repente cayó en la cuenta de que tenía mucha sed.

—Beba poco a poco. Le hará bien.

¿Por qué estaba allí? Tenía las manos vendadas. Se las había despellejado escalando la roca, clavando los puños en la fisura que ascendía a lo largo de la pared, incrédulo como un bárbaro Tomás que necesitara hundir una y otra vez la mano en la llaga abierta en la piedra. Ni por un instante pensó que lo conseguiría. Había comenzado a subir porque no había otra vía de escape, porque se lo debía a Karim, porque quería ver a Irene de nuevo, pero diez metros más tarde, con las manos sangrando y los brazos sin fuerza, estaba convencido de que en el siguiente movimiento vendría el traspiés que daría con él en el fondo de la garganta.

Acabó de beber, dejó caer la cabeza en la almohada y cerró los ojos. Había atravesado la Puerta del Paraíso, pero el Paraíso nunca había estado más lejos. Ciento cincuenta metros golpeando con sus puños desnudos a un gigante de roca. Y siempre, en el último instante, cuando sus fuerzas se agotaban, cuando los pies resbalaban, sin voluntad para seguir sosteniéndose en la roca, aparecía un estribo, un anclaje, una escalerilla, recordándole que Karim le protegía.

En algún momento había dejado de sentir miedo. Su cuerpo se pegaba a la pared, como si quisiera fundirse con ella, mientras sus brazos repetían una maniobra ya automática de tan repetida. Al llegar a la repisa donde la pared cambiaba de pendiente y la escalada se hacía más fácil, sus nudillos estaban en carne viva; los pantalones, desgarrados a la altura de las rodillas; los pies, destrozados; la garganta, reseca por el esfuerzo sobrehumano. Y no le quedaba una gota de agua.

A partir de ese momento sus recuerdos se tornaban

borrosos y fragmentarios, como si hubiera soñado el largo camino a lo largo de la cornisa. El calor asfixiante durante las largas horas del mediodía, encogido en el precario refugio que ofrecía el hueco entre tres pedruscos, oyendo el batir de las aspas de los helicópteros por encima de su cabeza. El silencio, reptando hacia él acompañado del frío al caer la tarde. La caminata infinita a lo largo de la noche, los tropezones, las llagas en los pies abiertos, la sed, la sed, la sed. El bendito mapa de Karim. La bendita brújula de Karim. La bajada por el sendero de cabras, dando traspiés, revolcándose por el polvo cada cuatro pasos. El puesto de guardia, donde un soldado dormitaba a las cuatro y media de la mañana. La tierra en la boca, arrastrándose entre rocas inclementes, con la pistola amartillada, rogando para que el muchacho no se despertara. Persépolis al amanecer.

El sudor helándose sobre su piel, en el hueco donde las ratas habrían dado cuenta miles de años atrás de los restos de Artajerjes.

Aguardando la llegada del sol, acosado por los fantasmas. Delirando. La sed. Una procesión de borrachos encabezados por una prostituta prendiendo fuego a los palacios de los reyes. La boca llena de llagas. *Jeeps* cargados de soldados patrullando entre las ruinas. La sed, la sed, la sed. Karim buscándole entre las sombras.

Moshem. Moshem a su lado, ayudándole a caminar. ¿Cómo le había localizado? Un milagro más entre los muchos del día. Karim dijo que le encontraría. Se lo debía también a Karim. El tacto fresco del cuero en el interior del Mercedes. La bendición del agua en los labios. El pinchazo de una aguja hipodérmica en su muslo. Después nada.

—Está todavía agotado, Robles *aga*. Vamos a darle otro calmante. No se preocupe, cuidaremos de usted.

—Ebrahim... —consiguió murmurar—. ¿Qué..., qué le ha pasado?

—Duerma ahora.

La voz de Esfandiari, muy lejana. Una mano de mujer en la nuca. Dos píldoras, tragadas a duras penas. ¿Por qué le estaban drogando? Había alguien más en la habitación. Con un esfuerzo sobrehumano consiguió alzar el tronco y focalizar la vista en el hombre semioculto por el dintel de la puerta. El rostro era familiar. Velasco le había mostrado fotografías. No debería estar ahí. ¿Deliraba? El hombre se acercó hasta la cama, cojeando ostensiblemente, apoyándose en un bastón cuyo pomo plateado era un águila de doble cabeza.

—Ebrahim ha muerto, señor Robles.

—¡No! —gritó Héctor, pero sólo escuchó un murmullo casi inaudible, como el de una radio sin volumen. Los ojos se le cerraban. ¿Le habían envenenado?

¡Escapar! Tenía que escapar como fuera. Tanteó ciegamente el borde de la cama hasta sentir la presión en sus hombros, obligándole a tumbarse.

¡No! No así, tumbado boca arriba, como un enfermo. Quería levantarse. Al menos morir de pie.

Hizo un último intento por alzarse, empleando todas sus fuerzas.

Después la oscuridad, misericordiosa.

—Un hombre valeroso —dijo Sayed Sohrab Razavi compasivamente.

CUARTA PARTE
JUNIO

CONJETURA DE RIEMANN

Central Park a finales de primavera.

Tan sólo habían pasado seis meses desde aquel paseo sobre la nieve recién caída, cuando el titiritero y su cuervo le habían ayudado a decidirse por Ginebra.

Aún quedaban tres años y medio para que la luz emitida aquel día por Alfa del Centauro, la estrella más próxima a la Tierra, llegara hasta ella. Y, sin embargo, se sentía como debió de sentirse Ulises al distinguir a lo lejos las costas de Ítaca.

Central Park era a la vez el mismo parque de su último paseo y un lugar extraño, cuya geografía coincidiera, como por azar, con el territorio nevado de sus recuerdos. Todo era diferente. La gloria del mes de junio llenando el aire con el trino de un millón de jilgueros y todos los colores de la paleta de Leila sombreando castaños, arces y abedules. El polen cosquilleando en sus fosas nasales. Y lo más importante.

Raúl a su lado.

—Ven, papá —dijo—. Vamos a acercarnos al estanque de las tortugas. Quiero ver si encuentro a un amigo.

—Claro, mi niña —contestó su padre, cediendo como siempre a todos sus caprichos.

Pero no había titiritero. A cambio, una pequeña

orquesta de jazz improvisaba sobre un tema de Armstrong, *Summer Time*.

—Pronto será verano —dijo Raúl, como haciéndose eco de la música.

—¿Bajamos hasta el zoológico?

Raúl miró su reloj, levantándose las gafas y pegando la nariz mucho a la esfera. Su presbicia había aumentado en los últimos tiempos, estaba más flaco, más canoso y había perdido pelo. Pero aun así seguía siendo apuesto.

—Se hará tarde para preparar la comida. Le prometí a tu madre...

—¡Bah! Podemos comprar unas pizzas de regreso a casa.

—Vamos entonces.

Echaron a andar con el paso rápido que ambos sincronizaban cuando paseaban juntos, hablando de naderías. Las clases de Raúl, el departamento, los últimos juegos que había inventado...

—¿Y tú, mi niña? ¿En qué te ocupas?

—¡Papá! Estoy de vacaciones.

—¿A quién quieres timar? ¿Es importante?

—¿Importante? ¿El qué?

—El cálculo de la libreta de tapas negras que tienes encima de tu mesa. El que no te deja dormir por las noches.

—¡Raúl! ¿Has estado espiando en mi cuarto?

Su padre la miró, triunfante.

—Claro que sí —dijo—. Anda, cuéntame. Parece muy interesante.

—¡Lo es! —exclamó Irene—. Dame un par de días. Quiero repasar mis resultados una vez más.

—¿Piensas tenerme dos días en ascuas?

—Es lo que te mereces por cotilla.

En realidad se moría de ganas de contarle su descubrimiento.

La libreta de Mauricio.

Página tras página de cálculos matemáticos, que parecían brotar por generación espontánea del papel. La letra era pequeña, ordenada, cursiva, sin una tachadura. Las ecuaciones se sucedían, agrupadas en pequeños bloques recuadrados, cada recuadro un microcosmos sin conexión alguna con sus vecinos. En una misma página, el enunciado de un teorema de teoría de grupos de Lie (sin demostrar), junto a veinte líneas de álgebra demostrando una conjetura que no enunciaba. En otra, las ecuaciones diferenciales que describían un fluido en régimen turbulento limitaban al oeste con el sistema acoplado que gobernaba la evolución de una estrella en la secuencia principal y al sur con la solución de una integral hiperbólica. Cinco páginas seguidas de cálculos describiendo analíticamente el campo electromagnético en el interior de un imán superconductor. Otras cinco dedicadas a la teoría de números primos. Ni un milímetro de espacio en blanco. Ni una duda. Ni un respiro. Ni un borrón. Certeza absoluta.

De repente había reparado en un dibujo a lápiz en uno de los recuadros. Una línea recta, que representaba el nivel de potencial cero, se alzaba formando un escalón cuadrado, que hacía las veces de una barrera, separando dos regiones en el papel. A un lado, rodeada por un círculo y trazada con la letra pequeña y picuda de Mauricio, la letra d. A la derecha, la letra *t*.

El sistema deuterio-tritio.

Un poco más abajo Mauricio planteaba las ecuaciones mecánico-cuánticas que permitían calcular la probabilidad de que las partículas consiguieran rebasar, por efecto túnel, la repulsión eléctrica representada por la pared que las separaba.

Los cálculos que seguían la habían tenido una semana trasnochando. Una de las dos semanas que llevaba en el limbo, de vuelta en casa, despertándose cada mañana al sonido del piano de Leila, resolviendo acertijos matemáticos con Raúl después de la cena, flotando en el baño cálido del cariño de sus padres, negándose a considerar otro horizonte que el definido por las fronteras de su hogar.

A veces el limbo desaparecía. Se despertaba de madrugada palpando la cama vacía, extrañando el cuerpo de Boiko a su lado, el calor de las dos serpientes gemelas, que no relajaban el abrazo que la envolvía durante toda la noche.

A veces no encontraba otro consuelo que desaparecer en la libreta de Mauricio. A golpe de insomnios iba entendiendo poco a poco cómo describir la probabilidad de que una burbuja extraña traspasara la barrera de pontencial que la separaba de un núcleo de helio e iniciara una reacción de fusión.

Le había llevado siete días completar el grueso del cálculo. En dos más tendría un resultado.

Pero esta vez no tenía prisa por publicar.

Lo único que quería era seguir tanto tiempo como fuera posible en su casa, trabajando y dejándose querer.

¿No era eso lo que había hecho siempre Raúl? ¿No

era eso por lo que solía despreciarlo?

—Podías haber publicado mucho más, ¿verdad, papá? Si te lo hubieras propuesto.

Raúl le echó una de sus bien ensayadas miradas inocentes. Pero esta vez no iba a escapársele dándoselas de sabio distraído.

—Todos esos matemáticos y físicos que pululaban por casa. Muchos venían a consultarte. Sin embargo, nunca firmabas como coautor de sus trabajos, aunque les hubieras dado todas las ideas.

Raúl le apartó un mechón de pelo que le había caído sobre un ojo.

—Siempre fui un poco insensato —dijo—. Debería haber pensado más en vosotras. En Ginebra..., hubo un tiempo en que lo pasamos mal. La universidad amenazaba cada año con no renovarme el contrato si no publicaba. Pero estaba demasiado obsesionado.

—¿Con qué?

Raúl la miró, como asombrándose de que su niña hubiera crecido lo bastante como para no darlo por supuesto.

—Es curioso —prosiguió Raúl—. En mil novecientos ochenta, cuando los tres milagros, yo tenía precisamente tu edad.

—¿Qué tres milagros?

—Conocí a tu madre, la Universidad de Ginebra me ofreció su beca más prestigiosa y encontré un procedimiento para atacar la conjetura de Riemann.

¿Nada menos? Después de que Andrew Wiles diera en mil novecientos noventa y cinco con la prueba del último teorema de Fermat, demostrar la conjetura de

Riemann se había convertido en el Santo Grial de las matemáticas. Era uno de esos problemas esencialmente intratables, un reto mitológico, equivalente, para un matemático, a la intentona de escalar el Everest desnudo y sin guía. Una remota posibilidad de alcanzar la gloria y la casi absoluta garantía de perecer por el camino.

—Al principio —continuó Raúl— trabajaba en el problema en mis ratos libres. Pero con el paso del tiempo me fui obsesionando. A medida que progresaba en mi demostración iban surgiendo desafíos cada vez más arduos, que me obligaban a dar enormes rodeos para demostrar teoremas secundarios sin los cuales no podía seguir avanzando. Poco a poco el proyecto se fue apoderando de todo mi tiempo. Daba mis clases para salir del paso y abandoné toda pretensión de trabajar en nada que no fuera mi loca cruzada.

Raúl suspiró y se llevó una mano a la cabeza, alisándose el escaso cabello gris, que una vez había sido furiosamente pelirrojo como el de ella.

—Las cosas se complicaron. En el departamento nunca fueron muy amigos de los visionarios. Cada año amenazaban con no renovar mi contrato y las perspectivas de conseguir una cátedra, que tan buenas parecían al principio, se desvanecieron. Pero por otra parte iba resolviendo, aunque con gran esfuerzo, los obstáculos que me iba encontrando. Así que seguí adelante.

—Te admiro, papá —dijo Irene, apretándole fuertemente el brazo—. ¿De dónde sacaste la presencia de ánimo?

—¿Yo? Me hubiera rendido a la segunda reprimenda del director. Pero Leila nunca me lo permitió. Ya conoces a tu madre.

Irene sintió que se sonrojaba, como un opositor que no sabe responder una pregunta trivial. ¿Qué sabía ella de Leila?

—Sé que abandonar Ginebra fue difícil para ti. Muchas veces me lo he reprochado. Me he dicho que quizá habrías sido más feliz si nos hubiéramos quedado, quizá no te hubieras marchado de casa, quizá...

—¡Papá!

Estaba llorando.

No conseguía creerlo, a pesar del escozor en los ojos, de la humedad resbalando por las mejillas. ¡Llorando al fin! Raúl tiró suavemente de ella hacia un banco y la dejó hacer, echándole un brazo por encima de los hombros, acariciándole ligeramente el pelo mientras ella lloraba y lloraba, aprovechándose de la ocasión, despilfarrando lágrimas como un nuevo rico de compras por la Quinta Avenida. Una por André. Otra por Corinne. Por los ocho años de destierro en Boston. Por los seis meses de soledad en Ginebra. Por Helena. Por Mauricio. Por Boiko.

De regreso a casa, con las pizzas bajo el brazo se sentía ligera, casi ingrávida, como si hubiera abandonado un peso enorme en el banco de Central Park.

—¿Cómo surgió la oportunidad en Nueva York, papá?

—Por casualidad —dijo Raúl—. Durante un congreso conocí a Bob Cousins, cuyo trabajo en física de supercuerdas le había llevado a interesarse por una serie de teoremas que yo había demostrado unos años antes, como parte de mi proyecto y que resultaron de suma utilidad en el formalismo matemático de su teoría.

Empezamos a escribirnos, me invitó a impartir unas conferencias... Cuando se enteró de mi precaria situación en Ginebra, no paró hasta conseguirme un puesto en la universidad. Es un gran tipo.

—Sí que lo es —murmuró Irene, asombrada de que su autismo le hubiera permitido trabajar durante cuatro años con él sin enterarse de lo que había hecho por su padre.

Siguieron caminando un rato, muy juntos, en silencio.

—¿Y la conjetura de Riemann, papá? ¿Y el Santo Grial? —Sigo buscándolo —contestó Raúl, impasible.

Héctor abrió los ojos. Reconoció la habitación en la que se encontraba. Una luz tenue se filtraba por el cristal esmerilado de la ventana. Amanecía, o acaso estaba oscureciendo.

Se levantó de la cama con cuidado. Le dolían los pies y se moría de hambre, pero su cabeza estaba despejada. Finalmente no le habían envenenado. En una mesita próxima a la cama aguardaban dos platos bien surtidos. Uno de ellos contenía arroz con pasas y muslos de pollo al curry. El otro, una granada madura y unos dulces de almendra parecidos al turrón.

Estaba terminando con ellos cuando Sohrab Razavi entró en la habitación.

—Tiene buen apetito —dijo—. Me alegro. Necesita reponerse.

Esfandiari se escurrió detrás del ministro, llevando una bandeja con un samovar humeante que depositó en la mesita frente a la cual se había arrodillado Héctor; recogió los platos tras dedicarle una sonrisa afable, de anfitrión complacido.

¿Un agente doble? Era la única explicación.

¡Su ropa! Llevaba un pantalón de pijama y una camisa sin cuello, muy ligera. La barra de memoria. La barra de memoria con la medida de neutrones estaban en el bolsillo de su chaqueta.

Razavi se sentó frente a él, estirando cuidadosamente su pierna tullida y sirvió té para ambos.

—¿Qué le ocurrió a Ebrahim?

El ministro agitó la cabeza, pesaroso.

—El vehículo que usaron para su misión llevaba instalado un explosivo muy potente. Ebrahim no tuvo suerte. Fue interceptado por un control militar apenas salió del refugio.

Razavi sorbió un poco de su té. Héctor le imitó. Estaba hirviente y amargo, como su estado de ánimo.

—Sus órdenes eran destruir el detector y entregarse. Posiblemente hubiéramos podido rescatarlo. Pero había jurado no caer en manos de Rostam Sistani.

—Se llamaba Karim —dijo Héctor—. Supongo que tiene derecho a su verdadero nombre después de muerto.

—Veo que le apreciaba.

—Fue mi guía, señor. Murió para que yo escapara. Mi deuda hacia él es impagable.

—También la mía. Tan grande como mi pesar por haber perdido a un querido amigo. Déjeme compartirlo con usted.

Un esqueleto, pensó Henry Pullman, contemplando el puente de la bahía cuarenta pisos más abajo. El esqueleto de un dragón encallado en el mar. La caravana de coches, cruzando hacia Berkeley y Oakland, parecía una procesión de hormigas repelando los huesos mondos del cadáver.

La serpiente de impenetrable armadura cuyo fuego calcinaba a quien osara enfrentarse a ella. ¿Qué había sido de su arrogancia? ¿Y de sus escalas, tan duras como el acero?

El repiquetear de los tacones de Ángela. Sus nudillos golpeando la puerta de roble del despacho. El rostro, otrora tan hermoso, excesivamente maquillado. Ángela envejecía mal. ¿Y quién no?

—Han llegado sus visitantes, senador.

Simón parecía más cansado que de costumbre. En cambio Popov rebosaba salud y energía. Se diría que había perdido algo de peso. Su calva relucía impoluta, como si acabaran de lustrarla con cera.

—¡Queridos amigos! Tomad asiento.

Las manos de Simón daban vueltas y más vueltas a un librito, que Pullman identificó por la fotografía en blanco y negro de trece delgadas columnas en la cubierta. Era un libro de poemas, publicado tiempo atrás por Karim Asfhar. Pullman recordaba el título: *Persépolis*.

—Te lo dije —murmuró—. Te dije que no debíamos fiarnos de Razavi.

—Nunca nos fiamos —replicó Pullman—. No es sorprendente que él tampoco se fiara de nosotros.

—¿Alguien puede explicarme la situación? —intervino Popov mientras quitaba el envoltorio a un chicle de tamaño gigante.

—Ebrahim era un agente doble—Geldman estrujó el poemario con rabia, casi con desesperación—. Trabajaba para Razavi. Y con él, toda su red.

—Creo que hemos subestimado al ministro —murmuró Pullman.

—¿Cuál es la situación ahora? —preguntó Popov, cuyas mandíbulas no dejaban de trabajar, intentando reblandecer la enorme bola de goma de mascar.

—He tenido una larga conversación con Razavi esta mañana. En cierto modo la misión ha sido un éxito. Héctor Espinosa consiguió medir los neutrones provenientes del depósito de las Montañas del Perdón, demostrando que contiene el plutonio robado de Bushehr. Por desgracia arriesgaron mucho para aproximarse lo suficiente y fueron cercados por los efectivos del general. Espinosa consiguió escapar. Ebrahim no tuvo tanta suerte.

«El mayor se encuentra bien, recuperándose de su aventura. Razavi ha prometido devolverlo sano y salvo en unos pocos días.

—No le creo —dijo Geldman—. Quién sabe qué estará tramando.

—Yo sí —dijo Pullman—. Razavi necesitaba lo mismo que nosotros. Pruebas de que Sistani ha producido y almacenado ilegalmente cien kilos de plutonio. Ahora las tiene.

—¿Por qué se negaba entonces a una inspección de la AIEA? —preguntó Geldman—. ¡Nada de esto tiene sentido alguno!

—Al contrario —dijo Pullman—. Está perfectamente claro. ¿Qué le estábamos proponiendo? ¿Una inspección irregular que demostrara que el general Sistani, héroe de guerra y presidente del Consejo de Seguridad Nacional intentaba producir plutonio ilegalmente y a espaldas del primer ministro? ¡Ponte en su lugar, Simón! ¿Qué hubierais hecho tú? ¿Admitir frente a la opinión pública de tu país y las potencias occidentales que no controlas la situación? ¿Dejarte humillar con la intromisión de terceros? ¿Permitir que el Gran Satán hurgue entre tus trapos sucios?

Geldman tiraba con desesperación de su barba rala.

—¿No era éste tu famoso político moderado? —masculló.

—Moderado y débil son dos cosas distintas. Creo que hemos cometido el error de confundirlas. Razavi lleva años lidiando con el general. No hubiera conseguido desplazarle de no ser un hombre muy decidido. Y muy inteligente. Sabía que planeábamos una operación de espionaje en Bushehr porque Ebrahim nos había ayudado a instalar Pato Cojo. Comprendió que contábamos con algún tipo de evidencia cuando Rusia amenazó con cancelar sus contratos. Una medida de coacción tan extrema sólo era comprensible si teníamos pruebas sólidas. Por supuesto, no fuimos los únicos en detectar la parada del reactor. Razavi no necesitaba medidas de neutrinos, le bastaría con un par de agentes infiltrados en los sitios correctos.

—¿Por qué no consultó con nosotros? —rezongó Geldman—. Hubiera sido más fácil trabajar juntos.

—Fuimos nosotros los que no consultamos con él, Simón —contestó Pullman—. En cuanto a trabajar juntos, eso es lo que hemos hecho, a pesar de todo.

Razavi tiene en su mano la evidencia que necesitamos.

—¿Piensa proporcionarnos esas pruebas?

—Razavi asegura que Sistani ha accedido a devolver el plutonio —dijo Pullman—. Discretamente, aprovechando la siguiente recarga de la central.

—¡Ja! —exclamó Geldman. Durante la conversación había ido arrancando una a una las hojas del libro y ahora se entretenía rompiéndolas en pedazos diminutos—. ¿Quién nos garantiza que no sacará de contrabando el equivalente a unas cuantas bombas?

—Razavi es el primer interesado en que eso no ocurra. Y podemos ayudarle a garantizar que así sea.

—¿Cómo? —preguntó Popov.

—He acordado con él instalar una red de detectores de neutrones rodeando el perímetro del depósito. Formaremos a algunos de sus científicos y técnicos para que aprendan a manejarlos. A cambio, cada equipo incluirá alguno de nuestros hombres.

—¿Formar científicos iraníes en tecnología clasificada? —preguntó Geldman con su risita tímida azorándole el rostro—. No pensarás conseguir autorización para ello en Estados Unidos, Henry.

Un contundente *plop*. Una burbuja de chicle acababa de estallar a Popov en la cara. Pullman y Geldman se quedaron mirándole, boquiabiertos.

—Ayuda a quitar el apetito... —dijo Popov a modo de excusa—. En cuanto a la formación de los iraníes, podemos ocuparnos nosotros.

—No me fío —murmuró Geldman—. ¿Cómo sabemos que Razavi no está de acuerdo con Sistani? ¿Cómo sabemos que no es todo un complot de esos persas?

—No lo sabemos —contestó Pullman—.Pero el ministro no hubiera necesitado complicarse tanto la vida si su único objetivo fuera ceder a las pretensiones del general. Creo que ha llegado el momento de confiar en él.

—Me temo que no nos queda otro remedio —dijo Popov.

—Si Razavi piensa jugar tan limpio como dice —insistió el rabino—, ¿por qué no aprovecha la coyuntura para destruir a Rostam Sistani? Lo tiene en sus manos. Podría arruinar su carrera, incluso conseguir que le encarcelaran..., o peor. A fin de cuentas cualquier tribunal podría condenarlo por traición. Sistani es su rival, su enemigo. ¿Por qué le protege?

Pullman se levantó de la butaca y se acercó de nuevo a la ventana. Recordó el bello grabado, colgando de una de las salas del Bagh-e-Eram. Rostam matando el dragón. Más de treinta años desde aquella visita y la imagen seguía nítida en su memoria. El héroe, tan noble y despiadado como la bestia que aniquilaba. Hombre y serpiente fundiéndose en un abrazo mortal. El sol poniéndose para ambos.

—¿Nunca te has preguntado por la cojera de Sohrab Razavi, Simón?

Geldman alzó los ojos hacia él, casi invisibles tras las enormes gafas de pasta negra. Era tan sencillo, pensó Pullman. ¿Qué habría hecho él si el destino le hubiera enfrentado al hombre que tenía delante?

—Durante la guerra de Irak Razavi luchó en la brigada de Rostam Sistani. A los pocos meses de incorporarse a filas una emboscada iraquí aniquiló la mayor parte de su compañía. Fue un ataque con gas venenoso combinado con fuego de aviación para cazar a los pocos que conseguían ascender a las colinas vecinas. Como de costumbre, las balas evitaron al general, pero un proyectil destrozó el pie de Razavi. Rostam lo llevó a cuestas durante cincuenta kilómetros, atravesando las líneas enemigas.

Simón se levantó de la butaca y se fue acercanco a él con pasitos de gorrión. Disimuladamente aferró su antebrazo.

Estaba pensando lo mismo que él. Henry Pullman recordó las bombas cayendo a su alrededor en los altos del Golam. El obús que estuvo a punto de matarle y le dejó ciego durante meses. La mano firme de Simón Geldman tirando de su camisa desgarrada, conduciéndole a través del pánico y la oscuridad a un refugio seguro.

METÁFORAS

Arash estaba guapo enfundado en un traje tan elegante como los del senador Pullman. Se le veía agotado y feliz después del largo día de celebraciones. Nasim llevaba un vestido de novia que igualmente podía haber comprado en cualquier tienda de Ginebra o Nueva York. Los velos y los chadores que tan piadosamente cubrían los cabellos y las formas de las mujeres en la calle brillaban por su ausencia. Cabelleras deslumbrantes, trajes de fiesta ajustados, zapatos de tacón, música pop y baile. Héctor recordó el rostro impasible de Arash la primera vez que le había preguntado por el vino y la danza a la que aludían constantemente los versos de Hafiz.

—Metáforas, Robles *aga*.

Metáforas. Todo el mundo en la boda estaba pendiente de la hermana pequeña de la novia. Era una niña de unos diez o doce años vestida con un traje de seda rosa que dejaba desnudos sus bonitos brazos, con una diadema de perlas ciñendo el largo cabello moreno. Llevaba en la mano un cuchillo, cuyo propósito, a todas luces, era partir la tarta frente a la que aguardaban Arash y Nasim. Sin previo aviso la música cambió a un ritmo insinuante, punteado por las guitarras de tres y cuatro cuerdas. Las caderas de la muchacha comenzaron a moverse, rítmicas, sensuales, mientras los brazos se alzaban sobre la cabeza, manejando el cuchillo como si fuera un pañuelo, evolucionando a lo largo de la sala, acercándose poco a poco donde la esperaban los novios.

La ceremonia de la boda propiamente dicha había ocurrido unas horas antes. Arash y Nasim se habían sentado frente a un gran espejo hasta que apareció el mulá que debía celebrar el matrimonio. Éste había llegado con retraso, frío, distante y burocrático. Se sentó a dos metros de la pareja, como si temiera contagiarse de su felicidad, mientras varias mujeres de la familia se situaban detrás de éstos con un terrón de azúcar cada una, moviendo los puños por encima de las cabezas de los prometidos.

El clérigo, con su turbante negro y su cara de pocos amigos, había leído unos versículos del Corán y preguntado algo a la novia, que, sin embargo, no le había respondido, como ausente. En su lugar, una de las mujeres que agitaban los puños tras ella había dicho algo.

—Le ha preguntado si acepta al chico por esposo —susurró Esfandiari en su oído.

—¿Y qué ha dicho la mujer que tiene detrás?

—Ha contestado: «La novia se ha ido a coger flores».

El clérigo preguntó de nuevo, y de nuevo Nasim permaneció impasible.

—La novia se ha ido a traer agua de rosas —dijo otra de las mujeres.

Tan sólo a la tercera el rostro de la muchacha se iluminó con una sonrisa de felicidad que compensaba de sobra los rasgos malhumorados del *sayed* que la casaba.

—Con el permiso de mis padres, sí quiero.

Gritos, risas, palmadas, silbidos. Gente feliz por todos los lados. Madres jóvenes con niños pequeños en brazos, un chaval con el pelo largo y jersey ajustado grabando la escena en ocho milímetros, una lluvia de confeti cayendo sobre los novios.

—Venga, Robles *aga*.

Era Esfandiari, tomándole por el brazo, familiar como un amigo de toda la vida. Héctor le siguió hasta una habitación contigua, donde un grupo nutrido de hombres fumaban, metían escándalo y bebían un líquido rojizo, embotellado en recipientes de plástico. Esfandiari le tendió uno.

—A la salud de los novios.

Era vino fermentado ilegalmente para la ocasión.

Metáforas. ¿Qué había sabido Héctor Espinosa de Irán antes de suplantar a Rafael Robles? ¿Qué habría sabido si el azar no le hubiera deparado aquella extraña aventura?

Recordó las imágenes repetidas hasta la saciedad por todos los medios occidentales. Muchedumbres airadas repitiendo consignas religiosas o denostando contra el Gran Satán. Los grandes retratos del líder supremo, omnipresentes en fachadas y carteles de anuncios. Las fotografías de las playas, con sus improvisados tabiques separando la zona de los hombres de las de las mujeres. Guardias barbudos circulando por las calles, pululando por los restaurantes, asegurándose de que no hubiera una mujer sin velo ni una pareja rozándose.

—No tiene más que pasearse con una cámara por algunos barrios de Los Ángeles, Robles *aga*. O quizá por Nueva Orleans después del tornado. Sería fácil convencer al resto del mundo de que su país acaba de perder una guerra.

La conversación con Sohrab Razavi se había prolongado durante horas, como si el ministro necesitara explicarse con él.

—¿Debo considerarme un prisionero, doctor Razavi?

Una sonrisa afable, no exenta de ironía. Los brazos del ministro abriéndose como para abrazarle.

—Considérese mi invitado, se lo ruego.

—¿Por cuánto tiempo?

—Sólo unos días más. No tenga prisa. Disfrute de su visita y descanse. Karim Asfhar, a quien Dios tenga en su gloria, y usted han rendido un gran servicio a mi país.

—Dudo de que el general Sistani opine lo mismo.

—Rostam Sistani ha dedicado su vida a luchar por Irán, rafeeg. No le juzgue a la ligera.

—¿Le defiende usted, señor ministro?

Caminaban por los jardines de Eram, Razavi apoyándose trabajosamente en su bastón; su cojera, acentuada después de la larga caminata.

—No estoy de acuerdo con sus ideas, si es a lo que se refiere —contestó el ministro—. Ni tampoco con sus métodos.

—Pero ¿le aprecia a pesar de todo?

—¿Aprecio? Le amo como a un padre.

Siguieron caminando durante un buen rato, hablando apenas, aspirando el aroma de las rosas.

Cuando Igor entra en la habitación, Misha hace un esfuerzo por incorporarse de la cama sin conseguirlo del todo. Todavía está muy débil.

—Descansa, *tovarich*. Boiko estaba preocupado.

Y tiene razones para estarlo, piensa Misha, al menos según el doctor que acaba de visitarle.

—Su hígado está hecho pedazos, señor Vasiliev. Es imperativo que se someta a un tratamiento de urgencia si quiere llegar al año que viene.

Igor se sienta junto a él y deja caer una manaza tatuada sobre su hombro. Permanecen así durante un tiempo que se le antoja larguísimo, tan largo como las noches de Grozni, cuando Igor se tendía a su lado a la hora de dormir, un muchacho casi impúber, cuyo cuerpo sobredesarrollado mostraba por todas partes las señales del sufrimiento. Y cada noche le despertaban sus gritos. Las pesadillas, torturándole durante tantos años.

Sin embargo, Boiko ha ido olvidando los fantasmas que le torturaban con el tiempo. O quizá, simplemente, se los ha cedido a él.

—Boiko tiene que marcharse, Misha. Un encargo.

—¿Es tan urgente, Igor? Estaré bien en un par de semanas.

Hay una expresión de tristeza en el rostro de Igor que Misha no ha visto en mucho tiempo.

—Boiko ha hablado con el doctor. Tú necesitas mucho reposo.

—¡Pero siempre hemos estado juntos! —protesta Misha—. Desde Grozni.

Boiko le pasa la mano por la cabeza, apretando suavemente con los dedos, masajeándole el cráneo hirsuto.

—No será largo, *tovarich*. Klaus viene. Órdenes de arriba.

—No me gusta ese tipo, Igor.

—A Boiko tampoco.

—¡Ten cuidado, muchacho!

Cuando Igor sonríe, la cicatriz que el cuchillo de Misha dejó en su rostro, quince años atrás, se hace más visible que nunca.

—Boiko siempre tiene cuidado.

¿Por qué está tan inquieto? El chico sabe desenvolverse solo. De hecho él no sería más que un estorbo, hace tiempo que no le sirve para nada. Pero siempre ha estado ahí, cerca de él, donde pudiera guardar su espalda.

De repente Boiko se quita el colgante que lleva al cuello y se lo tiende.

—Tú lo guardas hasta que Boiko vuelva.

Misha contempla embobado el disco de acero con las tres aspas dibujando el signo de la radiactividad. Igor no se lo ha quitado nunca desde que le conoce.

—Igor, no..., yo...

—Trae suerte —dice Boiko, cerrando la mano de Misha sobre el disco—. Pronto de vuelta.

Misha se cuelga el amuleto al cuello. Aunque los doctores lo atribuirán al efecto de los sedantes, lo cierto es que esa noche, por primera vez en muchos años, duerme a pierna suelta, protegido de las pesadillas.

NOCTURNO

Le despertó el sonido del piano de Leila, interpretando un nocturno. Irene se arrebujó entre las sábanas, adormilada. Había visto amanecer antes de derrumbarse sobre el colchón, abrazada a la libreta de Mauricio.

Pero había finalizado el cálculo de la probabilidad de fusión por efecto túnel entre un hipernúcleo de materia extraña y otro de helio. Obtenía un resultado sorprendente y sobre el que, sin duda, Helena Le Guin también querría echar tierra. Irene la imaginó tratando de convencerla para que se callara, persuasiva como un psicólogo, tierna como una amante.

Podía estar tranquila. Desde el paseo por Central Park con Raúl, la doctora De Ávila había perdido la prisa.

¿Prisa? ¡La piscina! Leila nunca se sentaba al piano antes de las nueve para no despertarla y llevaba un buen rato escuchándola. Si quería nadar un par de kilómetros antes del mediodía, tenía el tiempo justo para desayunar y salir disparada hacia la YMCA.

Irrumpió como una exhalación en el comedor con los ojos todavía llenos de legañas.

—¡Buenos días, mamá! Me voy corriendo a...

No era posible. El hombre sentado en el sofá, serio, moreno, más delgado aún de lo que recordaba, sus ojos verdes fijos en ella. Irene lo reconoció, pero siguió andando, camino de la cocina, negándose a asimilarlo. Dio tres o cuatro pasos más, como un soldado que sigue corriendo un trecho después de que una bala le ha perforado el corazón.

—Tienes visita, cariño —dijo Leila.

¿Dónde estaba su retórica, maldita sea? Había ensayado innumerables veces en su imaginación la exacta reacción cuando llegara ese momento. La mirada fría, el tono cortés y seco, los modales despectivos.

—Hola, Irene —dijo Héctor, levantándose.

Llevaba el sufrimiento escrito por todas partes. En la forma en que los pómulos resaltaban en el rostro demacrado. En los labios afiebrados. En las manos vendadas. Le tendía un pañuelo rojo y azul, bordado con estrellas de la suerte, como los que, mucho tiempo atrás, había descubierto enterrados en los cajones de Leila.

Todavía discutía por lo bajo consigo misma mientras le abrazaba.

El taxista que lleva a los dos caballeros al aeropuerto de San Francisco podría ser el alma gemela de Pablo Furtado, aunque uno trabaje de guardia de seguridad en el CERN y el otro conduzca una limusina del Hotel Fairmont. Aunque uno sea hijo de emigrados portugueses y el otro un dentista paquistaní cuyo título es papel mojado en Estados Unidos. Aunque Pablo tenga veintipocos años y Hossein casi cincuenta. Ambos son curiosos, inteligentes, observadores y aspiran a una vida mejor, que parece escapárseles no por culpa suya.

Hossein echa un vistazo por el retrovisor al asiento

trasero. Uno de los pasajeros ocupa las dos terceras partes del espacio. Es obeso, calvo, suda a mares y parece de un humor estupendo. El segundo es todo lo contrario. Vestido de negro, con su sombrero en la mano, flaco, triste, tímido y miope, se contenta con la mínima esquina que deja libre la inmensa anatomía del otro.

Curiosamente, sin embargo, la voz de este último es grave y sonora, mucho más imponente que la del gordo.

—Hay que hacer algo respecto a Gregoire —dice. El asiento trasero de la limusina está separado del suyo por un cristal de seguridad insonorizado, pero sus pasajeros han olvidado cerrar el micrófono que les permite comunicarse con él y la bombilla del chivato está fundida. Sus voces se escuchan nítidamente. Hossein sabe que debería cerrarlo él mismo, pero ha sido una larga jornada conduciendo en la soledad insonorizada de su cabina y se resiste a desaprovechar la oportunidad de distraerse un poco, cotorreando vidas ajenas.

El hombrón asiente con un suspiro de resignación.

—Es verdad —dice—. No podemos dejarlo correr. Sería un mal ejemplo.

—Henry va a estar en contra —replica el flaco triste—. Y eso me ata las manos. No quiero oponerme a él.

—Me parece muy bien —asiente el gordo, dándole a su compañero unas palmaditas cariñosas en los hombros—. Dos amigos no deben discutir por un feo asunto como éste... No te preocupes. Puedo ocuparme yo.

—Tendrás que ser discreto... Henry sospechará.

—No te preocupes. Tengo alguien apropiado para el

trabajo.

—Sería mejor si no estuviera en nómina... Henry hará averiguaciones, ya sabes.

—Tengo un agente libre en Ginebra..., muy fiable y con métodos poco convencionales. No te preocupes.

—Sin ensañarse, ¿de acuerdo? El pobre tipo no lo merece.

—Descuida, Geldman. Será de lo más limpio.

El flaco rabino contesta algo, pero Hossein no lo oye. Se ha apresurado a cerrar el micrófono, aterrorizado ante la perspectiva de que sus pasajeros se den cuenta de que les está escuchando y procura concentrarse en el tráfico que se espesa a medida que se acercan al aeropuerto, procura olvidar lo antes posible todo lo que ha oído y, sobre todo, procura convencerse a sí mismo de no haber entendido su significado.

Se dio cuenta de que llevaba más de tres horas escuchando a Héctor porque su estómago gruñía, hambriento. Leila se había evaporado, haciendo gala de su discreción habitual y estaban solos en casa.

—¿Tienes permiso para contarme todo esto?

Héctor se encogió de hombros.

—Le prometí a Karim que no habría más secretos entre nosotros. No los habrá... si tú quieres.

—Karim. Háblame de él.

—Era amigo de Leila.

—¿Leila? —exclamó Irene, incrédula—. ¿Mi madre?

Héctor asintió.

—Cuando el sha escapó de Irán, los guardias de la

Revolución desataron una represalia terrible contra sus allegados. En cuestión de semanas detuvieron a casi toda la familia de Leila.

—¿Murieron? ¿Todos?

Héctor buscó sus ojos.

—Tu tío Ramin fue asesinado en una emboscada —dijo—. En cuanto a tus abuelos, prefirieron no dar el gusto a los revolucionarios de detenerlos. Cuando los guardias de la Revolución irrumpieron en su mansión, los encontraron muertos a ambos, en su cama, tras haber ingerido una sobredosis de barbitúricos.

—¿Cómo se salvó mi madre? —preguntó Irene, sin intentar contener las lágrimas que rodaban por sus mejillas.

—Gracias a un amigo. Un joven estudiante de Derecho, de clase humilde, islamista militante, llamado Sohrab.

«Sohrab fue detenido por la policía del sha durante las revueltas que precedieron a su derrocamiento. Al cabo de algunas semanas un grupo de revolucionarios tomó al asalto la cárcel en la que estaba preso. Cuando empezó el tiroteo, los guardias ametrallaron las celdas donde él y otros muchos detenidos se encontraban. Sobrevivió de milagro. El jefe de los asaltantes le encontró inconsciente, rodeado de cadáveres. Sohrab despertó entre sus brazos mientras le llevaba en volandas hasta la enfermería, y lo primero que pensó, me dijo, fue que le transportaba algún arcángel hasta el Paraíso.

«El arcángel en cuestión se llamaba Rostam Sistani. Sohrab se convirtió en su ayudante. Como tal, participó en las purgas que siguieron a la caída del sha. Leila acababa de ser detenida cuando su antiguo amigo tuvo noticias de ello y actuó rápidamente a espaldas de su mentor. Ésa fue la primera vez que se opuso a la voluntad del general, pero no sería la última. También fue la primera vez que actuó a distancia, por mediación de terceros, para ayudar a Leila a escapar a través de las montañas de Turquía con un pasaporte falso, algún dinero y los números de las cuentas suizas donde su familia, como toda la élite del Irán de la época, había puesto a buen recaudo una buena parte de su gran fortuna.

Los ahorros, pensó Irene. Los famosos ahorros que habían costeado sus estudios en Harvard. Los misteriosos ahorros, inexplicables en una familia que había vivido siempre con lo puesto, con el salario de Raúl y las clases de Leila. ¿Gran fortuna? ¿Cuentas bancarias? ¿Eran ricos sus padres? Recordó a Corinne exigiendo un piano de cola al que no llegó a sentarse media docena de veces. Había tenido suerte.

—¿Qué fue de Sohrab? —preguntó—. Me gustaría agradecerle algún día lo que hizo por mi madre. Quizá escribirle una carta.

—Su dirección es fácil de recordar —dijo Héctor—. Sayed Sohrab Razavi, primer ministro. República Islámica de Irán.

LA MUERTE Y OTRAS SORPRESAS

Esta vez no le basta con embadurnarse las encías con su medicina. Necesita algo más fuerte.

Las primeras dos rayas le hacen menos efecto de lo que esperaba. Su tolerancia a la coca ha aumentando en los últimos tiempos. Tiene que prepararse otras dos y acompañarlas de un par de vasos de Blue Sapphire con hielo para meter en cintura la ansiedad que se ha instalado a la altura de su esófago, dificultándole la respiración, impidiéndole pensar con claridad.

Ahora se siente mejor. Lúcido. Tranquilo. Capaz de analizar los hechos calmadamente.

Friedrich ni siquiera se molestó en ponerle sobre aviso. Se ha enterado de la peor manera posible, cuando Archibald Ross apareció por su despacho, elegante, estirado, dedicándole una mueca cortesana. Hubiera podido interpretar al cardenal Richelieu de los tres mosqueteros mejor que Nigel de Brulier, que Vicent Price, que el mismísimo Tim Curry.

—John, necesito que me prepares unos gráficos.

Está acostumbrado a esas humillaciones. Cinco años atrás, cualquiera de los pedantes físicos de Omega podía pasar por su despacho con la pretensión de encargarle alguno de los numerosos trabajos que eran incapaces de realizar por sí mismos. En los últimos tiempos ya únicamente los jefes se atreven. Pero Ross es un cardenal, sólo inferior en jerarquía al propio Friedrich.

—Claro. ¿Para cuándo los necesitas?

—Oh, no corren demasiada prisa. Aún faltan tres semanas para la conferencia de la Sociedad Europea de Física. Aunque ya sabes que me gusta preparar mis charlas con tiempo.

Curiosa, la manera en que se había negado a aceptar la evidencia. Su primera reacción fue suponer que se trataba de un malentendido. Llegó incluso a balbucear sus pretensiones de ser él quien impartiera esa charla, tan confundido estaba.

—¿Tú? —Ross parecía no dar crédito a sus oídos—. ¡Pero John! ¡Es la conferencia más importante del año!

Lo enunció como un hecho objetivo, cuyo corolario era obvio, pero sin manifestar abiertamente lo descabellada que le parecía la idea. Le dio unas condescendientes palmadas en el hombro antes de salir del despacho.

—No te preocupes, hombre. Ya encontraremos algo apropiado para ti.

Friedrich ni siquiera intentó disculparse.

—¿Es que no lo entiendes? —parecía molesto de que su subordinado se hubiera atrevido a irrumpir en su despacho pidiendo explicaciones—. ¡Es necesario que sea Ross quien presente los resultados de Omega! Insistirá en el hecho de que el análisis independiente de Oxford confirma la ausencia de burbujas extrañas. ¡Nadie dudará de él!

—Me habías prometido que sería yo quien daría esa charla.

—El Consejo del CERN se reúne después de la

conferencia para debatir el programa de alta luminosidad. ¿Crees que voy a arriesgarme a que no nos aprueben? ¡Ya tendrás tu oportunidad en su momento!

—Pero...

—¡Ya basta, Carpenter! Estoy ocupado.

La presión ha subido desde el esófago hasta el pecho y ha roto a sudar copiosamente, pero la ira, la humillación, la terrible impotencia han dejado paso a una sombría serenidad.

—Ahora te comprendo —le dice al fantasma de Corrado Gatto.

No puede verlo, desde luego. Todavía no está tan loco como Friedrich von Zhantier. Pero no le cuesta nada imaginarse al espectro, alto, delgado, melancólico, con su camisa de color rosa claro, sus pantalones beises y los zapatos a juego, todos ellos marca Lacoste. No le cuesta nada imaginarse que le explica por qué anunció el descubrimiento de las burbujas extrañas sin pedirle permiso a Friedrich.

—Estaba harto de que se aprovechara de mí. Harto de ser su lacayo.

También John Carpenter está harto. Cuando le comunica su plan, Corrado asiente enérgicamente, aprobando su decisión. Incluso se imagina que le ayuda a levantarse, aunque bien poco puede el ectoplasma contra la ley de la gravedad. Le cuesta un esfuerzo enorme llegar desde el sofá del comedor hasta su estudio. Cuando se derrumba en la butaca, rodeada de tres grandes terminales, idénticos a los de su despacho, las punzadas en el pecho han comenzado a arreciar.

—Quizá tengas otra angina de pecho —le previene

Corrado—. Llama a una ambulancia.

—Dentro de diez minutos —contesta Carpenter—. Si no lo hago ahora, no me decidiré nunca.

Corrado asiente. Ambos saben que tiene razón. Además, rodeado por la burbuja protectora que forman los grandes monitores de cuarzo líquido, sintiéndose como el capitán Kirk en Star Trek, se encuentra mucho mejor. Ya no suda y el dolor del pecho ha disminuido. Sin darle más vueltas, comienza a teclear. Jadea pesadamente, pero sus dedos se mueven tan veloces como los de Mister Spock. Tres minutos más tarde un programa comienza a ejecutar sobre la DST En otros treinta segundos su monitor muestra la distribución angular de las burbujas extrañas, con un pico exactamente donde predice la teoría de Irene de Ávila. Una tabla, bajo el gráfico, muestra la estadística total. Corrigiendo por la eficiencia de selección, se han formado ya más de diez mil burbujas en Omega.

El pinchazo, esta vez, es tan doloroso como si le hubieran atravesado de parte a parte con una de esas lanzas que los bárbaros españoles usan para restar la fuerza a los toros bravos. De hecho, Carpenter se siente exactamente así, como un animal soberbio y valiente, atravesado a traición por un cobarde picador. Tiene que llamar por teléfono, pero antes consigue abrir su correo, incluye el gráfico en él y escribe la dirección electrónica de Helena Le Guin. Acierta a teclear una sola línea.

Friedrich miente.

Con un último esfuerzo pulsa el botón de enviar y el mensaje parte al ciberespacio, como una botella lanzada al mar. La cabeza de Carpenter golpea la pantalla que tiene frente a él y luego la mesa mientras su cuerpo rueda por el suelo.

Sigue lúcido. Piensa que todo lo que tiene que hacer es alzarse un poco, descolgar el teléfono y pulsar una tecla donde el número del hospital está memorizado. Su mano palpa hasta encontrar una superficie metálica, un cilindro duro y frío. Es la pata de la mesa. Si es capaz de asirse a ella, podrá incorporarse lo necesario. Pero sus manos están húmedas, resbaladizas. Forcejea, alzándose milímetro a milímetro, aplicándose con todas sus fuerzas, valerosamente, como Bowman en *2001*, avanzando contra el vacío que el malvado HAL ha abierto en su nave.

Consigue descolgar el auricular y marcar el número del hospital antes de que la segunda puñalada en el pecho lo tumbe de nuevo.

Y ahora Corrado Gatto está a su lado, nítido y tangible. Carpenter siente su mano en la frente, confortándole.

—No te preocupes —le dice—. Todo va a ir bien.

Carpenter sonríe, agradecido, y cierra los ojos.

Ya ha oscurecido y, como de costumbre, Richard Gregoire prefiere caminar a tomar un taxi. También, como de costumbre, atraviesa Central Park de este a oeste, bordeando la laguna central, aunque hoy anda más despacio de lo habitual. No tiene ninguna prisa por llegar a su apartamento. Shirin ya está en Teherán, preparando el nuevo hogar que van a compartir muy pronto. Nadie le espera en casa, pero su soledad, quizá por lo poco que va a durar, no le pesa. Más bien al contrario, la acepta como una oportunidad para ponerse en paz consigo mismo.

Pasea despacio a lo ancho del parque, aspirando el aroma de las magnolias y los cerezas en flor, reflexionando. No puede negarse a sí mismo que la perspectiva de su nueva vida, en un país extraño del que tiene que aprenderlo todo, le asusta a veces. Pero el suyo va a ser un futuro compartido y pleno. Por difícil que sea, es mejor que la vida vacía que abandona.

Apenas se fija en el hombre sentado en el banco, vestido con un chándal deportivo, con la capucha echada por encima de la cabeza. Hay cientos como él corriendo alrededor del parque cada día. En otros tiempos hubiera sido más cauto, pero Giuliani ha dejado obsoleto el famoso adagio de los setenta. *Don't cross Central Park at night.*

En otros tiempos hubiera echado a correr, quizá hubiera gritado pidiendo ayuda al reparar en que el hombre se levanta del banco y le da alcance en dos rápidas zancadas. Pero Richard Gregoire ha repetido demasiadas veces la misma rutina en los últimos años y no reacciona hasta que el encapuchado le aferra brutalmente por el pelo, retorciéndole la cabeza como si fuera una marioneta.

Todavía no sabe exactamente qué está ocurriendo mientras unas manos enormes le colocan una mordaza y lo arrastran bajo el puente que se disponía a cruzar. Está oscuro, pero no tanto como para no distinguir a su asaltante. La capucha ha caído hacia atrás mostrando una cabellera rubia, unos ojos tristes, un rostro de muchacho bueno, sólo contradicho por una cicatriz bajo el párpado derecho.

Gregoire consigue sacar su cartera del bolsillo y se la

alarga al joven. Éste la acepta y rebusca en ella, haciéndole un gesto para que no se mueva. ¡Como si pudiera! Está acorralado contra la pared de ladrillo del puente y no tiene escapatoria alguna. Pero su asaltante no parece estar bajo los efectos de la droga ni ha mostrado hasta el momento un arma blanca o una pistola. Lleva bastante dinero encima y seguramente no quiere otra cosa. Gregoire se quita el reloj de la muñeca y se lo alarga, pero el otro lo rechaza con un gesto casi caballeroso. Tiene su carné de conducir en la mano.

—¿Richard Gregoire? —pregunta mientras se asegura de que su rostro corresponde a la fotografía del documento.

Sólo en ese momento comprende que está perdido.

Nota una humedad en la pernera y comprende que se ha orinado encima, pero no se avergüenza por ello. Es un reflejo automático sobre el que no tiene control. A pesar de ello no pierde la serenidad. Por alguna razón se imagina ser Lennon, enfrentándose a Chapman. Él no habría tenido miedo.

Su verdugo le estudia un instante, como tratando de decidir algo. Una de sus manos le aprieta el pecho, clavándole contra la pared como si fuera una mariposa disecada. La otra deja caer la cartera. Gregoire comprende que es la mano con que va a golpearle.

La última imagen que acude a su mente, antes de que la zarpa de Boiko estrelle su cabeza contra la pared de ladrillo, aplastándole el cráneo, es la de Rostam Sistani abriéndose paso entre las llamas como un Dios y llevando a Shirin en sus brazos.

UNICORNIO HERIDO

Llegaron al portal. Esa era la ocasión en la que la monja boba se daba la vuelta y corría escaleras arriba, no fuera que su galán osara insinuarse.

Excepto que los roles seguían invirtiéndose. Mientras descendían a lo largo de Broadway, camino de Greenwich Village, donde se encontraba la residencia en la que Héctor se alojaba, Irene había respondido a sus preguntas con las mismas calculadas dosis de verdad que él le administraba en otros tiempos. Le había hablado del artículo de Matthieu y consiguió que Héctor rechinara los dientes y jurara en lengua yoruba. Le había descrito con todo lujo de detalles su fracasada charla en el CERN, la emboscada de sir James, la bravuconería de Friedrich von Zhantier, la traición de Helena Le Guin.

—El caso es que Reeves no andaba tan desencaminado. He aprovechado estas semanas en casa para estudiar la probabilidad de que una burbuja extraña reaccione con un núcleo de helio por efecto túnel y es sorprendentemente alta. ¡Una entre cien mil, nada menos!

—¿Y eso te parece alto? Yo diría que es un número muy pequeño.

—¿Te subirías en un avión si te dijeran que tienes una posibilidad entre cien mil de estrellarte?

Él la miró con una sonrisa guasona. Tuvo que

reconocer que no había sido un símil muy afortunado. El hombre que caminaba a su lado, cojeando todavía un poco, acababa de regresar de los infiernos y ella pretendía meterle miedo con probabilidades infinitesimales.

—En fin, lo que cuenta es el producto de esa probabilidad por el número de burbujas extrañas que se producen en Omega.

—Tu modelo predecía un número grande, ¿no?

—Pero los resultados de Omega lo desmienten.

—¿Seguro? El tal Friedrich no parece demasiado de fiar.

—Helena Le Guin ordenó un estudio independiente a un profesor de Oxford que aborrece a Von Zhantier. Confirmaron la ausencia de señal. Hay que aceptar la verdad. Aún no sé dónde, pero soy yo quien se equivoca.

—¿Y ahora? ¿Cuándo vuelves a Ginebra?

Llevaba toda la tarde esperando la pregunta, sabiendo que llegaría antes o después, temiéndola. La hora de la verdad.

—No sé si quiero volver.

—¿Por qué? Un cálculo equivocado no es el fin del mundo. No eres el tipo de persona que abandona al primer fracaso.

Merde!

El primer juramento era siempre en francés, al menos cuando lo hacía para sus adentros. ¿Qué diría Héctor si supiera de la yonqui, de la golfa, de la mujer de Boiko? ¿Abandonar al primer fracaso? ¡Peor! Había cogido una rabieta digna de Corinne, tirando la casa por la ventana, quemando sus naves, lanzándose de cabeza al arroyo.

—¿Qué te pasa? Te has quedado muy seria.

—No es nada. ¿Qué planes tienes tú?

—Voy a regresar a Ginebra. Todavía aspiro a que RAN forme parte algún día de las directivas de la ONU.

—Te deseo que tengas éxito. De todo corazón.

—Ven conmigo. Tu trabajo está allí. Podemos empezar algo... Juntos.

Excepto que Boiko jamás lo permitiría. Excepto que Ginebra era una ciudad demasiado pequeña para ellos tres. Pero era más fácil atacar que confesarse.

—¿Hasta que te destinen a otro sitio? ¿Hasta la siguiente misión secreta?

—Voy a dejar el ejército, Irene. Está ya acordado con el senador Pullman.

Héctor había tomado su mano y la apretaba con fuerza.

—Vuelve conmigo. Por favor.

—Hace tres meses desapareciste de mi vida sin explicaciones. Llevamos juntos unas pocas horas. Dame un respiro.

Touché. La mano que apretaba la suya se quedó sin fuerza, la soltó al cabo de unos instantes.

—Tienes razón. Perdona.

Y, sin embargo, a medida que se acercaban a la residencia, la idea de abandonarlo y regresar sin él a casa se le hacía insoportable. Quizá podían ir a tomar una última copa, alargar un rato más el paseo, quizá...

Apenas llegaron al portal Héctor se dio la vuelta y salió corriendo escaleras arriba.

—Te llamaré mañana —dijo cuando se encontraba a una prudencial distancia.

Era un largo trecho hasta Upper West Manhattan para ir a pie de regreso y se estaba haciendo tarde.

Pero no le apetecía parar un taxi.

La ciudad se iba vistiendo de noche, enjoyándose con mil neones multicolores.

Caminó durante un largo trecho, absorbiendo la vida a su alrededor. Había mucha gente en la calle, aprovechando la breve y furiosa primavera de Nueva Inglaterra, que ya empezaba a decantarse hacia un verano tórrido y húmedo. Docenas de restaurantes ofrecían todas las posibilidades culinarias del planeta. Se cruzó con un grupo de adolescentes que llevaban monopatines bajo el brazo, vestidos con pantalones anchos y estratégicamente caídos a fin de mostrar la ropa interior de marca. Un poco más allá una de las aceras estaba tomada por un grupo de chicos bailando *hip hop*. Grupos de turistas se apresuraban, camino de los espectáculos de Broadway.

A la altura del edificio Dakota tuvo el impulso de acercarse a la lápida que conmemoraba a John Lennon.

Era poco más que un nombre para ella, una figura vaga, romántica, cuyas canciones emocionaban a sus padres. Pero la pequeña lápida, en una esquina del parque, tenía algo de capilla, de lugar sagrado, donde recogerse unos instantes.

Sentía la necesidad de rezar una oración. Por su tío Ramin, por los abuelos que nunca conoció, por los muertos cuyas sombras se extendían en la gran oscuridad que abarcaba el silencio de Leila. No había rezado nunca. No sabía siquiera a qué Dios dirigirse. No importaba. Alguien la escucharía.

El monumento estaba desierto, excepto por un

hombre en chándal, con la capucha echada sobre la cabeza. Quizá, se dijo, también él oraba por sus difuntos. No podía distinguirle el rostro, pero había algo muy familiar en los hombros anchos y la musculatura sobredesarrollada que ni siquiera el amplio chándal disimulaba. Irene se fijó en el tatuaje en el dorso de su mano.

Era la cabeza de una serpiente.

—¿Qué opinas, Sandro?

Alessandro Calvetti examinó atentamente el gráfico que Helena le tendía, repasando la distribución angular de las burbujas extrañas con la boquilla de su pipa.

—¿De dónde ha salido esto? —preguntó al fin.

—Un correo electrónico de John Carpenter. Me lo envió anoche hacia las dos de la mañana. Aparte del gráfico, lo único que decía el texto era que Friedrich miente.

—¿Has hablado con él?

—Llevo toda la mañana llamándole por teléfono. No contesta.

El traje azul marino, muy formal, no le sentaba bien a Calvetti. Se le veía envarado e incómodo, llevaba el nudo de la corbata subido hasta la nuez.

—Vengo de reunirme con los delegados del Consejo —dijo mientras se lo aflojaba—. A pesar de las intrigas de Jozef, he conseguido el apoyo de la mayoría para el programa de alta intensidad.

—Si este gráfico significa lo que yo pienso, deberíamos pensárnoslo dos veces, amigo mío —Helena agitó el papel como un fiscal exhibiendo el cuerpo del delito—.

Hay más de diez mil entradas, todas exactamente en la región predicha por Irene de Ávila. ¿Te das cuenta de las implicaciones?

—¿Cómo explicas que el grupo de Oxford no encontrara señal?

—Acabo de hablar por teléfono con Archibald. Su análisis parte de una DST preparada por John. Es factible que la señal de las burbujas haya sido filtrada.

—¿Quieres decir que Carpenter falseó los datos? —exclamó Calvetti.

—Es la única explicación que se me ocurre.

—¿Has hablado con Friedrich?

—Todavía no. Antes quiero tener una charla con Carpenter. ¿Te das cuenta, Alessandro? ¡El programa de alta intensidad podría producir cien mil burbujas extrañas en un año!

—¿Y qué? Parece absolutamente claro que son positivas, ¿no? Es imposible que reaccionen con la materia.

—Excepto si sufren fusión por efecto túnel.

—*Dai*, Helena! —exclamó Calvetti—. Una cosa es ser prudentes y otra prestar atención a las memeces de sir James. ¿Con qué probabilidad puede darse un fenómeno tan raro?

—No lo sabemos. Bastaría con una entre cien mil para producir una fusión inicial entre la burbuja y un núcleo de helio, capaz de iniciar una reacción en cadena. Es un riesgo que no podemos permitirnos.

—Lo único que no podemos permitirnos es seguirle el juego a sir James. En el momento que le demos la razón, en el momento que admitamos la más mínima duda, estamos listos. Nos echará encima a la prensa. ¿Te imaginas lo que escribiría un desaprensivo como ese Matthieu Marquet si aceptamos que podría existir un riesgo por mínimo que fuera? ¿Te imaginas los titulares? *Científicos del CERN podrían destruir la Tierra*. ¿Te imaginas la reacción de los políticos? El único número que la gente entiende, el único que podemos darles es cero. La probabilidad de una catástrofe tiene que ser nula. ¡No pongas esa cara! ¡No hago más que repetir tus propios argumentos de hace unos meses!

—Hace unos meses no teníamos evidencias...

—¡Qué evidencias! ¡Ni siquiera sabemos si existe un problema hasta que hablemos con Carpenter! Quizá se trate de un broma de mal gusto.

En ese momento sonó el teléfono. Megafonía le avisó antes de que descolgara el auricular.

—Algo va mal.

Cierto. Heike tenía órdenes de bloquear cualquier llamada que no fuera de importancia capital durante su entrevista con Calvetti. Una buena noticia hubiera podido esperar otra media hora.

—Helena Le Guin al aparato.

—Philippe Dufour —dijo una voz varonil al otro lado de la línea—. Soy el médico de cabecera de John Carpenter.

—¿Qué ha ocurrido? ¿Se encuentra John bien?

—John sufrió un infarto esta madrugada —respondió el médico—. Consiguió avisar al servicio de urgencias antes de desvanecerse. Hemos hecho lo posible por salvarlo.

Silencio. Calvetti acariciaba la cazoleta de su pipa,

como quien conforta a un bebé que llora.

—John recuperó brevemente la conciencia hace un par de horas. Me pidió que la llamara por teléfono. Entiendo que le envió algo antes del infarto. Un correo electrónico. Me pidió que le dijera... No era demasiado coherente, pero me pareció comprender que su mensaje era claro, señora Le Guin. Quería que usted supiera que no le ha mentido.

Autocontrol apenas daba abasto para mantener sus ojos secos, el tono de su voz controlado.

—¿Ha muerto?

—No ha sufrido en absoluto —dijo el doctor.

—¿Qué haces aquí? —preguntó Irene.

Boiko no contestó, limitándose a clavar en ella sus grandes ojos de querubín triste.

—Escucha, Igor..., lamento haberme marchado de Ginebra sin avisarte. Yo...

La sonrisa angelical, si los ángeles traficaran con coca. La cicatriz bajo el ojo era como un navajazo en el rostro de Monalisa.

—Boiko te esperaba. Cada noche.

—Se acabó, Igor —dijo Irene, desviando la mirada—. No podemos seguir juntos.

Boiko la tomó del brazo suavemente, tirando de ella hacia un banco cercano y le hizo un gesto para que se sentara. La expresión de su rostro no había cambiado, como si no hubiera escuchado lo que acababa de decirle.

—¿Ya no quieres a Boiko?

—Escúchame, por favor. Lo nuestro no podía

funcionar. Somos demasiado diferentes.

—¿Boiko no es bastante para ti?

Aquella conversación no tenía sentido. Era imposible que la entendiera. Era imposible comunicarse con él, siempre lo había sido.

—¿O es que prefieres a mi *tovarich* americano?

Tenía que cortar por lo sano. Inmediatamente.

—Tengo que irme —dijo, levantándose del banco—. Lo siento de veras.

Boiko no hizo ademán de seguirla. Se recostó en el banco y alzó la cabeza, como si quisiera distinguir las invisibles estrellas. Irene echó a andar sin mirar atrás. Había alcanzado ya el lindero del parque cuando alguien la agarró fuertemente del brazo. Antes de que pudiera gritar una mano le cubrió la boca. Reconoció el pelo largo y grasiento, recogido en una cola de caballo, los antebrazos peludos, la nariz rota del tipo que la retenía.

Era Klaus.

Nadie llama a las cuatro de la mañana con buenas noticias.

Una voz le ordenó salir a la calle y echar a andar a lo largo de Broadway. El acento y el tono bravucón eran familiares. Supo desde el primer instante que se trataba de Irene.

—Tenemos a la chica.

Saltó de la cama y empezó a vestirse sin despegar el teléfono móvil de su oreja.

—¿Qué queréis? ¡Déjame hablar con ella!

—Tienes cinco minutos. Ven solo y desarmado.

Calma, pensó, mientras se vestía con el chándal

de algodón que solía llevar al gimnasio de Marcel, echaba mano de su pistola, comprobaba el cargador, la amartillaba y se la metía en el bolsillo, haciendo caso omiso de las instrucciones del secuestrador. Calma. Tenía que mantenerse calmado. Controlar el vértigo. No mirar hacia abajo.

Distinguió el BMW circulando al ralentí apenas salió a la calle. Se acercó, andando con paso rápido pero sin correr, la mano en el bolsillo de su sudadera, empuñando la pistola. El carro se detuvo y alguien abrió de un empujón la puerta del copiloto. Héctor saltó al interior del automóvil con el arma en la mano.

—Guárdate eso —exigió el conductor. Héctor reconoció al gordo de la coleta, al que había partido la nariz meses atrás—. Si el jefe no te quisiera para él, ya estarías tieso.

Por toda respuesta Héctor apoyó el cañón de la pistola en su mandíbula mientras echaba un rápido vistazo al asiento trasero para comprobar que no había nadie más en el auto.

—¿Dónde está Irene?

—Está con Boiko. Tengo órdenes de llevarte con ellos. Si no haces lo que te digo, la chica morirá. Tira esa pistola.

A pesar de la bravuconería en la voz, el tipo sudaba a mares y su sudor apestaba. Era un olor acre, familiar, aspirado muchas veces en el ring. Un olor que delataba el miedo de su enemigo.

—Boiko va a llamar de un momento a otro —dijo el gordo—. Si quieres volver a verla, más te vale que...

Estrelló el puente de la pistola contra su boca sin

dejarle terminar la frase. El gordo se llevó las manos a la cara, gritando de dolor, escupiendo sangre y algún trozo de diente. Héctor le agarró por la cola de caballo, tirando violentamente hacia atrás y forzó el cañón de su arma en el interior de la boca ensangrentada, apretando contra el paladar.

—Vuelve a hablar sin mi permiso y te mato —murmuró.

El otro asintió como pudo, alzando hacia él las manos ensangrentadas. Sonó el teléfono. Héctor le hizo un gesto para que contestara, poniéndole la pistola en la sien. El gordo dijo un par de frases en ruso con voz sorprendentemente neutra y cortó la comunicación.

—Era el jefe —dijo—. Nos está esperando.

—¿Cómo te llamas? —preguntó Héctor sin apartar la pistola.

—Kla... Klaus.

—Escucha, Klaus. Sería una pena que te saltara los sesos por una disputa que no te concierne. ¿Me entiendes?

Klaus asintió. Seguía sangrando a borbotones por la boca y la nariz.

—¿Tienes un pañuelo?

Klaus señaló hacia la guantera. Héctor cambió la pistola a su mano izquierda y tanteó con la derecha hasta encontrar un paquete de kleenex.

—Límpiate —dijo—. Y acuérdate de lo que te he dicho.

El gordo se cubrió la boca con un pañuelo de papel, escupió, empapándolo de sangre, repitió la maniobra varias veces. Héctor encontró una botella de vodka en la guantera.

—Da un trago. Enjuágate un poco. ¿Dónde están?

—Bronx Park. Boiko nos espera en el aparcamiento principal.

—¿Cuántos más sois?

—Nadie más. Sólo Boiko y yo.

—¿Seguro? —preguntó Héctor, metiéndole el cañón de la pistola bajo la papada.

Klaus se puso rígido y emitió un gruñido de angustia. Sus ojos giraron hacia arriba, hasta casi ocultar sus pupilas. Héctor temió que se desmayara.

—Aguanta, hombre —dijo, palmeándole el rostro.

Los ojos se le iban detrás de la pistola. No le causaría problemas.

—¿Puedes conducir?

Un gesto afirmativo con la cabeza. El hombre no estaba para conversaciones.

—Vamos entonces.

Atravesar el Bronx era como atravesar una ciudad devastada por la guerra. Calles desiertas que repetían una y otra vez el mismo patrón de asfalto bacheado, casas arruinadas y miseria. A medida que se acercaban al parque, aumentaban las fachadas que parecían haber recibido el impacto de un obús. Una docena de chatarras calcinadas, arrumbadas contra las pared ennegrecida de un almacén con las ventanas reventadas, le trajo a la mente las reflexiones de Razavi. Aquel barrio se encontraba a unos pocos kilómetros de las lujosas tiendas de la Quinta Avenida, pero igualmente podría haberse encontrado en otra galaxia.

El parque del Bronx. Inhóspito, en la hora que precedía al amanecer, incluso para las alimañas. Klaus enfiló hacia un aparcamiento desierto, excepto por un par de carcasas quemadas hasta las ruedas y una furgoneta blanca, estacionada junto a la única farola iluminada.

—Es aquí —dijo, ralentizando la marcha.

—¿Dónde están?

Klaus señaló la furgoneta. La sangre se había secado alrededor de los labios y la barbilla formando surcos oscuros que corrían a lo largo de ésta. Sus dientes castañeteaban como si estuviera helado de frío.

—Ahora lárgate —dijo Héctor—. La próxima vez que te vea la jeta te pego un tiro.

Klaus bajó del carro y echó a correr en dirección al parque. Héctor le siguió con la pistola amartillada.

—¡Boiko! —gritó.

La puerta trasera de la furgoneta se abrió, bloqueando su visión. Un instante después distinguió, muy juntos, los bucles rubios del ruso y la cabellera pelirroja de Irene.

Boiko no parecía ir armado. Llevaba una camiseta de tirantes, que dejaba al descubierto sus despiadados hombros y pectorales. Un tatuaje corría a lo largo de todo su cuerpo. Era una pareja de serpientes enlazadas, cuyo tronco común se desgajaba en dos gruesas boas que se deslizaban a lo largo de sus increíbles brazos. Una de ellas se enroscaba en torno al cuello de Irene. Su enemigo sonreía y la apretaba contra sí como un enamorado. Héctor tuvo la certeza de que podía desnucarla con un simple movimiento de aquellos músculos brutales. Irene parecía drogada. Sus ojos estaban vidriosos; sus músculos, laxos. Había dejado de luchar, como si la pitón la hubiera hipnotizado.

Un unicornio herido.

ÚLTIMO HAIKU

—Vas a perder —avisaron por Megafonía.

Era verdad. Incluso Alessandro Calvetti la había dejado sola al llegar con cinco minutos de retraso al comienzo de la reunión y sentarse en la retaguardia, junto al delegado italiano, en lugar de hacerlo a su lado, como había sido su costumbre durante más de diez años.

Y Sandro era el único amigo de verdad en aquella reunión. En el otro bando estaban Friedrich, Linsen y varios de sus aliados, todos relamiéndose al olor de la sangre fresca. Sin embargo, Autocontrol y el resto de los departamentos funcionaban a pleno gas. No tenía intención alguna de rendirse sin luchar.

—Asumo que han ojeado el memorando que les he hecho llegar —empezó mientras apretaba un botón y el proyector mostraba la distribución angular de burbujas extrañas predicha por el modelo de la muchacha, superpuesta a los datos que le había enviado Carpenter—. Como pueden ver, tenemos evidencias de la producción de materia extraña en el experimento Omega, tal como afirma un reciente modelo teórico. En mi opinión, hasta que la situación se aclare, sería prudente retrasar el programa de alta intensidad.

Ya estaba dicho. Helena escudriñó los rostros, tratando de adivinar por dónde vendría el ataque.

Jozef Linsen carraspeó, ofreciéndole una exhibición inconsciente de su nutrido repertorio de tics. Se ajustó la corbata, tiró fastidiosamente de las mangas de su chaqueta y le sacó brillo al anillo de oro blanco que volvía a lucir en su anular después de que le quitaran la escayola.

—Si me permite, señora directora —su voz era empalagosa como la de sir James, pero harto más abyecta—. No parece que haya razones fundadas para prestar excesiva atención a los resultados, por llamarlo de alguna manera, del malogrado John. Sin duda, bajo los efectos del infarto...

Dejó la frase en el aire, como si la conclusión natural fuera que una angina de pecho provocaba en los físicos la necesidad imperiosa de producir gráficos que no podían tomarse en serio.

—Ante la duda, querido Jozef, sugiero que los datos de Omega sean analizados por un grupo independiente —contestó Helena.

—¡Pero ese análisis ya lo ha hecho el grupo de Oxford! ¿No es así, Archibald?

—Bien —dijo Archibald Ross—, lo cierto es que nuestro análisis parte de una DST producida por Carpenter. En principio los datos podrían estar alterados...

Por fin alguien que rompía una lanza a su favor. Calvetti, por su parte, seguía callado y evitando sus ojos. ¿Qué le ocurría?

—¿Alterados en qué sentido? —intervino Friedrich—. Incluso si la señal de las burbujas fuera predicha exactamente por la teoría, es casi imposible separarla del ruido de fondo, como usted mismo puede confirmar. Haría falta un genio para dar con un algoritmo lo bastante inteligente para ello. ¡John no era más que un técnico! Bueno para la informática, pero absolutamente mediocre como físico. ¡Semejante hazaña caería del todo fuera de sus capacidades!

—Sin duda se trata de un análisis muy complejo —dijo Ross—. Mi grupo ha invertido meses de trabajo y un equipo científico de primera clase. Ciertamente una persona sola, y más tratándose de alguien sin una gran preparación, no podría...

—Hay algo más —interrumpió Friedrich—. Después del sepelio me entrevisté con su doctor, Philippe Dufour, quien me confirmó que el infortunado John tenía un serio problema de adicción a la cocaína. Aparentemente su prematuro final fue provocado por un abuso de droga combinado con un corazón débil... En cierto modo ya lo sospechaba. Durante los últimos tiempos su comportamiento había sido errático... En mi opinión, si los «resultados» de John se parecen tanto al modelo de De Ávila —Friedrich puso unas comillas, moviendo los dedos al pronunciar la palabra «resultados», como para asegurarse de que nadie le malinterpretaba— es por la simple razón de que se limitó a inventarse una serie de puntos siguiendo las curvas teóricas.

—Un extraño capricho, ¿no te parece? —dijo Helena, dejando que su voz rezumara ironía.

—Quería llamar la atención, eso es todo —replicó Friedrich.

—Debo reconocer que se molestó mucho cuando supo que sería yo quien presentaría los resultados de Omega en la conferencia de la Sociedad Europea de

Física —añadió Ross—. Por lo visto se había hecho ilusiones al respecto.

—Señora directora —intervino de nuevo Jozef Linsen—, no parece que la evidencia que nos presenta pueda sostenerse.

—Insisto en que debemos tomar los resultados del malogrado John seriamente —replicó Helena.

—Si me permiten —dijo Calvetti, poniéndose en pie.

Las sirenas de alarma en toda la fábrica. Pero ya era tarde.

—Como presidente del Comité Científico del CERN, quiero aprovechar la ocasión para transmitirles nuestra decisión relativa al programa de alta intensidad. Hemos acordado, por unanimidad, recomendar al Consejo que se lleve a cabo lo antes posible. No consideramos que los argumentos de la directora justifiquen retrasarlo.

¿De qué se sorprendía? Alessandro no hacía más que defender lo que había sido su prioridad principal hasta hacía poco tiempo. Garantizar un descubrimiento, conseguir un premio Nobel, evitar excusas para detener el LHC.

Sabía por experiencia que su viejo amigo se estaría consumiendo, torturado por el mismo sentimiento de culpa que no había dejado de lacerarla a ella desde la conferencia de Irene de Ávila.

—Déjala ir —dijo Héctor, procurando que la voz no le temblara.

—Suelta la pistola, *tovarich*. Boiko odia las pistolas.

Héctor dejó el arma en el suelo y la apartó de un puntapié. Boiko retiró su brazo del hombro de Irene, pero ella no se movió.

—¡Irene! —llamó Héctor—. Ven conmigo.

—¡Márchate! —exclamó ella con voz ronca—. Boiko te matará si te quedas.

—¡Ven conmigo! —repitió Héctor.

—Ve a saludar a mi *tovarich* —dijo Boiko, acariciándole el pelo con sorprendente ternura.

Irene se acercó dando traspiés.

—Vete, por favor —murmuró cuando llegó a su altura—. Déjame tratar con él.

La pobre muchacha estaba delirando. Apenas se sostenía derecha y su voz era casi inaudible. Héctor tomó su mano y puso en ella el móvil que llevaba en el bolsillo de su chaqueta.

—Busca un nombre en la agenda del teléfono. Velasco. Dile que venga a Bronx Park. Él nos ayudará. ¡Date prisa!

—¿Vamos, *tovarich*? —llamó Boiko, haciéndole un gesto amistoso, como si fuera el negro Príamo invitándole a practicar un rato en el cuadrilátero.

—Llama a Velasco —insistió Héctor, empujando suavemente a Irene hacia el BMW aparcado junto a ellos—. ¡Corre!

Irene se tambaleó hacia el carro. Antes de enfrentarse a su enemigo, Héctor se quitó la chaqueta del chándal. Un torso desnudo ofrecía menos agarraderos y era más fácil evaporar el sudor que ya le corría a raudales por la espalda, a pesar del fresco de la madrugada. Boiko se llevó un dedo a la sien, como aprobando su ocurrencia.

Helena se dio cuenta de que apenas quedaba espacio en su libreta. No disponía más que de unos pocos renglones para rellenar la última página.

Parecía imposible. La libreta era gruesa, su letra diminuta, nunca había escrito en ella más de un par de líneas diarias. Pero había pasado mucho tiempo.

Las notas al principio del diario. Un párrafo particularmente querido, describiendo los cielos de Alejandría. La luz del Mediterráneo, retenida en un haiku, seguía entrando por la ventana de una habitación compartida en una casa de paredes recién encaladas en la isla de Corfú.

Las tormentas, las terribles tormentas que cernían sus nubarrones hacia el primer tercio del diario y se extendían a lo largo de páginas y páginas. La lluvia, cayendo inclemente sobre ellas.

Había vuelto el sol, era cierto. De tarde en tarde. La luz nunca había sido la misma.

¿Y ahora? ¿Cuál sería el último haiku de su diario?

Tengo miedo, escribió.

FLORES DEL MAL

Irene se apoyó en la carrocería del BMW. Velasco, pensó, tenía que llamar a un tal Velasco. Y deprisa. Si no conseguía ayuda pronto, Boiko mataría a Héctor.

Un súbito mareo estuvo a punto de derribarla. Con esfuerzo abrió la puerta del coche y se dejó caer en el asiento del conductor. Si le hubiera quedado algo todavía en el estómago, lo habría vomitado al aspirar el tufo que agredió su olfato. Un matadero olería exactamente así. Los kleenex empapados y las gotas de sangre seca que ensuciaban el salpicadero parecían los restos mal enjuagados de un sacrificio reciente.

Pero a pesar de la náusea, su cabeza comenzaba a emerger de la espesa niebla poblada de monstruos donde vagaba desde que Klaus había introducido la aguja de una jeringuilla en su antebrazo.

Al otro lado del parabrisas, moteado de manchas de sangre, Héctor había iniciado una lenta danza circular alrededor de su enemigo. Su torso estaba desnudo, se movía con pasos pequeños y seguros, apoyando sólo la punta de los pies. Boiko sonreía, como admirando su fluidez de movimientos.

De repente arremetió, las enormes manos cuyas caricias recordaba tan bien, buscando desgarrar la carne de su presa. Irene escuchó el grito ronco que se le escapó y levantó el brazo en el que todavía sostenía el teléfono móvil para protegerse del golpe devastador animado contra el rostro de Héctor. Pero éste había esquivado la carga milagrosamente, fintando hacia un lado y alejándose dos o tres metros con una rápida carrera. Boiko se giró hacia él, rugiendo.

La sonrisa sardónica en los labios caribeños. ¿Se había vuelto loco? Estaba provocando a su enemigo, lanzándole improperios. Boiko cargó por segunda vez. Héctor esperó hasta tenerlo casi encima antes de esquivarlo con un imposible requiebro y poner dos o tres metros de por medio.

¡El teléfono! El fogonazo de esperanza quemándola como la brasa de un cigarrillo en la piel. La mano que sostenía el aparato temblaba tanto que tuvo que apretarla contra su estómago para examinar las teclas que mostraban las diferentes funciones. En una de ellas se veía el icono de una agenda.

Irene la apretó. El teléfono respondió con un pitido burlón y una línea en la pantalla le exigió un código que no conocía para desbloquearlo.

Una manifestación, encabezada por sir James, avanzaba hacia el CERN, exigiendo su destrucción inmediata. Algunos blandían picos y palas. Otros agitaban banderas en las que ondeaba el último gráfico de John Carpenter. Alessandro Calvetti trataba de convencer a Friedrich von Zhantier, vestido de general de las SS, para que su división acorazada no abriera fuego contra la multitud.

La cabeza de Irene en su regazo. La acariciaba

lentamente, masajeando su nuca, enredando sus dedos en la cabellera pelirroja. Frente a ellos, una colosal pantalla de cuarzo en la que se sucedían las imágenes del Holocausto. Las hordas de manifestantes quemando libros en la biblioteca al grito de *Muera la ciencia.* Las ametralladoras de Von Zhantier disparando contra hileras de prisioneros alineados ante las paredes de la Esfera. Los delegados del Consejo del CERN, vestidos con hábitos cardenalicios, inaugurando el programa de alta luminosidad con agua bendita.

Los iones de plomo, acelerados hasta una fracción infinitesimal de la velocidad de la luz, chocando diez mil veces por segundo gracias al programa de alta intensidad. El Aleph primario estallando en cada colisión. Burbujas extrañas formándose como flores que brotan en el fuego del infierno. Creciendo y consumiéndose, creciendo y consumiéndose antes de que sus pétalos se abrieran del todo.

Irene la abrazaba. Ella la mecía entre sus brazos. Una de las flores letales esparcía su polen por todo el espacio.

Los diminutos grumos de materia extraña flotando en la brisa de la tarde, posándose poco a poco. Creciendo a medida que se hundían en la tierra.

Tres veces.

La primera había sido fácil. Lo último que esperaba su enemigo era que le esquivara, huyendo de él como un perro flaco del palo del pastor, situándose justo fuera de su alcance antes de provocarlo con frases que ni él mismo entendía. Changó gritaba por él.

Había maniobrado la segunda embestida aún más fácilmente que la primera. Boiko arremetió contra él furioso y sorprendido, como un toro coronado con bolas de brea ardiente.

En cambio la tercera había evitado sus zarpas de milagro. Las garras habían resbalado sobre su piel sudorosa, la presa cerrándose con un milisegundo de retraso. Santa Bárbara regalándole un último milagro.

No iba a escaparse de nuevo. Boiko era más rápido que él y ya había entendido su estrategia. Avanzaba cuidadosamente, todos sus músculos tensos para la siguiente explosión, los brazos abiertos, como un amante ansioso de abrazar a su amada. Extraño amante. Si las boas gemelas hacían presa, no dejarían de apretar hasta partirle la columna.

—Boiko quiere saber cuánto vales, *tovarich*.

¡Ahora! Héctor inició el gesto de girarse como para escapar de nuevo a la vez que su enemigo se abalanzaba contra él con la velocidad de un tren bala, seguro de interceptarle.

Fue un movimiento torpe, lento, absolutamente obvio. En lugar de fintar, Héctor completó un giro sobre sí mismo, encogiéndose mientras lo hacía, y luego saltó como un resorte, embistiendo con la cabeza por delante.

Pero Boiko no lo esperaba y se estrelló contra él con toda la furia de su propia velocidad.

Héctor sintió el salvaje impacto propagándose a lo largo de su columna, estrujando sus vértebras, conmocionándole los músculos del cuello. El golpe había sido lo bastante violento como para derribar a un caballo.

Increíblemente Boiko seguía de pie. Pero incluso aquel energúmeno tenía algo de humano. El cabezazo le había dejado sin respiración y le había hecho retroceder, en precario equilibrio, abrazándose el estómago.

Héctor conectó un gancho de izquierda encima de su oreja. La cabeza apenas se movió, pero ahora estaba dentro de su guardia. Su brazo derecho retrocedió hasta que los tendones de los deltoides rechinaron y luego se disparó hacia delante, todo su peso concentrado en un mazazo salvaje.

Su puño, del que todavía colgaban las vendas que protegían unas heridas a medio cicatrizar, se estrelló contra el pómulo de Boiko. La sensación en sus nudillos fue la de que golpeaba de nuevo la dura roca de las Montañas del Perdón.

Los brazos. Los brazos de Boiko intentando asirle, a pesar de que el puñetazo debería haberle fulminado. Héctor se encogió, esquivándolos, y lanzó un directo al hígado, seguido de un croché la barbilla. Boiko retrocedió. ¡Se tambaleaba!

Héctor jadeaba sin aliento. Apenas podía girar el cuello entumecido y sentía la mano derecha como un muñón en carne viva. Podía derribarle. Un golpe más. Lanzó su derecha, una, dos, tres veces, golpes secos en pleno rostro, ignorando el dolor de sus nudillos rotos. Boiko mordió el cebo. Si no hubiera estado esperando su reacción, jamás habría anticipado la velocidad con que la serpiente tatuada en la mano de su enemigo se lanzó hacia su muñeca.

Héctor lanzó su izquierda, poniendo toda el alma en el golpe.

El crujido de la nariz de Boiko, quebrándose bajo el golpe, fue menos dulce que el batido sordo de su cuerpo golpeando el asfalto.

Un aullido salvaje, saliendo de algún lugar oscuro, enterrado en lo más hondo de su cerebro. Alegría, furia, pánico, incredulidad. Boiko rodaba por el suelo, su cara una masa de carne ensangrentada.

Irene salió del interior del BMW. Héctor echó a andar hacia ella. Llegó a dar tres pasos antes de que la expresión de horror en su rostro le pusiera sobre aviso.

TALÓN DE AQUILES

Irene no se sorprendió al ver a Boiko levantándose de un salto un instante después de que el salvaje puñetazo le derribara. Tampoco albergaba duda alguna respecto al resultado del combate. La única incógnita era cuánto tiempo resistiría vivo Héctor.

Tenía que impedirlo. Boiko no le haría daño a ella.

Era preciso que detuviera aquella locura. Los dos hombres ya se embestían de nuevo como bestias enloquecidas. Irene se precipitó hacia ellos, decidida a interponerse entre ambos.

Un tirón brutal la detuvo en plena carrera. Una mano peluda como la de un simio la aferraba del cabello.

—Quietecita aquí —mascullló la voz de Klaus en su oído.

Helena Le Guin se ha sentado en una esquina de la terraza de la cafetería, bajo un pino sexagenario cuya edad coincide con la del laboratorio. Siente frío, a pesar de que la temperatura todavía ronda los veintitantos grados. Frío y un cansancio infinito. Friedrich la ha derrotado, apoyándose en el miedo de Alessandro, en la vileza de Linsen, en la necedad de los delegados. La muerte del pobre John le pesa en el alma, su fantasma parece rondarla entre las sombras del brazo del espectro de su pobre amigo Corrado.

—Tienes que hacer algo —anuncian por Megafonía—. El cálculo de Irene es correcto.

—Quizá no exista riesgo después de todo —responde Helena, intentando que su voz interior suene convincente—. El modelo de Irene predice burbujas positivas, y las burbujas positivas no pueden reaccionar con el helio.

Los altavoces no responden, pero Helena sabe que volverán a la carga por la mañana. Si le conceden un respiro es porque, a esas horas, los obreros de la fábrica están tan agotados como ella.

Es hora de irse a dormir. Trabajosamente se levanta, camina hasta el aparcamiento, arranca su Audi y se dirige hacia la salida del CERN.

Pablo Furtado está de guardia. Un par de luces se encienden en el interior de la fábrica, pero su brillo es tenue, el desánimo que siente esta noche es tan grande que está a punto de pasar sin detenerse cuando él abre la barrera.

Pero no lo hace. Su pie pisa el freno sin que nadie en los Servicios Centrales se lo haya ordenado. La sonrisa del muchacho es lo primero agradable que le ha pasado en todo este largo día.

Le tiende su pitillera y el mechero. Hace ya meses que han establecido este curioso ritual y ambos se sienten a sus anchas repitiéndolo. Pablo abre la caja metálica, extrae dos cigarrillos, le alarga uno a la señora, se pone otro en los labios, le da fuego, enciende el suyo y contempla maravillado ambos objetos antes de devolvérselos. La pitillera es preciosa, pero más precioso aún es el encendedor, delgado, rectangular, con sus aristas casi cortantes de tan pulidas y su brillo dorado, con el clic preciso con el que enciende, sin fallar jamás, con su llama que es casi del color de los ojos de ella.

Siguen un par de minutos de conversación. El portugués de la señora es perfecto. Pablo ha oído que habla muchos idiomas, y también los rumores que aseguran que aprendió cada uno de éstos con un amante distinto, pero le parecen maledicencias de vieja. Los físicos del CERN se parecen a las comadres de su barrio, siempre metiendo las narices en los asuntos de los demás, siempre hurgando en las vidas ajenas.

La señora está guapísima esta noche. También parece triste. Pablo daría cualquier cosa por encontrar la manera de animarla, pero no sabría qué decirle, no es más que un pobre guarda que se pasa las noches estudiando en la garita con la esperanza de dejar de ser un paria algún día.

Helena, por su parte, se aferra como un náufrago al cariño que emana del muchacho, ignorando las protestas de Megafonía.

Boiko estaba jugando con él. Mantenía la guardia baja, mostrándole la nariz rota, el rostro ensangrentado y la sonrisa demente. Esquivaba sus golpes sin esfuerzo, moviendo la cabeza lo justo para evitar el puño o apartándolo de un manotazo, como si se sacudiera un moscón de encima.

Iba acorralándolo poco a poco contra la furgoneta, dejándolo sin espacio para esquivarlo, lanzándole golpes demoledores, demasiado rápidos para que Héctor pudiera hacer otra cosa que detenerlos con los antebrazos, escondiendo la cabeza entre ellos como una tortuga acosada por un grizzly.

Estaba agotado. Era cuestión de minutos hasta que empezara a bajar la guardia. Llegaba un momento en que los hombros se cansaban tanto que ni siquiera la certeza de un golpe asesino bastaba para mantener los puños altos.

—¡Vamos, *tovarich*! —exclamó Boiko—. No te rindas tan pronto.

Supo que el gancho que caía por su izquierda no era más que un señuelo, pero no por ello atinó a evitar la patada lateral que llegó desde la derecha, dirigida a su cabeza. Todo lo que consiguió fue levantar el brazo, protegiéndose a medias el rostro. Una segunda patada, sin que Boiko se molestara en bajar la pierna que le golpeaba, le derribó por el suelo. Héctor giró velozmente sobre sí mismo, procurando alejarse lo más posible de su oponente, sabiendo que podía patearle a voluntad mientras estuviera en el suelo. Pero Boiko quería divertirse un rato más. Aprovechó la coyuntura para arrancarse la camiseta, que partió dos pedazos con la misma facilidad que si rasgara una hoja de papel. Utilizó uno de ellos para limpiarse la sangre del rostro y le tendió el segundo.

—Límpiate.

Necesitaba un arma. Imposible seguir enfrentándose a él con las manos vacías. Cualquier cosa, siempre que fuera punzante o al menos dura. Un bolígrafo. Una piedra.

Su reloj. Todavía llevaba en la muñeca el regalo de

Velasco. La esfera irrompible del Rolex sería mucho más efectiva que sus destrozados nudillos.

Se puso en pie, asió el trozo de camiseta que le había arrojado Boiko, se secó la frente, las manos y los antebrazos. De paso, disimuladamente, soltó el cierre de la cadena de acero y dejó que el Rolex se deslizara hacia las falanges.

Un directo. Tenía que intentar conectar un directo de izquierda. Boiko avanzó hacia él. Héctor le dejó acercarse antes de lanzar la derecha intentando distraer a su oponente. Boiko la bloqueó, indolente, casi aburrido, su rostro totalmente al descubierto.

Ahora. Héctor lanzó la izquierda con todas sus fuerzas.

La mano de Boiko deteniendo la suya en pleno vuelo. El aire, escapándose de sus pulmones. Algo, como un vendaval, alzándole en vilo, lanzándole por el aire. Su espalda golpeó el retrovisor de la furgoneta, arrancándolo de cuajo. Al menos una costilla rota, quizá más, a juzgar por la punzada cruel en sus pulmones.

—Buen intento, tovarich.

Boiko había visto venir la maniobra, había tenido todo el tiempo del mundo para detener su golpe y propinarle a cambio una tremenda patada lateral que casi había pulverizado su caja torácica. Había perdido la ventaja de la sorpresa y no era enemigo para él.

Se levantó como pudo. Intentó alzar los brazos. Esta vez el golpe cayó en su hígado. Perdió el equilibrio. Una zarpa le alzó por el cabello. Un cabezazo en pleno rostro. Un hachazo brutal de espinilla quebrando los ligamentos de su rodilla derecha.

Tumbado boca abajo. Sin sentir apenas el dolor. Casi no veía. Estaba a punto de desvanecerse. Posiblemente no recuperaría la conciencia de nuevo. Agüela, pensó. Si Changó tiene que hacer un milagro, ahora es el momento.

Su mano palpó una superficie fría y dura. Un cristal. Un fragmento del retrovisor. Afilado.

El pie propinándole un suave empujón en el hombro, como para espabilarlo.

—Levántate. Boiko aún no ha terminado contigo.

Si pudiera alzarse. Si pudiera arrojarse sobre él, buscando su vientre o su pecho. Pero no podía. Boiko volvió a hurgarle las costillas. Llevaba unas Nike de color rojo y negro.

Con el talón descubierto, pensó, mientras aferraba el cristal y concentraba las fuerzas que le quedaban en la puñalada.

—Changó siempre cumple, m'hijo.

Boiko cayó de rodillas, rugiendo. Héctor se aferró al chasis de la furgoneta para ponerse en pie. Su pierna derecha apenas le sostenía. Boiko intentó levantarse. Por un interminable segundo Héctor creyó que lo conseguiría, hasta verlo derrumbarse, sin llegar a alzarse del todo. Había vencido. Pero no era cuestión de quedarse allí, celebrando una victoria que le sabía tan amarga como la sangre que le encharcaba la boca.

—¡Irene! —gritó mientras se dirigía, cojeando, hacia ella.

Pero Irene no estaba sola. Klaus estaba a su lado, sujetándola del pelo con una mano. Con la otra empuñaba su pistola. Y le estaba apuntando con ella.

GALILEO EN ROMA

Calvetti le sonrió, agradecido.

—Temí que no quisieras venir —dijo. —No podía negarme —contestó Helena—. Son obligaciones del cargo.

—Podías haber delegado en Linsen —bromeó Alessandro, buscando restablecer aunque fuera un retazo de la antigua complicidad, rota por los últimos acontecimientos.

—Hubiera sido lo apropiado —contestó ella—. Para que se vaya acostumbrando a ejercer de nuevo el cargo.

—No digas eso, Helena. Si el programa de alta luminosidad resulta un éxito...

—Jozef y sus amigos repetirán a los cuatro vientos que me opuse a él.

Calvetti sacó su pipa del bolsillo, a pesar de que era impensable que la encendiera, al menos mientras durara la ceremonia en la sala de control.

—Un fetiche —anunciaron por Megafonía—. También Sandro está solo.

No se le había ocurrido, pensó. A pesar de la amistad de tantos años, hablaban poco de sus respectivas vidas personales. Alessandro estaba divorciado, tenía un par de hijos veinteañeros estudiando en Estados Unidos y se rumoreaba que mantenía una discreta relación con cierta abogada de los servicios legales del CERN. Quizá los altavoces exageraban, pero la forma en que acariciaba la cazoleta de su pipa le recordaba la ansiedad con que ella hacía lo propio con su pluma. Los dedos, huérfanos del contacto de otra piel, conformándose con el tacto familiar de un objeto querido.

—Helena, lo siento mucho...

—No empieces otra vez. Ya hemos hablado del tema. Hiciste lo que creías correcto y respeto tu decisión.

—Sólo quería...

—Shhh. Te vas a perder el discurso.

Makoto Sakuda, el director de la División de Aceleradores, se esforzaba con unas explicaciones que traían sin cuidado a la mayoría de los presentes, describiendo la serie de mejoras que habían permitido aumentar la intensidad de los haces. Jozef Linsen, bien rodeado de varios delegados, asentía mientras pensaba en las musarañas. El único que no ocultaba su impaciencia era Friedrich. Miraba una y otra vez su reloj, llevándoselo a la nariz con grandes aspavientos, como contando los minutos que faltaban para que la academia sueca le comunicara la buena nueva.

Sakuda terminó su discurso y se inclinó ceremoniosamente hacia ella, cediéndole la palabra.

Era cuestión de ser breve. Friedrich tenía prisa. Por qué no darle el gusto.

—Señores, es para mí un placer inaugurar el programa de alta intensidad de iones pesados. Estoy segura de que estamos en el umbral de un gran descubrimiento.

Un gran descubrimiento. Una burbuja formándose cada minuto de colisión de haces. Si la probabilidad de fusión no era lo bastante pequeña, cada instante de operación del LHC equivalía a jugar a la ruleta rusa con un revólver apuntando al planeta.

Era imprescindible abordar ese cálculo. Asegurarse por todos los medios de que era imposible iniciar una reacción por efecto túnel. Y, sin embargo, nadie parecía interesarse en absoluto por esa posibilidad. Incluso Calvetti le había dado la espalda.

—*Dai*, Helena. No seas supersticiosa.

No era la primera vez que ocurría. Quinientos años atrás, durante su juicio en Roma, Galileo había ofrecido su telescopio a los príncipes de la Iglesia, rogándoles que se cercioraran por sí mismos de que la Luna no era un globo de cristal perfecto, sino un planeta muerto, cuya torturada superficie revelaba los impactos de eones de catástrofes.

Los cardenales, por supuesto, no habían mirado.

—¡Suelta a la chica, Klaus! —gritó Héctor—. No tienes nada contra ella.

Klaus se echó a reír, si es que aquel ladrido de hiena merecía tal nombre.

—Ahora soy yo quien tiene la pistola, colega —dijo, encañonándole.

Héctor supo que iba a disparar, pero no era miedo lo que sentía, sino furia. ¡Acabar así, a manos de un miserable!

A su espalda, Boiko rugió una orden en ruso. Klaus se giró hacia él, como protestando o disculpándose, y soltó la mano que aferraba la cabellera de la muchacha.

—¡Irene! —gritó Héctor—. ¡Ponte a salvo!

Pero ella ya se había abalanzado sobre Klaus,

golpeándole el rostro. Este reaccionó instintivamente propinándole un violento revés que la arrojó al suelo.

Héctor se precipitó hacia el gorila, pero Boiko, cojeando, fue mucho más rápido. Klaus retrocedió, gritando aterrorizado.

—¡Boiko! *Niet*!

Crac.

Boiko se había quedado inmóvil, todavía en pie, detenido en plena carga. Una mancha carmín se extendía por el lomo de la serpiente que corría por su pecho. La contempló un instante y se llevó los dedos a la herida, estudiando la sangre que los empapaba, como asombrado. Luego se giró hacia él.

—Boiko odia las pistolas, tovarich.

—¡Igor! —gritó Irene, corriendo hacia él—. ¡No!

Boiko alargó una mano hacia ella, el mismo gesto con el que le había acariciado el cabello antes de liberarla. Un instante después se había derrumbado. Irene le abrazó, gimiendo.

Con un esfuerzo enorme Héctor apartó la mirada para encontrarse con los ojos desquiciados de Klaus y el cañón de su pistola apuntándole. Supo que era su turno. Ni siquiera sentía ya rabia. Si acaso tristeza, una infinita tristeza. Cerró los ojos.

Crac, crac.

Por alguna razón seguía en pie. Klaus, sin embargo, yacía boca abajo con la cabeza ensangrentada.

Había dos hombres más en el aparcamiento. Uno de ellos era corpulento, pelirrojo y llevaba una pistola humeante en la mano. El otro tenía la cara picada de viruela.

VUELO NOCTURNO A GINEBRA

Velasco de uniforme. Parecía más alto, más recio y, sobre todo, menos cínico.

El coronel se quitó la guerrera y la colgó del respaldo de la única silla de la habitación. Héctor se incorporó en la cama no sin esfuerzo. Una punzada en el tórax le recordó las dos costillas rotas que, milagrosamente, no habían perforado los pulmones.

—Me alegro de verle, coronel.

Velasco le contempló de arriba abajo, frunciendo el ceño, como un comerciante examinando un lote de mercancía defectuosa.

—Está hecho unos zorros, mayor.

Héctor contempló sus manos vendadas.

—Podía haber sido peor —dijo.

—Hay que reconocer que tiene agallas, Espinosa.

Velasco olía a loción de afeitar. La camisa azul con botones dorados y la corbata negra no desentonaban con la huella de la viruela en el rostro.

—Tuve suerte. No era rival para Boiko.

El coronel asintió, ecuánime.

—Eso lo sabía de antemano. No era la primera vez que se las veía con él.

Héctor alzó las cejas.

—No le hacía al tanto de esos asuntos.

Velasco negó con la cabeza. El gesto pesimista del sargento que no consigue meter en vereda al recluta díscolo.

—Tendrá que andarse con más cuidado en el futuro —rezongó—. No puedo pasarme la vida haciéndole de niñera.

—Hablando de eso, ¿cómo nos localizó?

Los finos labios torciéndose en la familiar sonrisa sardónica. Quién iba a imaginarse, se dijo, que aquella mueca de viejo zorro llegara a conmoverle algún día.

—Esfandiari hizo algo más que cambiarle la pila a su flamante Rolex —dijo Velasco—. ¿Nunca se ha preguntado cómo le encontró el hombre de Ebrahim cuando se escondió en las ruinas de Persépolis?

—La verdad es que yo...

—Su reloj lleva instalado un localizador. Nada tan sofisticado como sus neutrinos, pero suficiente para saber dónde estaba en cada momento.

—¡Podía habérmelo explicado!

—¿Y arriesgarme a que se le ocurriera dejar de llevarlo, igual que se paseaba por Ginebra sin su arma? Ni hablar. Y mucho menos después de que Richard Gregoire apareciera muerto en Central Park.

El coronel examinó los gemelos dorados de sus bocamangas.

—Gregoire se había ganado algunos enemigos de los que no perdonan —dijo—. Decidieron eliminarle en contra de la opinión del senador; de ahí que prefirieran utilizar un agente libre. No contaron con que el mercenario tuviera sus propias buenas razones para hacer turismo en Nueva York.

—Le debo una, coronel.

Velasco dejó escapar un suspiro que podía significar cualquier cosa. Resignación, tristeza, frustración, alivio por haber pasado página. O quizá estaba leyendo en él su propio estado de ánimo. Recordó las lágrimas de Irene, mezclándose con la sangre que empapaba el pecho de Boiko. Los ojos de niño bueno mirando a las estrellas, muy atentos, como contándolas. Le había costado mucho apartarla de él y arrastrarla suavemente hasta el coche del coronel.

—No se preocupe, señorita —le había dicho Velasco mientras Dijstra cubría el cadáver con una manta—. Nosotros nos ocuparemos de él.

El coronel se levantó de la silla. Héctor le tendió su mano vendada.

—Gracias por todo. Quizá volvamos a trabajar juntos algún día.

—Espero que no, amigo mío —dijo Velasco, tomándola cuidadosamente entre las suyas.

Habían ocurrido tantas cosas que le costaba aceptar que sólo hubieran pasado cuarenta y ocho horas desde que se había encontrado a Héctor esperándola en el comedor de su casa. Es casi cómico darse cuenta de que sus padres ni siquiera se habían inquietado por su ausencia. Había bastado un telefonazo por la mañana y una vaga e innecesaria excusa.

Mejor así. El militar con la cara picada de viruela se lo había dejado muy claro.

—Confío en su discreción, señorita. Por el bien de

todos.

Héctor seguía vivo. Se había pasado un día entero a su lado en el hospital militar del Bronx velando su sueño sedado y murmurando su agradecimiento a la divinidad yoruba que le protegía.

Recordando los ojos de Igor, fijos en el cielo.

Y llorando.

La teoría especial de la relatividad.

Irene camina a paso vivo por la alfombra mecánica que conecta la terminal de llegada del aeropuerto de Ginebra con la aduana, esquivando a otros viajeros con menos prisa que se limitan a dejarse arrastrar por la cinta sin fin.

La teoría especial de la relatividad, recuerda, asegura que el tiempo transcurre más lentamente para un observador en movimiento que para otro en reposo.

A la velocidad de la luz, simplemente, el tiempo se detiene. Los fotones, por tanto, viven en el eterno presente. Lo mismo les ocurre, milielectrón voltio más o menos, a los neutrinos que estudia Héctor.

En cuanto a ella, se siente como si hubiera saltado a bordo del sistema inercial en que se desplazan esos veloces pedacitos de nada, capaces de cruzar el universo sin sentirlo, congelados en un perenne ahora.

Ahora. Las últimas setenta y dos horas se solapan en su conciencia, como si fueran parte del mismo segundo. El piano de Leila tocando un nocturno. La mano de Héctor acariciando la suya en la cocina de su casa. El aparcamiento del Bronx y dos hombres que pelean por ella, o utilizándola como excusa. El olor de la pólvora y la caricia de Igor, antes de desplomarse. Héctor tumbado en el catre de un hospital con vendas en el rostro, el torso y las manos. La voz de Helena al otro lado del teléfono, revelando que Carpenter ha encontrado miles de burbujas en la región predicha por su modelo. Confesando que Carpenter ha muerto. Rogándole que vaya.

—Te necesito, Irene.

El vuelo nocturno a Ginebra, cuya duración no ha excedido el tiempo que le ha costado cerrar los ojos, apenas despegó el avión, para volver a abrirlos cuando las ruedas tocaron el suelo.

La cinta mecánica por la que corre, veloz, veloz, mientras multiplica en su cabeza, una y otra vez, el ingente número de burbujas extrañas que el acelerador produce por la probabilidad de que una de ellas inicie una reacción de fusión por efecto túnel.

—Ha cambiado —anuncian por Megafonía.

Recuerda a la niña enfadada de tez cadavérica perdonándole la vida durante su última entrevista en Les Berges y se le antoja que no tiene nada que ver con la mujer que se sienta a su lado, examinando con absoluta concentración el último gráfico de John Carpenter.

—El CERN ha aprobado el programa de alta intensidad —dice Helena—. Eso implica cien mil burbujas extrañas al año.

—¡Pero la probabilidad de fusión por efecto túnel que obtengo es de una entre cien mil! —exclama Irene—. Si multiplicas ambos números, obtienes una probabilidad de uno. O lo que es lo mismo, la certeza de que en un año de operación se producirá una reacción en cadena. Puede ocurrir en cualquier momento. Ahora mismo si están colisionando los haces.

—Lo están —afirma Helena—. Y cada día que pase la intensidad va a aumentar más a medida que los ingenieros vayan perfeccionando la inyección. ¿Cuán segura estás de tu cálculo?

Irene se encoge de hombros.

—Hay aproximaciones que podrían ser dudosas — dice—. Sería deseable que otros lo abordaran.

—No podemos sentarnos a esperar mientras lo hacen. Me entrevisto con Calvetti dentro de un rato. Con tu resultado en la mano espero hacerle entrar en razón.

—¿Y si no? —pregunta Irene.

—Recurriré a sir James. Me entrevistaré con él y se lo contaré todo. Daremos una rueda de prensa conjunta si hace falta.

—Arruinarías tu carrera —murmura Irene.

—No sólo eso. Arruinaría también el futuro del laboratorio.

—¿Y si me he equivocado en mis cálculos? ¿Y si no existe riesgo después de todo?

—No te has equivocado hasta ahora. No podemos jugar con fuego. Mi obligación es detener la máquina.

—¡Lo conseguirás! —exclama Irene—. Cuando les expliques el riesgo que corremos a Calvetti y los delegados, es imposible que no te escuchen.

—¿Recuerdas la historia de Galileo en Roma? — pregunta Helena.

La escasez de despachos en la División de Física Teórica era un tema favorito de todas las tertulias de sobremesa en el CERN, tan socorrido como hablar del lluvioso tiempo de Ginebra.

Lo cierto, se dijo Irene, era que la falta de espacio se había hecho todavía más acuciante, si cabía, por culpa del LHC. Las secretarias de la División se pasaban la vida maniobrando con los calendarios de los físicos de plantilla, aprovechando cada día de sus vacaciones para alojar en sus despachos a visitantes temporales. Ella no había sido una excepción.

En el mes largo que llevaba ausente posiblemente habrían pasado por allí tres o cuatro visitantes. Aunque discretos, cada uno había dejado su marca, alterando ligeramente la geografía del despacho. El escritorio, ligeramente desplazado hacia la ventana. Nuevos diagramas de Feynman en la pizarra. Unos dibujos infantiles fijados con chinchetas al panel de corcho.

Minucias que, sin embargo, habían conseguido romper el hechizo, desacelerándola bruscamente, desde la velocidad de la luz hasta los pasos inseguros de quien no reconoce su hogar tras una larga ausencia.

Excepto por el paquete de Marlboro, en la esquina exacta de siempre.

Irene se dio la vuelta y corrió, pasillo adelante, hasta el despacho de su amigo, pero se quedó sin aire, detenida en plena carrera sin dar crédito a sus ojos.

Las paredes desnudas, descascarilladas, de un color amarillento sucio. La habitación vacía, sin otra cosa que la vieja mesa metálica, la silla en la que se sentaba Mauricio y el flexo, proyectando un pequeño cono de luz sobre la libreta en la que escribía.

Ni un papel. Ni un libro. Ni uno de los miles de artículos que solían rodar por la pieza. Por no quedar, no quedaba ni basura, ni tazas con posos de café, ni mondaduras de naranja, ni un cenicero atestado de colillas.

Era, se dijo, como si el fin del mundo hubiera empezado en ese despacho.

Genio y figura, pensó Helena, era algo que no había más remedio que reconocerle a sir James. Había respondido a su llamada invitándola a almorzar, sin preguntarle por sus razones, como si se tratara de lo más habitual del mundo. Le había dado cita en La Perle du Lac, uno de los restaurantes más finos de la ciudad, tras reservar mesa en la terraza acristalada con vistas al lago. Y, cómo no, se había cuidado mucho de entrar en materia hasta bien avanzada la comida.

—¿Y bien, querida? ¿Por qué querías verme?

Helena había mantenido la mirada fija en el lago, hechizada por la calma que emanaba de la gran masa de agua inerte. Acababan de servir los segundos platos —el camarero se había llevado su primero casi intacto— y sir James había decidido dar por concluidas las galanterías.

Había llegado la hora de la verdad.

Cuando Irene de Ávila entra en la sala de control del LHC, Jacob Panman está dando cabezadas, somnoliento tras una larga y anodina jornada de domingo. No es que

Panman tenga nada en contra de un día tranquilo tras los meses de febril actividad; de hecho, la calma no va a durar más allá del fin de semana. El lunes los haces vuelven a subir en intensidad, la tercera vez en los últimos quince días. Pero el lunes comienzan también sus vacaciones y serán otros los que tengan que vérselas con los inevitables problemas para alcanzar el máximo operativo mientras él se tuesta al sol en una playa del Mediterráneo.

La visita de Irene le supone una agradable sorpresa. Se conocen superficialmente de las reuniones de la asociación de personal del CERN, de la que Jacob es miembro militante y a las que la muchacha, nueva en la casa, asiste con frecuencia. Han simpatizado desde el primer día. De Ávila es una chica despierta y con energía, capaz de arrimar el hombro para que la asociación funcione mejor. No son pocas las desigualdades en una organización como el CERN, que ya pasa del medio siglo de antigüedad y emplea tanta gente como la siderúrgica que empleaba al padre de Panman, el intrépido sindicalista del que éste aprendió a sacrificarse para mejorar las condiciones de los trabajadores.

Por eso, cuando Irene aparece por su turno, con un borrador recién elaborado del proyecto para financiar una nueva guardería y musitando una excusa por llevárselo en horas de trabajo, Jacob, que normalmente hubiera estado demasiado ocupado para atenderla, no duda en invitarla a la sala vecina, donde una máquina de café y un par de butacas permiten un rato de calma en las raras ocasiones en que las condiciones de la máquina son tan relajadas como hoy.

Además, Panman está agotado, tanto, de hecho,

como los dos operadores de la sala de control, ambos adormilados sobre sus pantallas. Resulta envidiable que la muchacha esté tan fresca como si acabara de levantarse, aunque es bien sabido que a los físicos teóricos les gusta trasnochar. Hay que añadir que Irene de Ávila es una chica muy atractiva y Jacob no es indiferente a su belleza. Quizá, si no estuviera tan cansado y los ojos de la muchacha no fueran tan bellos, habría caído en la cuenta de que ha dejado abierta la pantalla principal de control sin activar el programa que exige una clave que sólo los jefes de turno conocen para acceder a las funciones de la máquina.

Es una locura.

El plan es tan descabellado que Irene no consigue creerse del todo que hasta el momento esté saliendo bien. Se había esperado que Panman la echara con cajas destempladas, y en lugar de eso lo ha encontrado somnoliento y amable, aunque lo cierto es que parece más pendiente de su vestido, bastante corto, que del borrador del proyecto de guardería que justifica su visita.

¿La monja boba exhibiendo las piernas? Sería para desternillarse de risa, excepto que no es gracioso verse obligada a recurrir a esas tretas con un buen hombre como Jacob.

Pero ¿qué puede hacer? ¿Encañonarle?

Helena le ha contado que el día que se estrelló, Corrado Gatto llevaba en el coche su fusil de reglamento del ejército suizo. Quizá su propósito era el mismo que la anima a ella en ese momento.

Detener el LHC.

Panman hurga en sus bolsillos, extrayendo una a una las monedas que necesita echar a la máquina para obtener un par de cafés. La máquina está en la esquina de la habitación opuesta a la puerta que da acceso a la sala de control. Irene se queda rezagada mientras el jefe de servicio se afana con las bebidas. Echa un vistazo por encima de su hombro y ve que Mauricio se cuela en la sala de control. Se mueve como un espectro, sin hacer ningún ruido, y los operadores que sestean en sus butacas no se despiertan. En un instante ha alcanzado el monitor de control frente al que trabajaba Panman y comienza a teclear algo. Pero ahora hace tanto ruido como el tableteo de una ametralladora. Tanto ruido como está metiendo su corazón, a punto de saltarle del pecho. Pero por algún milagro los operadores no se despiertan. Jacob avanza hacia ella con dos vasos de plástico en las manos. Irene se aparta de la puerta y casi le empuja hacia las butacas, situadas junto a la máquina, lo más lejos posible de la sala. Panman la mira, algo extrañado por su vehemencia, e Irene le larga un panegírico, protestando contra algunas de las más descaradas y machistas regulaciones del CERN.

—¡A las barricadas! —exclama a falta de mejores ideas, recordando una de las frases preferidas de Raúl.

Jacob se ríe de buena gana mientras Irene ruega por lo bajo para que su carcajada no espabile a los operadores antes de que Mauricio acabe de reprogramar los imanes.

Cuando Makoto Sakuda llega, poco antes del mediodía, encuentra a Jacob Panman cansado pero contento. Con razón, puesto que se trata de su último turno en un mes. Esa misma tarde sale de vacaciones.

Makoto le despide con unas palmadas en el hombro, ocultando el fastidio que siente. Le espera un día duro y lo sabe. El acelerador ha subido ya hasta dos tercios de la nueva intensidad, pero falta el tirón final, el último treinta por ciento, que siempre es el más complicado. Afortunadamente todavía es muy temprano y Sakuda espera haber completado la parte más delicada de la inyección de los haces para cuando la sala de control empiece a llenarse de gente. Además, se dice, Andrea Donini, el jefe de servicio que reemplaza a Jacob, tiene casi tanta experiencia como éste.

Cuanto antes empiecen, mejor. A un gesto suyo Donini introduce su clave en el sistema y los haces, que se han estado acumulando en el acelerador auxiliar, empiezan a circular por el LHC.

—Todo en orden —dice Donini.

Sin embargo, Makoto se siente intranquilo sin poder precisar por qué. Mira a su alrededor, inquieto, como un comisario buscando pruebas en el escenario del crimen, y se fija en una libreta de tapas negras que ha caído al suelo junto a la consola del jefe de servicio.

—¿Es tuya esa libreta? —pregunta.

Donini echa un rápido vistazo y niega con la cabeza, concentrándose inmediatamente en su monitor.

Makoto se inclina, recoge la libreta y pasa las hojas, contemplando el mosaico de cálculos que llenan cada milímetro cuadrado de espacio.

Algo no va bien, murmura una voz en su interior.

—Subiendo la intensidad —murmura Donini.

—¿Cómo ha llegado aquí esta libreta? —explota Sakuda, cada vez más inquieto.

—¿Qué libreta? —repite Donini, mirándole asombrado. También los operadores que ocupan las pantallas secundarias le contemplan sin entender a qué viene su exabrupto. Y por supuesto no saben nada. Acaban de entrar de turno.

Pero Sakuda ya ha caído en la cuenta de que la libreta es de Mauricio Gatto. Conoce al pobre hombre desde hace treinta años y se considera su amigo, en la medida que se puede ser amigo de un perturbado. Ha visto docenas de esos libros de notas rodando por su despacho y las ha ojeado en numerosas ocasiones.

La voz interior está gritando en sus oídos, exigiéndole que ordene a los operadores volcar el haz. Pero Sakuda no se decide. Si vacían el haz, perderán una semana de trabajo o más... ¿Y cómo justificarse? Pero ¿qué hace esa libreta en la sala de control?

—Makoto —masculla Donini—. Hay algo que va mal.

Makoto se precipita hacia la pantalla. Un agudo dolor ha comenzado a palpitar en sus sienes.

—¿Qué ocurre?

—No consigo estabilizar el haz —dice Donini.

—Comprueba el estado de los imanes —ordena Sakuda—. Puede que alguno esté dando problemas.

—Los he comprobado antes de iniciar la inyección... Espera... ¡No puede ser!

—¿Qué ocurre, Andrea?

—Mira esto. Tenemos tres grupos de imanes colapsando.

—Imposible —dice Sakuda, recordándose a sí mismo que en una situación de emergencia lo importante es mantenerse calmado—. La probabilidad de que un imán colapse es...

—No es un accidente —corta el jefe de servicio—. Alguien ha programado los imanes para entrar en modo de prueba justo a esta hora.

—¿Cómo?

Pero Sakuda sabe muy bien lo que ha ocurrido. Lo sabe antes de que Donini se lo confirme.

—Alguien ha programado los imanes para que colapsen.

—¡Vuelca los haces! —grita Sakuda, reprimiendo a duras penas un juramento. Si se salen de órbita, pueden golpear alguno de los sistemas de la máquina, inutilizándolos. Pero aún están a tiempo de dirigirlos sobre el sistema de volcado, un gran bloque de varias toneladas de grafito capaz de absorber la enorme energía de los iones acelerados.

Tranquilo, se dice. Todo está bajo control.

El rostro desencajado de Donini le confirma su equivocación.

—El sistema de volcado no responde —jadea.

—¿Qué? —exclama Sakuda—. ¿Cómo es posible?

—¡Está bloqueado! ¡Alguien ha boicoteado la máquina!

—¡Estamos perdiendo el haz! —grita uno de los operadores.

Un instante más tarde un concierto de alarmas se ha

disparado en la sala de control a la vez que los sistemas centrales cortan la corriente al acelerador. Demasiado tarde, piensa Sakuda. Basta echar un vistazo al panel de control para ver que al menos un veinte por ciento de los imanes se han quemado. El LHC está inutilizado.

ARIA DA CAPO

Es casi medianiche cuando, finalmente, la bruja aparece. Friedrich aguarda a que pida su té y salga a la terraza antes de encararse a ella.

—Te crees muy lista, ¿verdad? Crees que puedes engañar a todo el mundo y salirte con la tuya.

Se lo ha dicho a bocajarro, sin saludar. Sabe que su voz rezuma todo el odio que siente por ella y por eso mismo no le queda otro remedio que reconocer el impecable autocontrol del que hace gala la mujer. Alza las cejas ligeramente, da una calada a su cigarrillo recién encendido, le dedica una sonrisa hipócrita.

—Lo sé todo —dice él—. He hablado con Panman. Tu protegida, De Ávila. Lo entretuvo mientras el loco de Mauricio boicoteaba la máquina, ¿verdad?

Friedrich tiene más pruebas y está dispuesto a irlas esgrimiendo una tras otra hasta dejar a la bruja sin excusas. Sabe también que se ha entrevistado con sir James, sin duda parte de la conspiración. Pero ella no le da ocasión. Incluso derrotada, tiene una habilidad malsana para frustrarle.

—Irene no tiene nada que ver en esto —dice—. En cuanto a la acción de Mauricio, asumo toda la responsabilidad.

Ni siquiera intenta justificarse. Parece creerse inmune

a las consecuencias de sus actos. La única explicación que se le ocurre es que no se haya percatado todavía de la gravedad de su situación.

—Voy a destruir tu carrera, ¿me oyes?

—Estás en tu derecho de intentarlo, querido amigo.

Friedrich no puede resistirlo más. Le enfurece la sangre fría de la mujer y le enfurece aún más la certeza de que no va a ser tan fácil aniquilarla sin comprometer su propio prestigio, sus posibilidades de ganar el Nobel.

—¡Vas a ir a la cárcel! ¿Me oyes? ¡Como una vulgar delincuente!

Se ha acercado mucho a ella y está levantando la voz más de lo que debería, pero no puede remediarlo. De todas formas la terraza está casi desierta excepto por uno de los guardias del CERN, realizando su ronda de rutina. El guardia, sin embargo, se acerca, probablemente atraído por los gritos. Friedrich le hace un gesto imperativo con el brazo para que les deje en paz. Pero el estúpido portero le ignora, dirigiéndose a Helena.

—Buenas noches, señora —dice—. ¿Todo va bien?

—Haga el favor de dejarnos tranquilos —contesta Friedrich, impaciente.

El guardia le ignora. Friedrich repara en que se trata de un crío casi imberbe. Incapaz de tolerar tanta insolencia, le aferra de un brazo.

—¡Le he dicho que haga el favor de seguir!

El guardia se gira hacia él y le ase de la muñeca, apretándosela fuertemente hasta hacerle daño. A la vez se lleva la mano a las esposas que cuelgan de su cinto.

—No se ponga violento o tendré que maniatarlo —dice con una voz que deja clarísimo que es muy capaz de cumplir su amenaza.

—¡No sabes con quién estás hablando, estúpido! —grita Friedrich—. ¡Mañana estarás despedido!

Pero ha perdido la mayor parte de su brío. El guardia es robusto y parece perfectamente capaz de cumplir su amenaza. Además, ya le ha cantado las cuarenta a la bruja. En cuanto al gorila, ya se ocupará de ponerlo de patitas en la calle al día siguiente.

—Gracias, Pablo —dice Helena—. El profesor Von Zhantier y yo ya habíamos acabado de charlar. ¿Me acompañas hasta mi coche?

—Naturalmente, señora.

—Que descanses, Friedrich —dice la bruja antes de marcharse—. ¿Por qué no lo piensas y hablamos mañana?

Pero Friedrich no tiene nada que pensar, excepto cuál es la mejor manera de hundir a esa mujer. Cruza la terraza a grandes zancadas, casi a la carrera, sulfurado por la humillación a la que le ha sometido Pablo Furtado; rebusca exasperado en sus bolsillos las llaves del Porsche antes de darse cuenta de que las ha dejado puestas en el contacto con las prisas. Finalmente arranca y escapa del CERN a toda velocidad.

La furia que siente no disminuye hasta que llega al lugar donde Corrado suele materializarse. Pero Corrado no aparece por primera vez en diez años.

—¿Dónde estás, amigo?

De repente se siente terriblemente solo. Solo y traicionado incluso por el fantasma.

—¿También tú te pones de su parte?

Nadie responde. Quizá, piensa, Corrado no consigue condensarse hoy, quizá su exaltado estado de ánimo le desconcierta, impidiéndole tomar forma.

Para tranquilizarse se concentra en la carretera apenas llega al inicio del col de la Faucille. Ni siquiera la agitación que siente afecta su talento para conducir. Al contrario, está más inspirado que nunca, negociando cada una de las curvas a una velocidad sobrehumana.

Es tanta su concentración, tan grande su felicidad que olvida frenar a tiempo y la curva donde se despeñó Corrado se le echa encima. Pero Corrado no se ha aparecido esta noche y la curva no tiene complicaciones. Friedrich comienza a girar el volante al tiempo que cambia de marcha con un doble embrague y acelera en el momento justo, lo que hace derrapar las ruedas de su deportivo sobre el asfalto.

Y en ese mismo instante unos brazos fortísimos le aferran por detrás, arrancando sus manos del volante.

—¡Corrado! —grita Friedrich—. ¡Suéltame!

Pero el rostro deforme que distingue en el retrovisor un instante antes de que el Porsche embista el quitamiedos y se precipite barranco abajo no es el de Corrado Gatto, sino el de su hermano Mauricio.

Reconoció a Helena a lo lejos, a pesar de que era la primera vez que la veía con ropa informal. Unos vaqueros, que le sentaban estupendamente, y una blusa de manga corta, que dejaba al descubierto los hombros. Estaba morena. Aparentaba veinte años menos de los que tenía.

—¡Qué mujer tan guapa! —exclamó Héctor, guiñándole un ojo—. Mejorando lo presente.

Irene se echó a reír. Una frase así merecía el idioma

de su padre y el acento caribeño de Héctor. «Mejorando lo presente» era uno de esos giros caprichosos del castellano, que significaba exactamente lo contrario de lo que parecía querer decir.

Las *Variaciones Goldberg*. La víspera de su viaje de regreso a Ginebra Leila se había sentado al piano después de la cena, y tocó el aria y las treinta variaciones sin interrupción. Antes de tocar el *aria da capo*, el tema inicial que también se repetía al cierre, Leila se había detenido a tomar el té preparado por Raúl.

—El aria nunca suena igual después de escuchar las Variaciones.

Había entendido lo que su madre quería decir. El aria final era idéntica a la que abría el concierto y a su vez totalmente diferente. Lo que cambiaba no era la música, sino quien la escuchaba.

Variaciones.

Pocos meses atrás era ella quien saludaba, una tarde cualquiera, a la pareja que paseaba abrazada a lo largo del muelle. La sola imagen le hizo comprender que no les guardaba rencor a Corinne y Matthieu. Después de todo no había tenido más amigos que ellos al principio de su estancia en Ginebra, por más que uno pecara de desaprensivo y la otra siguiera corriendo por todas las ciudades del planeta, veloz y atolondrada como un cachorro que persigue su propia cola. No les guardaba rencor, pero tampoco les echaba de menos.

No con Héctor a su lado mientras Helena se acercaba a ellos a paso vivo, sonriendo. Héctor agitaba una mano, en la que las heridas aún no habían cicatrizado del todo, para saludarla. Cojearía durante muchos meses y su rostro recordaba todavía cada uno de los golpes que había recibido.

Cada uno de esos golpes, se prometió, contaría.

El número veintinueve de la rue de Lyon volvería a ser su casa. La casa de ambos. Un hogar compartido donde ser felices.

Aria da capo.

—¿Qué va a pasar ahora? —preguntó Héctor.

Irene contempló maravillada cómo la signora Gabriella recogía los platos con los restos de las pizzas que habían tomado para cenar y les servía tres grappas. Las variaciones iban sucediéndose, a la vez familiares e impredecibles.

—El LHC estará reparado antes de lo que pensé gracias a la ayuda de los americanos y los japoneses —dijo Helena—. En cuatro o cinco meses a lo sumo. La investigación concluirá que la culpa fue de Mauricio... Y mía, naturalmente. Jozef Linsen se ocupará de informar a todos los delegados de mi negativa a ordenar el retiro anticipado de nuestro pobre amigo.

—¡Pero no es justo! —exclamó Irene—. Yo...

La mano de Helena buscó la suya.

—Está bien. Lo único que puede conseguir difamándome es que pierda las elecciones.

—¿Y te parece poco?

Helena se recostó en su silla, sacó la pitillera y empezó a jugar con ella, dándole vueltas entre las manos.

—Me parece muy bien, de hecho. Mientras Jozef se concentra en atacarme, Alessandro Calvetti está preparando su candidatura. Las pocas semanas en las que el LHC operó a alta intensidad son suficientes para confirmar el descubrimiento del plasma. El CERN se apuntará el gran descubrimiento que necesita y Calvetti se beneficiará de ello. También Archibald Ross, dicho sea de paso. Ha sido nombrado nuevo director de Omega y, por tanto, si hay un Nobel, será él quien se lo lleve. ¡Pobre Friedrich! Se pasó toda su vida persiguiendo ese premio.

—¿Le compadeces? Él no hubiera dudado en aniquilarte.

—Friedrich era un hombre solitario y obsesionado con alcanzar la gloria. Pero también un gran científico que no dudó en dedicar su vida a buscar el plasma. Es triste que no haya podido ver su sueño realizado.

—¡Quién podía pensar que Mauricio hiciera algo así! —exclamó Irene—. Estaba convencida de que era inofensivo como un niño.

—Todos sabíamos que odiaba a Friedrich —dijo Helena—. Le hacía responsable de la muerte de su hermano. El peligro estaba ahí, anunciado, a la vista de todos. Pero no quisimos verlo.

—¿Qué hará Calvetti si gana las elecciones? —preguntó Héctor.

—Volverá al programa de protones. Gracias a la alta intensidad es mucho más fácil realizar nuevos descubrimientos ahora que cuando empezamos, hace unos años.

—¿Los choques entre protones no pueden crear burbujas?

—No, las condiciones son muy diferentes a las

colisiones entre núcleos de plomo. El plasma de quarks no llega a formarse y en consecuencia tampoco se forma materia extraña —dijo Helena—. Por otra parte, los protones nos permitirán explorar una región muy alta de energía y quizá descubrir nuevos fenómenos... Hace falta un poco de suerte, en todo caso.

—Amén —dijo Héctor, levantando su vaso de aguardiente italiano.

—¿Qué hay de sir James? —quiso saber Irene.

—Volverá a la carga —contestó Helena—. Y puede que sea bueno que lo haga. Los riesgos que invoca no son imaginarios, y es nuestra obligación asegurarnos de que nunca se den las calamidades que barrunta. Los arsenales nucleares son reales. El peligro de producir un virus letal que asole el planeta es real. La posibilidad de crear burbujas extrañas es real. Donde discrepo de sir James y sus amigos es en la manera de enfrentarnos a esos peligros. No podemos volver a la era de las cavernas, es impensable detener la investigación, amordazar a la ciencia, frenar la tecnología. Podemos aprender a evaluar y controlar cualquier posible riesgo siempre que no nos lo impida nuestra arrogancia. Siempre que no seamos necios.

—¡Bien dicho! —exclamó Héctor.

—Hablando de sir James, estuve a punto de confesarle toda la historia —dijo Helena—. Fue una auténtica fortuna que Sakuda me telefoneara con las noticias un instante antes de que me fuera de la lengua. Estaba tan desesperada que no encontraba otra manera de evitar la catástrofe. Me alegra que otros tuvieran ideas más..., ¿cómo decirlo?..., radicales...

—¿Y tú, Helena? —preguntó Héctor—. ¿Qué planes tienes?

En lugar de responder, Helena sacó un cigarrillo de la pitillera con la que no había dejado de jugar y se lo puso en los labios.

—¿Quién tiene fuego?

Irene rebuscó en sus bolsillos hasta encontrar un mechero.

—¿Has perdido tu precioso encendedor? ¡Con el cariño que le tenías!

—Por eso mismo. Sólo deberían regalarse objetos queridos —contestó Helena con una chispa de felicidad asomando al inescrutable violeta de sus ojos.

Cuidadosamente, para no despertar a Héctor, Irene abrió el saco de dormir por su lado y se deslizó fuera. Él relajó los brazos, protestando en sueños, como quejándose de dejarla ir, pero no llegó a despertarse. Irene se puso el chándal, echó mano de su pequeña mochila y salió de la tienda de campaña.

De julio a septiembre la Créte de la Neige no hacía honor a su nombre. A pesar de ser el punto más elevado del Jura, la nieve no empezaría a caer hasta mediado octubre. A cambio la Vía Láctea relumbraba en el cielo casi al alcance de su mano.

Se sentó en un pequeño montículo a unos metros de la tienda. Abrió la mochila y rebuscó en su interior hasta encontrar un pequeño estuche que abrió cuidadosamente.

Un disco con las tres aspas de la radiactividad.

Lo primero que pensó la víspera, al ver a Misha

aguardándola a la puerta de su casa, es que parecía haber envejecido diez años. Había perdido por completo el escaso pelo que le quedaba en la cabeza y aquella cara encarnada suya se había quedado demacrada y amarillenta. Tenía los ojos acuosos de un anciano.

No habían hablado mucho. Como Boiko, Misha no era hombre de muchas palabras. Le contó que regresaba a Moscú. Puso en su mano un pequeño objeto, envuelto en el papel de plata que Boiko y él solían usar para entregar los encargos de los clientes en L'usine.

—Igor querría que te lo quedaras.

Irene contempló las tres aspas, pensativa. Luego echó a andar, apenas unos metros, hasta localizar la piedra donde Héctor y ella habían encontrado el fósil del nautilus esa tarde.

Doscientos millones de años atrás la Créte de la Neige formaba parte del suelo oceánico, antes de los inimaginables cataclismos que alzaron la cadena montañosa del Jura a casi dos mil metros por encima del nivel del mar. Para entonces el pequeño animal que una vez había estado tan vivo como ella ya se había transformado en parte de la roca donde aún seguía, tan indiferente al paso del tiempo como la luz de las estrellas que llegaba de galaxias distantes.

Junto al nautilus siempre sabría dónde encontrarlo. El cuchillo que llevaba en la mochila no estaba demasiado afilado, pero fue suficiente para excavar un pequeño agujero. Ignoraba dónde se pudrían los huesos de Boiko, pero tenía la certeza de que aquél era un buen sitio para que descansara su espíritu.

Mucho rato después regresó al promontorio y se

sentó una vez más a contemplar el cielo.

Cien mil millones de estrellas.

Tantas como todos los vivos y todos los muertos, una perla de luz por cada alma que alguna vez habitara la Tierra.

Un astro por Ardalan, otro por Negar, los abuelos que nunca conoció. Sí, y también por Karim, por Ramin, por todos los muertos ocultos tras el silencio de Leila.

Por Corrado y Mauricio Gatto, por John Carpenter, por Friedrich von Zhantier.

Y por Boiko.

Cien mil millones de estrellas. Tantas como neuronas en su cerebro. Una galaxia dentro de su cabeza.

¿Había algo más extraño en todo el maravilloso universo que esa galaxia interior, esa materia consciente de la que estaba hecha?

Extraña materia. Materia humana.

NOTA DEL AUTOR

El CERN y el LHC

El CERN[3] es un laboratorio dedicado a la investigación fundamental en física nuclear y subnuclear (física de partículas elementales). Fue fundado a principios de la década de 1950 y está formado por un consorcio que agrupa una veintena de países. Es el laboratorio más importante del mundo en esta disciplina científica. Se encuentra cerca de la ciudad de Ginebra, extendiéndose a lo largo de la frontera entre Francia y Suiza.

Contrariamente a lo que imaginan algunas novelas recientes, no existen corredores secretos que comuniquen el CERN con el Vaticano ni bombas de antimateria. En cambio, cuenta con un impresionante complejo de aceleradores que han permitido numerosos descubrimientos de gran relevancia científica a lo largo de su más de medio siglo de existencia.

El LHC (Large Hadron Collider) es un gigantesco colisionador de partículas, el último de una larga serie de potentes máquinas construidas en el CERN. Los imanes superconductores que se extienden a lo largo de sus veintisiete kilómetros de circunferencia son capaces de acelerar haces de protones hasta energías de siete mil

3 http://cern.ch

billones de electrón-voltios[4], muy superiores a las que se han alcanzado hasta el momento[5].

El LHC comenzó a proyectarse a finales de los años ochenta del siglo pasado y su construcción ha llevado más de una década. La fecha prevista para iniciar su operación es el año 2008, si bien serán necesarios uno o dos años más antes de que opere a pleno rendimiento. Una vez en marcha, el programa científico de esta instalación se extenderá por al menos una década.

Inicialmente el LHC colisionará protones, con el objetivo de producir nuevas partículas, como el bosón de Higgs o las partículas supersimétricas, que serán estudiadas por dos grandes detectores, llamados *ATLAS* y *CMS*.

Además de protones, el LHC puede colisionar iones de plomo, con el ánimo de buscar un nuevo estado de la materia denominado plasma de quark y gluones. Otro detector, llamado *Alice*, se dedicará al estudio de las colisiones de iones pesados.

4 Un electrón-voltio (eV) es la energía que un electrón adquiere al pasar a través de una diferencia de potencial de exactamente un voltio. Numéricamente, 1 eV equivale a 1,6 x 10-19 julios, o bien un julio son 6,2 x 1018 eV. Por ejemplo, se necesitarían 6,2 x 1020 eV/sec para encender una bombilla de luz de 100 vatios.

5 La energía total en cada haz de protones del lhc es equivalente a la de un tren de 400 toneladas (como el ave) desplazándose a 150 km/h. Sin embargo sólo una parte minúscula de esa energía se libera en cada colisión..., del orden de la que consumen una docena de mosquitos al volar. En el caso de las colisiones de iones la energía es mayor, del orden de unos mil mosquitos, aproximadamente, pero mucho menos concentrada.

LA TEXTURA DEL MUNDO

Los griegos creían que el universo podía reducirse a cuatro elementos, tierra, agua, aire y fuego. Antes de mediados del siglo XX, la física nuclear había redefinido esos elementos en términos de cuatro partículas elementales, protones, neutrones, electrones y neutrinos. Los dos primeros forman los núcleos atómicos. Los protones tienen carga positiva y su número determina el tipo de elemento en cuestión (el hidrógeno tiene 1 protón el oxígeno, 8; el oro, 79). El neutrón sólo se diferencia del protón en que carece de carga eléctrica. Los electrones tienen carga negativa, orbitan el núcleo atómico y compensan en número a los protones, de tal manera que los átomos son eléctricamente neutros. Los neutrinos aparecen como productos de desecho de las desintegraciones radiactivas.

En la segunda mitad del siglo XX, los experimentos con aceleradores, en el CERN y otros laboratorios similares, establecieron que protones y neutrones no eran partículas verdaderamente elementales (esto es, sin estructura interna), sino que estaban compuestos a su vez por objetos llamados quarks. En concreto, un protón contiene la combinación *uud*, mientras que un neutrón, la combinación *ddu*. La letra *u* se corresponde al quark *up* (arriba), y la *d*, al quark down (abajo). Los quarks tienen una carga eléctrica que es una fracción de la del electrón (el quark *up* tiene una carga +2/3, mientras que el quark *down* tiene una carga de -1/3). Los quarks están confinados por la llamada *fuerza fuerte* en el interior de protones y neutrones. Toda la materia ordinaria puede explicarse en función de estos cuatro objetos elementales: electrones, neutrinos y los dos tipos de quarks, *u* y *d*.

Sin embargo existe un tercer quark ligero, llamado quark extraño (o quark s, del nombre inglés *strange*). El quark extraño es una versión pesada del quark *d* (que se corresponde, dicho sea de paso, a una versión pesada del electrón llamada muón). Cuando sustituimos uno o más quarks *d* por quarks *s*, obtenemos las partículas extrañas que se observan experimentalmente. Por ejemplo, la partícula Σ+ está compuesta de la combinación *uus* y es, por tanto, equivalente a un protón en el que sustituimos el quark d por el quark s, mientras que la partícula Ξ0 se corresponde a un «neutrón extraño» *uss*, y la partícula Ω-, a un estado puro de materia extraña, *sss*.

MATERIA EXTRAÑA

¿Podrían crearse en las colisiones de iones pesados del LHC objetos equivalentes, digamos, a un núcleo de oro o de plomo, pero compuesto de hiperones; esto es, protones y neutrones extraños como la Σ+ o la Ξ0? No parece demasiado probable. Un núcleo es un objeto «frío», en el que protones y neutrones están ligados por energías del orden de la decena de MeV[6], mientras que las colisiones entre los núcleos de plomo resultan en una «temperatura ambiente» mucho más elevada, del orden de los 100 MeV. Incluso si uno de estos núcleos extraños

6 El MeV es una unidad de energía equivalente a un millón de electrón voltios.

(llamados MEMOs[7]) llegara a crearse, todo apunta a que se vaporizaría inmediatamente. El problema es similar al de crear un cubito de hielo en un horno a mil grados de temperatura.

Existen, sin embargo, mecanismos que permiten crear agregados de materia con alta densidad de quarks extraños. Un ejemplo es el caso de las llamadas estrellas de neutrones, objetos extremadamente densos que a menudo constituyen el remanente de la explosión de una supernova. En el núcleo de una estrella de neutrones la presión es tan grande que los quarks que componen los neutrones dejan de estar confinados en el interior de éstos y pasan a comportarse como partículas individuales comprimidas en una «sopa» que se denomina *materia de quarks*. Los quarks, al igual que los electrones, se caracterizan por obedecer el llamado *principio de exclusión de Pauli*, que prohíbe que dos de estas partículas se encuentren en el mismo estado de energía. Como consecuencia, a medida que la presión aumenta en el interior de una estrella de neutrones, los quarks que la componen van ocupando niveles cada vez más altos de energía.

En estas condiciones resulta ventajoso energéticamente crear quarks extraños (un quark *s* puede compartir el mismo estado de energía con un quark *u* o *d*, cosa que no ocurre entre dos quarks *u* o *d*). La capa de quarks extraños se crea inicialmente en el centro de la estrella, donde la presión es mayor y crece hacia fuera,

7 Del inglés *Metastable Exotic multihypernuclear object*. Es decir, un núcleo en el que varios de los protones y neutrones hayan sido sustituidos por su equivalente hiperón formado con quarks extraños.

absorbiendo los neutrones de las capas externas a medida que lo hace. La estrella de neutrones puede convertirse entonces en una *estrella extraña.*

No existen evidencias experimentales confirmadas de la formación de estos objetos en el universo, aunque algunas observaciones podrían ser compatibles con su existencia[8].

Las condiciones en el LHC son completamente diferentes. En una estrella de neutrones la materia se encuentra a alta presión y baja temperatura. En las colisiones de iones de plomo, por el contrario, las condiciones son de alta temperatura y baja presión. Se forma entonces el llamado plasma de quarks, que no es otra cosa que un gas donde los quarks se mueven libremente. El mecanismo de formación de una estrella extraña no se aplica en estas condiciones. Sin embargo existen modelos que predicen la formación de objetos con una alta cantidad de quarks extraños, llamados *strangelets* (en la novela, burbujas extrañas). Estos modelos especulan con la existencia de un mecanismo de «destilación» que enriquezca en quarks extraños el *plasma de quarks.* Además es necesario un mecanismo de «condensación» capaz de «enfriar» el plasma original hasta formar un objeto con un número grande de quarks extraños, esto es, una burbuja extraña[9].

Por argumentos análogos a los que hemos visto en el caso de una estrella de neutrones, existe la posibilidad de que una burbuja extraña sea un objeto absolutamente

8 Ver, por ejemplo, http://cerncourier.com/cws/article/cern/28646

9 Por ejemplo, J. Carsten Greiner, Phys. G25: 389-401 (1999).

estable, capaz, por tanto, de absorber toda la materia ordinaria que entra en contacto con ella, creciendo en tamaño a medida que lo hace. Esto nos llevaría al escenario en el que se basa una de las tramas de la novela. Si una burbuja extraña producida en el LHC crece lo bastante (por ejemplo absorbiendo los núcleos de helio de los imanes superconductores que la rodean), la situación se asemeja a la conversión de una estrella de neutrones en una estrella extraña. El resultado final es la aniquilación total del planeta.

MATERIA EXTRAÑA: HECHOS Y FICCIÓN

El escenario anterior, de hecho, saltó a la prensa en 1999, con motivo de la operación del acelerador RHIC, en Brookhaven, Estados Unidos. Como consecuencia de la considerable inquietud creada entre la opinión pública, RHIC creó una serie de comités entre los que se contaban científicos de primera clase, que produjeron una serie de documentos en los que se argumenta de manera convincente que la probabilidad de un evento catastrófico como la aniquilación del planeta por la formación de materia extraña es ridículamente pequeña[10].

Estos argumentos no son difíciles de seguir. De manera cualitativa, pueden resumirse de la siguiente forma: a) la probabilidad de producir burbujas extrañas es muy pequeña, ya que es necesario condensar un objeto

10 W. Busza, R. L. Jaffe, J. Sandweiss y f. Wilczek, «Review of speculative "disaster scenarios" at RHIC», *Mod. Phys.* 72,1125 (2000).

frío y denso en un medio extremadamente caliente —la metáfora del cubito de hielo en un horno, que ya hemos comentado—; b) es muy improbable formar burbujas de carga negativa, ya que para ello hace falta añadir muchos quarks extraños (de carga -1/3), mientras que resulta más económico mezclar quarks *s* y *u*, lo cual resulta en burbujas positivas —sólo es necesario un quark *s* para formar la Σ+ mientras que se precisan tres quarks s para formar la Ω- ; c) una burbuja positiva no es problema alguno, ya que inmediatamente sería apantallada por los electrones presentes en el medio (además de ser repelida por los núcleos de helio con los que necesita reaccionar para devorar el planeta).

En *Materia extraña*, Irene de Ávila ha ganado notoriedad por un modelo que predice la formación de estrellas de neutrones. Como se ha visto, el mecanismo es plausible e incluso puede que existan observaciones experimentales que lo confirmen, como de hecho se pretende en la novela. A partir de su modelo, Irene realiza una «extrapolación» a las condiciones de alta temperatura y baja presión del LHC, que podría asimilarse a los modelos propuestos, por ejemplo, por Greiner y Heinz [9]. Finalmente obtiene una probabilidad de producción de burbujas extrañas del orden de 10-6. Este número es totalmente ficticio. En contraste, la probabilidad estimada en [10] es del orden de 10-35, muchísimos órdenes de magnitud inferior.

Posteriormente Irene predice que las únicas burbujas extrañas estables que pueden producirse en el LHC son metaestables (es decir, tienen vidas medias del orden de un microsegundo, lo cual podría ser plausible) y tienen carga positiva (lo cual, como hemos visto, es muy probablemente cierto). La última vuelta de tuerca ocurre cuando «descubre» que la probabilidad de que una burbuja extraña positiva y un núcleo de helio sufran fusión por efecto túnel es del orden de 10-4. Esta posibilidad es no menos ficticia que la alta probabilidad de formar una burbuja extraña.

Finalmente, en la conferencia de Irene en el CERN, Helena Le Guin, la directora, argumenta que los límites astrofísicos (el hecho de que los rayos cósmicos de altísima energía no hayan convertido todavía a la Luna en una estrella extraña) permite eliminar la hipótesis de formación de estos objetos en el LHC. Resulta instructivo leer los argumentos que se presentan en [10], así como el trabajo de Dar, De Rújula y Heinz[11]a este respecto.

En resumen, conviene insistir en que la situación que lleva a las drásticas acciones del desenlace, es puramente ficticia. La probabilidad de formar burbujas extrañas es mucho más remota de la que se inventa en la novela. Como físico de partículas, suscribo los argumentos que aseguran que el riesgo de que el LHC precipite el Armagedón es ridículamente pequeño. Es fácil imaginar cientos de desastres casi igualmente catastróficos y harto más probables, desde la siempre presente amenaza nuclear hasta la posibilidad de una epidemia devastadora.

No obstante, la hipotética amenaza de las burbujas extrañas contiene una nota que debe tomarse seriamente. No es del todo irrazonable suponer que una epidemia, por letal que fuera, o incluso una guerra termonuclear,

11 A. Dar, A. De Rujula y U. Heinz, «Will Relativistic Heavy-ion Colliders Destroy Our Planet?», *Phys. Lett.* B 470:142 (1999).

dejaran algunos supervivientes. En cambio, la catástrofe que consideramos aquí supondría la aniquilación completa de toda la vida en la Tierra —y, por lo que sabemos hasta el momento, no sólo toda la vida, sino toda la inteligencia del universo—. La pregunta que surge entonces es: ¿debe permitirse la operación del LHC, si ésta puede implicar un riesgo, aunque sea ínfimo, dadas las catastróficas consecuencias?

Este tipo de argumentos han sido manejados por diversos autores, entre ellos por el astrónomo sir Martin Rees, en su libro *Our Final Hour*[12]. El razonamiento es el siguiente. Cuando un actuario calcula el precio de un seguro multiplica dos números, a saber: la probabilidad de que ocurra el accidente contra el que se extiende el seguro y el coste de ese accidente. El resultado se llama factor de riesgo y es la cantidad que permite decidir si un seguro es viable. No basta con que la probabilidad de una determinada desgracia sea pequeña, es necesario también que el coste de ésta no sea excesivo, para que el factor de riesgo permanezca pequeño.

El análisis de Rees sugiere que, por pequeña que sea la probabilidad de producir burbujas extrañas, el coste es esencialmente infinito, y por tanto el factor de riesgo, inaceptablemente alto. Esta actitud, no exenta de dogmatismo, tiende a forzar al estamento científico a posturas no menos radicales. Por ejemplo, la página web del CERN dedicada al tema[13] despacha los *strangelets*

12 Ver, por ejemplo, http://en.wikipedia.org/wiki/Our_Final_Hour

13 http://public.web.cern.ch/public/

de una manera categórica que esencialmente equivale a afirmar que la probabilidad de que una catástrofe de este tipo ocurra es exactamente cero (en cuyo caso puede argumentarse que el factor de riesgo es nulo).

Lo cierto es que el «dilema de las burbujas extrañas» plantea una paradoja difícil de resolver, ya que el concepto de factor de riesgo está mal definido cuando la probabilidad de la catástrofe se aproxima a cero, a la vez que el coste se acerca a infinito. En mi opinión, esa paradoja es digna de debate y no debe zanjarse con argumentos simplistas.

Materia extraña pretende ser un fresco —con trazos impresionistas pero auténticos—, de un lugar extraordinario —el CERN —, una profesión y una manera de entender la vida. Aunque no es un *roman à clé*, cualquiera que haya trabajado en la gran meca de la física se ha tropezado —en el laberinto de pasillos, en la cafetería donde se escucha una docena de idiomas, en las aulas de seminarios en cuyas pizarras abundan los diagramas de Feynman— con Jozef Linsen y Helena Le Guin, Friedrich von Zhantier e Irene de Ávila, John Carpenter e incluso con el mismísimo Mauricio Gatto, salvaje feliz en su jungla de papel, escribiendo la función de onda del universo en una libreta de tapas oscuras.

NEUTRINOS Y NO PROLIFERACIÓN

Uno de los problemas que deben abordarse con urgencia, si la energía nuclear ha de continuar siendo una alternativa viable en un mundo cuyos recursos en hidrocarburos están disminuyendo, es el control de los desechos radiactivos y muy especialmente del plutonio, un elemento altamente fisionable que aparece inevitablemente en las barras quemadas de combustible en un reactor convencional.

Numerosos laboratorios tanto en Europa como en Estados Unidos están desarrollando detectores de neutrinos para medir la abundancia de elementos radiactivos en el interior de un reactor nuclear. La idea que en la novela atribuyo a Héctor Espinosa es antigua, si bien los detectores «portátiles» y «fáciles de mantener», semejantes a RAN, son de factura bastante reciente[14].

La producción de plutonio entre los productos residuales del combustible quemado en una central nuclear es uno de los mayores problemas a los que se enfrenta esa industria. Incorporar radares de neutrinos a todas las centrales nucleares y cementerios radiactivos del planeta, como tan fervientemente desea el mayor Espinosa ayudaría a minimizar los riesgos asociados a éste.

14 Ver, por ejemplo, Michel Cribier, «Neutrinos and non-proliferation in Europe», http://arxiv.org/pdf/0704.0548

AGRADECIMIENTOS

No están todos lo que son, pero sí son todos los que ahora digo: Manuel Toharia, inefable Celestina de un muy particular romance. Ana Rosa Semprún y José María Guelbenzu, Melibea y Calixto de mis literarios amores. Paco Camarena y el matrimonio De Suárez —José Miguel y Merche—, ciudadanos de la República. Justo Martín Albo, lector de taimada sonrisa. Rafael Robles, Quijote en Teherán. Nasim, Shirin y Mohammed, por cuyos ojos he visto el Irán que aparece en este libro. Félix Rodríguez, valeroso frente a los tractores y los imanes superconductores. Esther Carro, cuyo Ulises todavía mira al mar. Miryam Galaz, Fátima Aranzabal y todo el equipo de Espasa —los Reyes Magos existen.

A mi padre, por Homero, Verne, Salgari y Trueno.

A Miguelito y Paco, por la poesía.

A Eloína, por los irrecobrables días de la infancia.

A Juan, por enseñarme a boxear.

A Pilar, por su temible rotulador rojo.

A mis hijos, por los nombres y la felicidad.